ものが語る歴史　23
アイヌの民族考古学

手塚　薫

同成社

目　　次

序章　狩猟採集民の普遍性……………………………………………………1

1. 自然環境と調和する狩猟採集民　1
2. 交換される諸資源　3
3. 社会関係：労働力の提供　5
4. 混合経済　6
5. 疾　病　8
6. 長距離交易ネットワーク　9
7. テリトリー概念と有用資源論争　11
8. 周縁からの照射　12

第1章　北東アジアにおける毛皮獣狩猟活動と近代世界経済システム
　　　　──毛皮交易の興隆と毛皮の獲得──……………………………17

1. 毛皮需要と罠猟　17
2. 小型毛皮獣狩猟活動活性化の要因にかかわる研究史　18
3. 仕掛弓の起源について　23
4. 交易品の獲得　26
5. 仕掛弓関連用語の分布とその特徴　31
6. 交易品の流通と毛皮交易　39
7. 日本における毛皮生産活動　41
8. 北東アジア狩猟採集民文化像の再検討　45

第2章　アイヌの生活様式の多様性
　　　──アイヌ研究のあらたな展開── …………………………51

1. アイヌを取り巻く政治状況　51
2. 地域や時代で変わるアイヌ文化　53
3. 近世のアイヌと政治・経済制度　55
4. アイヌエコシステムから歴史のなかのアイヌへ　59
5. アイヌの労働形態の特徴　65
6. 食と生業　68
7. 外需を満たす狩猟活動　78
8. 年中行事からみたアイヌと和人の交流　81
9. クマ送り儀礼　87
10. 近代化と変容　95

第3章　石狩低地帯におけるアイヌ交易の展開と
　　　本州製品の流通 ……………………………101

1. アイヌ文化における商品流通　101
2. 外部社会との接点と物質文化　103
3. 千歳アイヌとシコツ場所　106
4. 交易制度の変化──城下交易から商場知行制へ──　108
5. ユカンボシC15遺跡出土の木製遺物　110
6. 木製遺物分析の目的と方法　113
7. 木製遺物の分析結果　118
8. 美々8遺跡の木製遺物　120
9. 準構造船の出現と意義　125
10. 商業的サケ漁の開始について　127
11. 札幌市K39遺跡の木製遺物　129

12. 儀礼具の樹種　132
13. 市場経済への編入とアイヌ文化の再編成　134
14. 境界領域の考古学研究への展望　135

第4章　千島列島における先住民交易ネットワークの形成と変容 ………………………………139

1. ラッコ権益と先住民交易ネットワーク　139
2. ロシア人の千島進出と幕府の対応　139
3. 歴史的絵図の検討　142
4. 現代の調査からみた帝政ロシア期集落と住民の生活　151
5. 帝政ロシア期集落のインパクト　157
6. 交易品の分配と社会階層の関係　162

第5章　千島列島への移住と適応
　　　　——島嶼生物地理学という視点—— ……………………………165

1. 海洋環境への進出　165
2. 千島列島調査計画——IKIPからKBPへ——　167
3. 千島列島の考古学的研究　169
4. 断絶とカタストロフィー　173
5. 島への植民と適応　177
6. 商品流通経済との接合　183
7. 島嶼研究の今後の展望　186

終章　移動する文化境界 ………………………………189

1. 境界の意義　189
2. 狩猟採集文化の再構成　190

3. 歴史的視点とアイヌの経済活動　192
  4. アイヌ文化期に関する考古学的研究　194
  5. アイヌ文化における社会的変化　195
  6. 島嶼地域における歴史生態的研究の可能性　196

引用参考文献　199
あとがき　229

アイヌの民族考古学

序章　狩猟採集民の普遍性

1. 自然環境と調和する狩猟採集民

「自然と共生する狩猟採集民族」のアイヌ・イメージは、現代社会の種々の局面、たとえばマスメディア、教育の現場、博物館展示などで繰り返し姿をあらわす(児島 2003a)[1]。現在のアイヌは狩猟採集の暮らしを行っていないが、このような言説には次の側面を指摘することができる。

マイノリティの立場におかれている先住民が国家に対してみずからの権利拡大を主張する際、マジョリティの側とは異なる狩猟、採集、漁撈などの「伝統的」生業活動を政治的レトリックとして用いる側面、いわば文化の客体化が行われている状況をかいまみることが可能である。近代になって一種の植民地的状況のなかで、明治政府によるアイヌの生業への直接的な関与が行われた時代まで、狩猟・採集・漁撈の暮らしは彼らの生活を形式的にではなく、実質的に支えていた。そこで、自然の生産力とそれを巧みに利用する技術に依拠した豊かさを享受する狩猟採集伝統を、地域を超えて集団を凝集させる文化・社会的求心力として用いる動きが顕在化している。各地でかつての狩猟採集文化に付随した慣習としての儀礼活動は、さまざまな機会にあらたな命を吹き込まれながら再生を遂げつつある[2]。いまここでこの流れの当否を議論することが序章の目的ではない。むしろ当該地域の人びとが現在まで伝えている狩猟・採集・漁撈といった固有の生業活動の特質は、固定的で不変なものではなく、周辺の農耕地帯や国家との交流を維持するために柔軟に自身を変化させてきたことであり、その点に注目してみたい。狩猟・採集という自文化をかたどるシンボル的主体は、その時々でそこにかかわるさまざまな人びとと複数の文化間の境界領域で、相互交渉・相互浸透・混交作用の積み重ねのうえに構築されてきたもの

であり、それは現在もなお継続している。

　狩猟採集文化を定義づける要素は多様であり、単に生活の糧の大半を狩猟採集経済に依拠しているという見方では、十分にその内容を捉えきれない部分がある[3]。また時代によって特定の経済活動への依存の度合いも異なる。本書では、狩猟、採集、農耕、家畜飼養、儀礼、工芸品制作、交易などの幅広い属性を通時的に検討することによって、狩猟採集文化の特徴をあきらかにしていきたい。

　狩猟採集に漁撈を含めた活動を行う人びとを英語ではforagerとよび、「採捕民」と訳されることが多い。本書では主にアイヌの事例を中心にあつかうので、狩猟採集民よりは採捕民のほうがふさわしいが、より一般に定着した用語として狩猟採集を用いることとする。

　本書では、日本北方と北東アジアの歴史を踏まえ、本州北部、北海道、千島、樺太にまたがる地域に居住してきたアイヌによって代表される、北方地域における狩猟採集文化の特徴を述べることが目的である[4]。狩猟採集民的な生業活動とは、人類が生存のために不可欠な食料獲得やものを生産したり交換する活動と定義できる。本書では、議論の対象として、請負労働や賃金労働などの活動、また狩猟採集民と周辺の国家組織との関係も視野におさめている。資本主義的世界システムに接合した狩猟採集文化の理論化については、すでにある程度の研究蓄積があるが（池谷 2002; 岸上 2001; 清水 1992 など）、それに比べ、北東アジア全体の動向をあつかおうとする問題意識は希薄であり、まして東アジア型の特徴である国家が主導する強力な前近代的社会経済システムとの関連を視野に入れた理論やモデル作りの作業は、まだはじまったばかりである。そこで伝統国家による前近代的社会経済システムから資本主義的世界システムへの転換期に、北東アジア狩猟採集文化におとずれた変容の共通性を論じる。

　さらに、北方の狩猟採集文化を、主にアフリカ、東南アジア、北米、シベリアなどにおける近年の人類学研究の動向と絡めて論じることの意義を、再確認しておきたい。これまでアイヌは独立した狩猟採集民として周辺地域とは切り離されて、単独に評価される傾向が一般的であった。世界の民族誌研究で得ら

れた知見を参照し、他の民族例との異同を検討することによって、アイヌの狩猟採集文化の特徴がより明瞭になると思われる。その理由は、世界の狩猟採集民と農耕民が資源やサービスの交換を通じてともに依存関係にある事例で議論されているような重要なトピックは、アイヌ文化においても共通のものが少なくないからである。もちろんこのような事例の多くは、優勢な国家による市場化の影響を含む、外部からの社会経済的な影響をさほど受けていない民族誌の事例が圧倒的に多く、そのような影響を数百年以上はやくに受け、同化政策が断行されて現在狩猟採集の暮らしを送っていないアイヌと直接に比較できないという議論も起こりうる。幕藩制国家や藩による政治経済的支配、開発、植民地化が進行した特殊な地域とそうした影響が少ない地域の事例とを短絡的に結びつけて論じることに問題がないわけではない。

しかし、かつてアイヌにおとずれた同化と開発のプロセスは南半球の狩猟採集民と農耕民・牧畜民が暮らす地域では現在進行中であり、結局その違いは時間的なものに過ぎないという視点に立てば、アイヌの生業様式の変遷との比較を試みる意義は少なくないのではないかと考えられる。

2. 交換される諸資源

生業形態の異なる先住民がそれぞれ得意とする技術を用いて獲得した資源を互いに補い合う戦略の存在について検討してみたい。

カムチャツカ半島沿岸地域で海獣狩猟や漁撈を行ってきた海岸コリヤークと内陸でトナカイ遊牧を行ってきたトナカイコリヤークの交易関係はよく知られている。同様に海岸チュクチとトナカイチュクチの関係がある。前者の間ではトナカイの肉や皮が、海獣の肉、脂肪、干魚と交換され、後者の間ではトナカイの毛皮が、脂肪、セイウチ皮、アザラシ皮、アザラシの皮ひもなどと交換された（Arutiunov 1988a, b）。このような経済活動を、狩猟・漁撈民と牧畜民など異なる生業基盤を有する集団間で結ばれる交易関係とみれば、両者は互いに偏在し不足する内陸の資源と海洋資源を交換しており、この意味では、アイヌ

と本州の和人の取引に部分的に共通点が見出せる。アイヌが生産する水産資源と本州の和人が生産する米、木綿、タバコなどの農産物の取引は互いに相当な需要が存在し、十分相補的なものといえよう。それではこのような狩猟採集民と他の生業手段を有して異なる資源獲得が可能な周辺社会間の関係はどうであろうか。

　世界の民族誌から、狩猟民が採取した野生動物のタンパク質が農耕民の生産する炭水化物と交換される例は広く知られている。

　熱帯雨林地帯では、狩猟民と近隣の農耕民が互いの食料の交換による長期的な共生関係を維持していることが、歴史的にも確認されてきた。東南アジアでは、フィリピンのアグタが農耕民との「相互依存共生関係」を3,000年以上も続けており（Headland and Reid 1989; 小川 2000: 275）、タンパク質の30～50％をアグタに、炭水化物の70～80％を農耕民に依存しているという（Peterson 1978）。マレーシアのプナン（Hoffman 1984）でも共生の事例が描写されている。アフリカにおいてもザイールの熱帯雨林で狩猟・採集をいとなむムブティについて、すでに数百年も前から周辺のバンツー系ないしスーダン系の農牧民と交換関係にあったことが指摘されてきた。近年、肉や毛皮を買いつけにくる商人と関係をもったムブティは、2倍以上の強度で狩猟をはじめ、アンテロープの頭数が激減し、バンドの移動と狩猟域の範囲が拡大する結果となった（Wilmsen 1989）。ムブティは市場経済に引き込まれたことで、最小限のコストで最大限の利潤をあげる生産形態が導入され、食物や物財の分配はいぜんとして行われていたが、貨幣だけは私的に蓄蔵されるようになり、平等主義的生活様式に根本的な変化が惹起されたという（山内 1992: 168）。

　そのような依存関係において最も重要な品は、動物性タンパク質との交換で農耕民から流入する炭水化物である。また、蜂蜜のような特殊な産物はケニヤの狩猟採集民オキエク（Okiek）が採取して、マサイの牧畜民にわたり、儀礼のために大量に消費される。

　アイヌの場合はそのような定量的な取引の記録は少ない。17世紀の城下交易段階で松前における交易では、アイヌが船で持参した一次産品（サケ、海獣、

鷲羽）と米との交換がみられる。これらは食用の他、酒の生産にも利用されるが重要なのはやはり炭水化物である。『蝦夷草紙別録』には1780年代には諸国から松前地へ搬送される米6万6,700石のうちの5,000石ずつ計1万石が東西蝦夷地のアイヌ交易用にあてがわれたことが記録されている（松前町史編集室編 1979: 36）。したがってアイヌの場合にも結果的に獲得した動物性タンパク質と本州の農耕民が生産した農産物の交換がみられる。

　しかし、取引されるのは食料にとどまらない。森の資源はアジアの狩猟採集民から農耕民に流れる主要産品である。アフリカでも毛皮が農耕民や牧畜民によって取引される。また狩猟に付随する産物（獣の歯、骨、角製の飾物）も農耕・牧畜民が欲するものである。逆に金属製品（まさかり、斧、鉄鏃、ナイフ）や狩猟を容易にする道具（イヌ、罠）、布、衣服は農耕民から狩猟民にわたって広く用いられている。狩猟技術が交換の対象にされることは、民族誌では滅多に報告されていないが、先史時代のヨーロッパやカラハリでは、狩猟採集民の狩猟技術が周囲の牧畜民や農耕民の間でもみつかっている（Spielmann and Eder 1994: 305）。タバコも新旧両大陸の交易品のなかで普遍的に取引される嗜好品であるが（Woodburn 1988: 56; Ray 1996: 288）、やはりアイヌも本州産・中国産タバコに深く依存している。アイヌへ喫煙習慣が広がったのは本邦に伝来した直後であり、さらにはアイヌや北方諸民族の間に広く分布する「喫煙受取り渡し儀礼」のように喫煙と儀礼が不可分に結びついていることはめずらしくない（宇田川 2001: 119）。

3. 社会関係：労働力の提供

　通婚や交易パートナーシップが形成される事例が世界中の過去から現在までの民族誌に散見できる。周辺の農牧民に従属する関係にはいりやすい狩猟採集民の言語は、農耕民の言葉に置き換わるか、もしくは農耕民の言語を獲得することがあるが、その逆の例はみられない (Kratz 1986)。農耕民の男性が狩猟民の妻をめとることが一般的で、狩猟民の男性が農耕民の妻をもつことはない

(Spielmann and Eder 1994: 308)。狩猟民が食料生産民である農耕民、牧畜民に社会関係の点で従属する一般的な傾向を確認することができる。

狩猟民には、周囲の農耕民のために農耕や家畜の飼育に労働力を提供する長い歴史がある。サンが牧畜民の村落地域に恒久的に住み込み、男は畜牛の世話や牧柵の建設を行い、女は農場内に残って働くのもその1つである。労働の代償は、食料、衣服、タバコか、のちには貨幣で支払われる (Hitchcock *et al.* 2006)。

アイヌの場合も場所請負制以降に水産資源の開発だけでなく、陸獣猟や樹皮加工などにこうした労働力の提供が顕在化する。たとえば19世紀初頭に千歳周辺のアイヌが農耕や漁撈活動に従事しながら貨幣経済を受け入れ、また会所が求める諸作業の労働力を提供する過程と類似している。

狩猟採集民の多くは、農民の畑や家畜の世話はもちろん、ガイド、荷物の運搬に対しても労働力を提供してきた。食料生産民の経済構造に組み込まれている状況がみられるが、その理由としては農耕牧畜民による狩猟採集民の土地への浸透、狩猟対象動物の減少、特定農産物に必要な労働力需要、交換用の森の資源の減少などがあげられている (Spielmann and Eder 1994: 306)。

4. 混合経済

さらには狩猟採集民も単一の生業に従事するのではなく、いくつかの生業形態を併せ持っていることが知られている。旧石器時代の狩猟採集民の生き残りとして注目された、現存狩猟採集民のサンも、リーらの調査時点ですでにその70%が狩猟採集、請負牧畜、農耕の「混合経済」に携わっており、残りの30%もヘレロ人の牧畜村で下働きに従事していた (Solway and Lee 1990)。

カラハリ中部では、サンはバンツー系農牧民のカラハリと混住し、野生スイカの採集、貯蔵を中心に、狩猟、採集、農耕、牧畜を組み合わせた生業を採用し、降水量の年変動にともない、その比重や移動の度合いを柔軟に変えることで対応し、両者の間に生業の相違はみられないという (池谷 2002)。さらにこ

の野生スイカの貯蔵にみられる、乾期を乗り切るための工夫は、エガリタリアンな社会にはめずらしい、貯蔵を介在させるいわゆる「ディレイド・リターン・システム」の1種とみなしうるという（池谷 2002）。中部極北圏のような狩猟採集文化では貯蔵の概念は希薄とされてきたが、ネツリクイヌイットなどの食糧システムの集中的なネットワークの存在は、カッシュ・システム（石組みの食糧貯蔵施設）などに認めることができる（スチュアート他 1994）。

　混合経済あるいは生業複合の例は、古代から北東アジアにおいてみられる。女真の祖先集団は狩猟、農耕、豚飼養を行ってきたが、元・明代においても農耕の比重は増し、牧馬もわずかにみられたものの、女真の生業の組み合わせは大きく変化することはなかった（江嶋 1999）。狩猟で得られる毛皮との交換で農具が大量に入手できたことが、農耕比重の拡大に寄与していたという（河内 1971）。

　北海道の場合、アイヌ文化の直接の母胎とされる擦文文化から定住的な村落を中心に雑穀栽培をも実施しており、狩猟採集との基本的な組み合わせは、漁場における請負労働が開始されるころに制約を受けるものの、生業の組み合わせのパターンは近世アイヌ文化期にいたるまで大きく変化していない。

　生業の組み合わせがあるとしても、主たる食料の生産はどちらかの生業手段に重心をおいていることがほとんどである。マードックの古典的研究や最近ではベルウッドの世界中の食料生産民の事例分析により、旧世界では農耕と牧畜から50％以上の食糧を得ているケースが圧倒的である（Murdock 1967; Bellwood 2005: 27）。狩猟採集と組み合わせた場合でも副業的な狩猟採集から実質的な食料を獲得する場合はまれである。逆に狩猟採集民の方も、農耕または牧畜を並行して実施している場合においても、農耕のみから30％以上の食糧を得ることはないという。それは両形態の生業方法を同程度にバランスよく組み合わせることが安定的ではないからである（Bellwood 2005: 27）。おそらくアイヌの場合も、商業生産への順応や同位体比の分析結果を考慮すれば、農耕の意義を否定するわけではないが、実際には狩猟採集により強い傾斜を示していると思われる。

共生を示す現代の民族誌の数多い事例がどのくらい過去にまでさかのぼるかに関しては、完新世中期の狩猟採集社会のほとんどは近隣社会と民族間交易に従事しており、多くの場合みずからも食料生産を行っていたことが指摘されている (Headland and Reid 1989: 49)。

　以上みてきたように狩猟採集文化では、現実に狩猟採集以外にも、同時に農耕、牧畜を行い、周囲に貨幣経済が浸透すると賃金労働に参画するという例が世界各地で既知の事実となっている。自然環境に調和し狩猟採集によって自給自足する狩猟採集民という構図は、先史時代にさかのぼったとしても一般化することは困難である。狩猟採集民が周囲の食料生産民と交換を通じて共生関係を維持しているようにみえる場合でも、社会的に前者が後者に従属する一般傾向がある。

5. 疾　病

　感染症は社会を疲弊させ、従属化の条件を形成するうえできわめて重要なトピックである。しばしば農耕牧畜社会では、ごくありふれており、特に大きな被害をおよぼさないような病原菌が、狩猟採集社会に持ち込まれて、大きな被害をもたらす例が知られている。

　オーストラリアと南北アメリカ大陸の先住民側に疫病による大規模な死者が出て、マジョリティの開発が進行するという図式は広く流布している。いわゆる「天然痘ウイルスの勝利」や「処女地の疫病」とよばれる現象であり、青壮年時代の頑健にして強壮な免疫システムは、未知の病原菌にさらされると過度に反応してダメージを大きくするというものである（クロスビー 1998: 248)。また、ユーラシア大陸起源の病原菌にさらされた結果引き起こされた、2000万人から一挙に 160 万人までのメキシコ先住民社会の急激な人口減少は（ダイアモンド 2000: 311)、のちの労働力不足を招き、西アフリカからそれら疾病への抵抗力を有していた黒人奴隷労働者の導入によって補われるという具体的な歴史事実によって裏づけられている (Kiple 1993)。

アイヌの場合は、オーストラリアや南北両アメリカ大陸ほど急激な人口減少は生じていないようにみえる。また、蝦夷地における人口過密地域での天然痘の流行の記録は多いが、当時列島全体で定期的に大流行した麻疹についての記録は少ないという（松木 1973）。長期的な異文化集団との共生関係が継続していたことが急激な人口減少の一因になっている可能性がある。定住的で大規模・人口集中化が生じたようにみえる近世後期のアイヌ集落でも、統計処理の結果は集団の流動性が高いケースも少なからず報告されている（遠藤 1997）。強制労働など、植民地支配のもとでの窮乏化、収奪が疫病リスクを増大させるという通説に対し、(5)大規模な定住化だけではなく、開発・進出にともなう集落・居住形態の変化、交易所の供給する物資への依存が食生活を変え、疾病リスクを高めていることをみてゆく必要があろう。本書では地理的に孤立した小規模集団間に高まったと思われる生存リスクと健康状況を検討する。

6. 長距離交易ネットワーク

交易の最大の目的は、時空的に偏在する財などの交換を通じ物質的な欲求を満たすことである。しかし交易は社会関係の安定化にも寄与していることが重要である。エスキモー社会全体にわたって、集団間に平和的な関係を維持する制度が交易であり、ときには定期的かつ大規模な交易が実施された（Burch 1988: 36）。西欧近代資本主義が拠り所としてきた「市場経済」とは異なる無文字社会の「非市場交易」の存在意義がそこにあるといえよう。

ベーリング海峡を挟んで新旧大陸間やアラスカ地域、北米北西海岸地域、間宮海峡間などでは、欧米との接触以前に、すでに先住民間交易のネットワークが存在していた（岸上 2001; 高倉 2006）。先住民同士の交易が行われ、交易の仲介者として活躍したグループも存在し、集団間の交易の橋わたしを行っていた。外部（ヨーロッパ人）との接触後、欧米の毛皮商人が市場の論理にもとづく毛皮交易を開始しても、従来の先住民交易ネットワークは一時的には拡大し、併存したが、国家の支配および貨幣経済が浸透すると、先住民間交易ネット

ワークは弱体化する。[6]

　こうしたローカルのネットワークは、中国東北部に 15 世紀以降存在していた。クロテンやギンギツネなどの毛皮は、アムール川下流地方の住民による狩猟や交易活動によって集められ、それをアムール川中流地方から船で下った商人が中国の物資と交換して持ち帰り、女真に転売するネットワークが、17 世紀前半まで存在した（松浦 2006: 190）。この地方では、アムール川中流の住人が、中国や朝鮮との橋わたしをする長距離交易の仲介者として機能していた。

　アラスカでは接触期以前から、特定のローカルネットワークのハブ地点で、人や物資を満載した数百艘のカヤックやウミアックが、交易活動のために定期的に集結することが報告されているが（Fitzhugh and Kaplan 1982: 223）、1,200 人もの人が集い、乗ってきた舟が浜に引き揚げられ、円錐型のテントが立ち並ぶ光景は、イエズス会宣教師によって描写された、アイヌの「城下交易」段階の長距離交易の場面と酷似している（チースリク編 1962）。商場知行制が確立し、アイヌが次第に蝦夷地内に封じ込められ、漁撈活動中心にしか船を使用しなくなる以前には、海峡をまたぐ長距離交易に従事していた。北海道内の出土例から、縄綴船ないしは板綴船に代表される準構造船の製造技術が確立したのは 9 世紀とされ、10 世紀中葉以降中世アイヌ期までに積載量の拡大が生じたことが確実視されている（鈴木 2003b: 713）。近世期の津軽海峡では、アイヌだけでなく和人も縄綴船を使用しており、全長十数 m や 800 石積みにおよぶ縄綴船の製作も可能であったとされる（小林 1988）。縄綴船は、まさに異なる文化間の接触領域を象徴する造船技術である。本書では、こうした準構造船を媒介として流通した交易品の定量的な分析を行い、間接的ながら他者用の商品を調達するための商業生産がどこまでさかのぼれるか検証する。文字史料が比較的充実し、流通規模を認定できるようになった近世段階はともかく、それ以前の中世や古代における外部国家等が関与する市場経済に接合したかどうかを測定する手だては限られ、文献史料だけからの探求にはどうしても限界があった。近年、北海道中央部の低湿地遺跡から、木製品をはじめとする良好な

保存状態の有機質遺物が多数出土している。それをもとに、外部経済との動向を議論するあらたなアプローチを試みることにする。

海峡を国境設定の場として活用している近現代の国家に比べ、前近代的世界では、船は人とものを大量に運ぶための最も優れた手段であり、陸上交通よりも強力な絆で海峡の両側の地域を結びつけることを可能としていた（佐々木 2002: 13）。この状況は日本列島の周辺だけでなく、カムチャツカからアリューシャン列島にかけての地域、ベーリング海峡を挟んでチュコトカ半島からアラスカ北西部にかけての地域にもあてはまる。本書では、近世日本と帝政ロシアという2つの「中心」に挟まれた千島列島において、異なる経済・政治・文化圏との接触から生じ、それらを仲介する機能を果たしていた市場や長距離交易ネットワークの問題をあつかう。

7. テリトリー概念と有用資源論争

北米北東部では1740年代頃から、毛皮交易の浸透とともに、明確に定義されたテリトリー概念や商業的に価値のある獲物に対する侵害の概念が強まっていくことが、歴史史料から裏づけられている（Ray 1996: 291）。生活を維持する基本的な資源は隣人と共有するが、毛皮獣についてはみずからが利用するために保護をしたという状況が広くみられる。そして北米東部亜極北地域では、森林カリブーやムースの減少が「家族狩猟テリトリー制度」の出現を促したという（Ray 1996: 302）。さらにヨーロッパ近代との接触以降、特定の人物が特定のテリトリーを専用する制度が出現したと考える立場と毛皮交易を本格的に開始する以前から存在した独自の生態系保存システムであるとする立場間で論争がある（岸上 2001: 344）。近年の研究では、家族狩猟テリトリー制度は家族ごとに交代で利用されるような柔軟なものであり、土地所有制度も、毛皮交易へ長期間ときには数百年以上参与し、またビーヴァーのように一定の土地に定住する毛皮獣への依存を深めた結果出現したという（Ray 1996: 265-266）。

ケニヤの狩猟採集民オキエクはリニージごとにテリトリーが設定されてお

り、このなかで社会経済的に重要な資源とされる蜂蜜を集める排他的な権利が行使される。しかし現代資本主義社会の土地所有の概念とはあきらかに相違がみられ、蜂蜜の利用以外のすべての狩猟漁撈行為は他のリニージの成員にも認められている（Blackburn 1982: 291）。

　北西アラスカでも類似した状況がみられる。ベーリング海峡、北西アラスカ、極北山地の狩猟採集民の部族間には明確なテリトリーの概念があり、そのテリトリーがみずからのものであることを明言できないものが、異邦人とみなされた（Burch 1998）。成員が異なる他部族のテリトリーを通行する場合には、その通行時に付随した条件により、ゲストとしての自由な通行が認められる場合と、領域の侵害として力ずくで排除される場合の2通りの対処法があった（Burch 1998）。同様にアフリカのサン社会にテリトリー制の存否をめぐる歴史的な論争がある（池谷 2002: 9）。

　アイヌ社会にも漁猟圏としてテリトリー概念があり、アイヌのイウォルが排他的なテリトリーか否かをめぐって生態学者と言語学者の間で意見の対立をみている（奥田 1998）。詳細にみていけば、同一の河川集団内部でもテリトリー内のすべての資源を無条件に占有するということではなく、利用の調整と獲得した資源の分配が規定されていることがわかる。したがって、資源利用と近代的な土地制度としての私有は、分けて把握することが生産的な議論につながっていくと思われる。この件についてはのちほどさらに詳しく検討する。

8. 周縁からの照射

　北米先住民がヨーロッパ人による毛皮交易にかかわることによって体験した社会変化の内容としては、毛皮交易が進展していくとともに、罠猟と狩猟・漁撈の生産手段や食料を交易所に徐々に依存しはじめ、多くの狩猟者は商品価値のある毛皮獣の罠猟やそれを補助する仕事に特化するようになったことが指摘されている（Wolf 1982: 194）。資本や企業家のエージェントが国境を超えて広がり、辺境の生産地と中央の消費地を国際的に結びつけるネットワークが張

りめぐらされるようになると、資本主義世界システムの周辺に位置する先住民が、外部の市場経済の枠組みのなかで特殊な役割を担わされ、生産手段をコントロールできる主体からそれを奪われた労働者になり、その過程で先住民社会を崩壊へと導くような変化が生じたという一般論が提示されたのである。

一方で狩猟採集民が、交易で商品価値の高い象牙などの財を外部の市場に拠出するために、狩猟採集以外の交易活動が、生活を維持するうえで欠かせない要素として加わった狩猟採集民の主体的な反応であることを重視し、「商業的狩猟採集民」との用語が提示されている (Stiles 1992)。本書では、北東アジアの狩猟採集民が商業的狩猟のために罠猟具の進化において示した巧みな創造的実践例についてあつかう。

ともすれば、毛皮交易に特化した狩猟活動が先住民の社会・生活様式を激変させたというふうに捉えられがちであるが、18世紀の初頭までほとんどの北米東部地域の先住民にとって、毛皮交易は狩猟・生業様式を急激に変化させてはおらず、外部から導入されたテクノロジーと旧来のテクノロジーは互いに相反することなく共存し、毛皮獣を対象とする狩猟活動は、男・女・子どもからなる世帯単位で実施され、毛皮の処理や保存とは別に、毛皮獣の肉はそれまでの狩猟動物と同じように世帯内部で消費されていたという (White 1991: 132-133)。

人間の自己消費を目的とした狩猟を「生業狩猟」とし、商品生産のための狩猟を「商業狩猟」と区分すれば、後者の毛皮交易に代表されるようなヨーロッパ人との接触が、世界各地での生業変化をひきおこし、社会の再生産を阻害した例は少なくない。しかし周辺社会との接触の歴史が長いアイヌの場合は、例外的に商業狩猟の伝統が長く、しかも両タイプの狩猟は長期間共存した[(7)]。

近代世界システム論に触発された方法論は近年、古代史や考古学にも応用されるようになっている (Rowlands eds. 1987 など)。ウォーラーステインらによって従属理論を発展させたかたちの、資本主義社会に支配された「中心」と「周辺」の諸関係に関心をおく理論体系は、西欧中心的な歴史観に終始しており、アジア地域を直接考察の対象に含めてはいない (ウォーラーステイン

1993 など）。また、多機能性の階層が政治・経済・宗教などの分野で均一に定位しているわけではないので、1つの分野のみで「中心」と「周辺」の対立パターンを判断しようとするのは短絡的であろう。異文化間の交流、移動、交易、接触を東アジアのよりミクロな地域研究に詳細に適用してみたいというのが本書の目的の1つである。蝦夷からアイヌにいたる「周辺」地域に居住した人びとは、周囲の農耕を基盤とする国家組織によって支配された大きな社会経済システムのなかで辺境に追いやられ、文化的にも支配と抑圧にさらされてきた。「搾取」「被搾取」という2つの固定化された構造を再確認して議論を終わらせてしまってはならない。周辺地域の文化の独自性や世界経済的特質の側面を強調し、いたずらに周辺と中心の二項対立的構造をふりかざすことではなく、異なる生業や異なる文化間のコンタクトゾーンにおいていかに対処し、あらたな自己創造の実践を果たしたかに目を向けるべきである。そのなかでは「半中心」ともいうべき両者の仲立ちをとる存在が、短期間であったにせよ生じたことの意義をあきらかにしてしかるべきであろう。この中間的存在がもつ潜在意義についても論じていくことにしたい。

註
(1) 1998年、萱野茂元参院議員が任期を終えるにあたって述べた「狩猟民族は足元の明るいうちに村に帰る」という発言もさまざまに引用を繰り返されており、そうした言説の一部に含めることが可能であろう。また、中村によれば、知里幸恵の『アイヌ神謡集』は歴史的事実を記したものではないが、自然と共生するアイヌ像の原点として教育の現場でも引用された文学作品であり、その作品の成立には当時の知識人の特異な価値観が強くかかわっていたという（中村1998）。
(2) 近年、アイヌの重要な儀礼活動にかかわる規制緩和の動きがみられる。
2007年4月に北海道は、52年前に出された「熊祭について」の通達（北海道公報6638号30畜第471号）廃止を環境生活部長名で各支庁長、各市町村長等に通知した。かつての通達ではアイヌの重要な儀礼であるクマ送りについて「一 生きた熊を公衆の面前に引き出して殺すことは信仰上相当な理由があるにせよ同情博愛の精神にもとり野ばんな行為であるから廃止されなければならない」とあった。この通達が廃止された背景には、1973年制定の「動物の愛護及び管理に関する法律」（以下、動物愛護管理法）の一部が改正されて2006年に施行され、環境大臣が基本的な指針を定め、

都道府県はそれにもとづき推進計画を定めることが求められたことがある。道は熊送りが「動物を利用した祭礼儀式」に該当するかどうかを環境省に照会し、「動物愛護管理法」やその精神に抵触しないとの回答があったことが通達の廃止の結果につながっている。

　1980年代に復興したサケ儀礼は道内各地で定期的に実施されるようになった。またこうした儀礼におけるサケの採捕は北海道内水面漁業調整規則第27条第1項に規定する「伝統的な儀式若しくは漁法の伝承及び保存並びにこれらに関する知識の普及啓発」のために許可の申請をして採捕することが認められている。1986年に1件のみの特別採捕の許可申請があったが、次第に拡大し、2006年には8団体の申請が認められている。近年復興を遂げたサケ儀礼は、1800年代のものと違い、河川のカムイへの祈り儀礼（ペッカムイノミ）と初サケを祝う儀礼（アシㇼチェプノミ）が合体しており、いったん途絶えた儀礼の復活ではなく、過去を学び、そのなかのいくつかの要素を現在の政治・社会状況のなかで機能しうるあたらしい文化を生み出すプロセスと捉えることができる（Iwasaki-Goodman and Nomoto 2001: 43）。こうした儀礼は、儀礼を取り仕切る人だけでなく、一般にも公開され、儀礼に付随する活動としてダンス、スピーチ、工芸品製作、料理の提供などが同時にみられる。

(3)　東アフリカの牧畜民を、生業複合の幅に着目して専業牧畜民、農牧民、採捕牧畜民に類型化した佐藤は、専業牧畜民の食生活のなかで、畜産物はその48〜70％を満たすに過ぎないことを指摘し、「純粋な牧畜民」モデルを否定した（佐藤1984）。

(4)　タイトルに狩猟採集民や狩猟採集社会ではなく、狩猟採集文化を選んだのは、狩猟採集を専業とする特定の地域の人びとや社会に限定されることなく、狩猟、採集、魚撈にかかわるあらゆる活動や現象を広く捉えることによって、その共通性や普遍性を検討したいという希望を込めたかったからである。

(5)　たとえば菊池は、コタンに生活の拠点をおき、自分稼ぎの活動を行っている状況と異なり、近世後期・幕末期のアイヌ人口の急減は場所請負制下にあって運上屋・番屋への出稼ぎ・雇として動員され、人口が集中し、しかも過酷な労働であったことが「疱瘡」に罹患しやすい条件を形成したと述べる（菊池1991: 323）。

(6)　古代の北海道・東北でも同様な交易の展開の図式を用意できる。簑島はポランニーの互恵的交易、再分配流通、商業交易の3形態の類型に依拠し、列島北部で実施された交易活動を次のように要約している（簑島2001）。国家形成期以前の贈与・交換にもとづく北海道・東北と関東・北陸などを結ぶ交易システムの段階があり、7世紀中葉から8世紀前半には国家形成にともなう城柵（＝交易港）における一元的交易が進展し、8世紀後半〜9世紀初頭の秋田城に中心をおく国家的に編成された長距離交易へと展開する。王臣家や国司の権威のもとで多様な商業的流通が出現し、9世紀には征

夷終了とあいまって蝦夷系交易者の活動が顕在化し、秋田城での交易活動は最盛期を迎える。一方で従来から存在していた北海道と本州の間の地域間交流は、国家的に統制された朝貢・饗給関係によって阻害される。10 世紀以降、交易者たちの活動の高まりによって北海道と東北は同一の交易圏に編入され、城柵での交易は終焉を迎える。このように先住民同士の交易から国家が介在する交易へと発展し、両者は必ずしも常に排他的に実施されたわけではなく、互いに影響をおよぼしあってきたことが理解できる。

(7) 北米北方地域の先住民は、毛皮交易が一因で「消滅」や「崩壊」という社会変化をこうむったが、カナダ・イヌイットやケベック北部のクリーなど 1980 年代にいたるまで毛皮交易と社会の再生産が両立した例もある（岸上 2001: 338-342）。

第1章　北東アジアにおける毛皮獣狩猟活動と
　　　　近代世界経済システム
　　　——毛皮交易の興隆と毛皮の獲得——

1. 毛皮需要と罠猟

　北東アジアにおける罠猟具が著しい類似を呈していることは、北海道開拓記念館の研究プロジェクト(1)や、それとほぼときを同じくしてはじまったその他の研究者の調査によって次第に鮮明になってきている。

　また、近年の特徴として、アムールランド、シベリア地域の毛皮交易や商業ベースにのせられた罠猟を中心とする高級毛皮獣狩猟活動をあつかっている論考が多くなっている傾向を指摘できる。とりわけ、90年代半ば以降、広大な地域における罠の共通性やその発達と急速な普及の手がかりをも探ろうとする議論が増加している。これは世界システム論の隆盛や市場のグローバル化を背景として、中核のための生産の担い手たる「周辺民族」に関心が集まっている状況とも切り離せない現象であろう。

　近世以降、商品価値が次第に増大した高級毛皮を有する小型動物は、手弓や槍などの能動的な狩猟具よりも、そこに狩猟者がいなくても捕獲できる自動的に機能する罠によってはるかに多くの獲物を効率よく入手できたことを考えるとき、毛皮需要、およびそれにともなう毛皮交易の活性化がこれらの罠の発達(2)を促したことを想起しないわけにはいかない。なお、この視点からの考察は、すでに19世紀末にシュレンクによって、ニブフにのみ適用されているが、北海道アイヌを含むアムールランド全域に拡大したものではなかった（Schrenck 1881）。本章は交易品の獲得・流通といった2つの観点から北東アジアの狩猟活動を評価し、前近代的・封建的な狩猟活動との差異を表出しようとするもの

である。具体的には効率的な高級毛皮獣狩猟の主役となった罠の分布とその用語の検討によって罠猟具の発達と普及の経緯・要因を考察し、捕獲された後の毛皮の消費・流通の実態をもあきらかにする。

2. 小型毛皮獣狩猟活動活性化の要因にかかわる研究史

アムール川流域の先住民とサハリンや北海道のアイヌ、および和人の間に行われた毛皮交易は、末松保和によって山丹交易という歴史用語を与えられ、本格的な研究の対象となってから長い研究の蓄積がある。1つの転換期になったのは、北海道開拓記念館が所蔵する『北蝦夷地御引渡目録』の分析である（海保 1991）。こうした定量的なデータの分析が可能になったことにより、交易の量について、従来、現象としてはユニークであるが、「北辺の些事」と評価されてきた山丹交易が、実は交易の末期の段階においても、決して小さなものではなかったことが明確にあかされた。[3] これによって、毛皮の供給を背後から支えていたものについての議論が、当然の帰結として次の段階の論点となった。

上下余市場所での19世紀前半の具体的な狩猟動物の定量的なデータと近世蝦夷地において流通した動物の種類の特徴にもとづいて、特に小型毛皮獣を対象とした狩猟活動が松前藩、幕府、さらには中国清朝、あるいは帝政ロシアなどの外部に存在し、増大しつつあった毛皮需要によってコントロールされたとの見通しがはじめて公にされた（出利葉・手塚 1994; Deriha 1994）。この後、ロシア人の到来とともに、それまで市場経済的な重要性が高くなかったクロテン、カワウソ、キツネが商品として俄然クローズアップされるようになると、シベリアの先住民はそれらに特化した狩猟活動を展開しはじめた。このような北東シベリアの諸民族にあてはまった原則はアイヌにも適用可能であり、自給自足の閉じた経済システムのなかで狩猟採集を行っていたアイヌ民族という従前のイメージに再考を迫る論考に発展していく（Tezuka 1998）。

1995年に公刊された「北の歴史・文化交流研究事業」の5年間の総括としてまとめられた報告書において、出利葉は小型獣狩猟活動の主役を担った罠道

具の類型化を北海道アイヌだけでなく、広く北東アジア諸民族の罠道具と比較している。HA-1類型とした仕掛弓が地域や民族を超えて共通性が高く、特に矢をのぞく発射本体はバリエーションが少ないこと、狩猟対象動物が小型毛皮獣であるという類似点を有していることをあきらかにした。続いてHA-2類型とした弓を利用した狭殺型の罠は、矢の先端をTの字型にして、横木との間に獲物を挟むことによって毛皮をより傷つけない工夫がみられ、毛皮の商品化を十分意識したものと考えることができ、毛皮獣狩猟の最盛期に考案・普及された可能性を示している（出利葉1995）。筆者自身は狭殺型の仕掛弓が幅広い動物を対象としており、必ずしも商品価値の高い小型獣用に開発されたものではないと考えているが、これについてはのちに述べる。

　同じ報告書のなかで、筆者は過去の極東におけるフィールドワークの成果（たとえば（手塚 1993 a））も踏まえ、毛皮獣動物の狩猟活動がアムール下流地方の民族の間に東シベリアの民族、たとえば、エヴェンキなどよりはるかにスムーズに受け入れられたのは、彼らが、経済・政治的に強い求心力をもつ前近代的周辺国家（中華王朝）の毛皮需要に支えられ、古くから商品価値の高かった動物狩猟を行っており、彼ら独自の世界観のなかで、狩猟活動（動物の殺害）とそれと矛盾する再生の概念の調整が十分時間をかけて実施可能だったことによると指摘した。

　エヴェンキは、不必要な殺生を忌みきらい、ロシア人やヤクートが罠を用いるのを軽蔑していたという（トゥゴルコフ 1981: 19）。そして伝統的な生業に従事していたエヴェンキの多くは、いまでも罠にたよって猟をするのを快く思っていない。しかし、やがて狩猟獣の減少で、エヴェンキはやむなく効率のいいこのような罠を用いざるをえなくなっていった。

　黒田は、17世紀から18世紀にかけてロシアの仮泊地にやってきて、毛皮税をおさめるときにエヴェンキがクロテンの毛皮を槍の先にかけて、窓ごしにわたした奇妙な行為を、強制された狩猟にともなう罪責観から秘儀化した「送り」の儀礼であるとみなしている（黒田 1991: 56）。

　罠猟は労少なく効多いものであるだけに、古い狩猟気質からみて不正でやま

しい気持ちがつきまといがちであるという（千葉 1975: 56）。

その後、宇田川は北東アジア全域で多くの罠道具を対象にさらに精密な類型化を行い、横型の IAa1 タイプと分類した仕掛弓が、大型獣から小型獣までを捕獲対象とし、北海道においてはおもにクマ、シカ猟に用いられ、その分布が仔グマ飼育型のイオマンテと重なる一方、IAa2 タイプに分類された縦型の仕掛弓こそが小型毛皮獣をその捕獲対象としていることを指摘しており（宇田川 1996）、出利葉の捕獲対象とされる動物の認識と微妙なずれをみせている。また、結論部分では、矢尻と仕掛弓には異なる分布が認められ、それには毛皮利用と交易という商品流通の経済的側面が大きく関係していると述べている。筆者自身は、大型獣を対象とする横置きの仕掛弓が、小型獣捕獲に対応した同じ形態のものを縦型に設置したものに先行するとの見通しをもっているが、これについてはのちに述べる。

北海道開拓記念館の「北の歴史・文化交流研究事業」が実施されていたのとほぼ同じ時期の 1994 年にはじまり、1996 年まで継続して行われた沿海州ビキン川流域のロシア狩猟文化に関する調査は、トヨタ財団の助成を受けて佐藤らによって実施された。これは、ウデへのみを対象とするものであったが、民族学、歴史学、考古学、民俗学、言語学などの多岐にわたる専門家が調査に関与しており、その成果が公刊されている（佐藤編 1998）。とりわけ、現在トラバサミが中心の猟を行っているウデへの伝統的な罠猟に関する実証的で詳細なデータを多数入手し、毛皮の獲得から処理・流通にいたる全体像を描いたことはこれまでほとんどみられず評価に価する。仕掛弓に関しては、弓の径や蔓の威力、矢に用いられる矢尻の大きさによって「セングミー」、「ウィルー」、「ポゥ」の 3 種が確認できること、捕獲をより確実にするために誘導柵と組み合わせることを紹介している。誘導柵との組み合わせは、見過されやすい視点であるが、単に狩猟具だけでなく、植生、立地など、罠周辺の状況にも配慮したことが、この研究の特色の 1 つとなっている。

佐藤はこの誘導柵と罠を組み合わせるタイプの猟は、アイヌを含め旧大陸から新大陸に広く分布し、人間による追い込み行動とともに使用されて効果を発

揮し、大型陸獣の大量捕獲をめざすものであるが、狩猟効率の点から「陥し穴」と組み合わせることはないという（佐藤 2000b: 215）。カナダ平原地帯で古くから実施されてきたバイソンの誘導柵猟（手塚 2003b: 186-188）やカナダ中部極北圏で、人に追い込まれることによって興奮状態となったカリブーが石積の列を人と誤認してしまうタイプの「イヌクシュク猟」もこの組み合わせタイプの猟法に含めることが可能であろう（スチュアート 1990）。

　1997年から1999年度にかけて文部省科学研究費補助金の助成を受けてサハ共和国（ヤクーチア）で実施されたフィールドワークの成果報告書が公刊された（斉藤編 2000）。このなかで佐々木は、ヤクーチア北部では1630年代にはじまるロシア帝国の支配下で、ギンギツネ、ホッキョクギツネ、オコジョの毛皮をヤサークとして納めさせたことが、日常の生活物資を得ることを目的とした猟から貨幣経済の枠組みのなかで高級毛皮動物を対象とした狩猟への変化を促したと述べ、広大なシベリアで毛皮獣用の罠に高い共通性がみられるのも、ヤサークの取り立てや毛皮を主要商品とした交易活動の普及と関連があることを示唆している（佐々木 2000a: 101）。

　また、同じ報告書のなかで、田口は極東・シベリア地域の狩猟システム全体がみごとに1つの規格のなかにおさまっていることにふれ、市場が求めた特定の種の捕獲に適した技術が毛皮獣狩猟のなかにみられ、市場が求めなかった大型獣の狩猟に旧来の保守的な狩猟方法が残存していると結論づけている。つまり、毛皮獣狩猟の技術は、市場偏重型の狩猟であると規定している（田口 2000a）。

　上記の研究と同じ時期の1997年から1999年度にかけて、やはり文部省科学研究費補助金の助成を受けて、極東地域の少数民族ウデヘ、ナーナイ、ウリチの集落・生業・住居・信仰に関する総合的な調査が実施され、その報告書が公刊された（藤本編 2000）。

　この報告書の一部の執筆を担当した田口は、クラースヌィ・ヤール、ナイヒン、ニージニ・ハルビ、カリチョームにおける狩猟漁撈暦を概観しているが、共通の狩猟漁撈システムがウデヘ、ナーナイ、ウリチという民族の枠を越えて

存在するにとどまらず、サハ共和国のヤクートやエベン、エヴェンキにまでおよんでいる理由について、毛皮交易、市場経済のインパクトが猟師の技術に影響をおよぼしているという視点で大部分は説明がつくとしても、市場論理から離れた漁撈システムが似通ってくることは説明できないとする。田口は、従来よりみずからも提唱してきた「市場偏重型狩猟」だけではすべての問題を解決できるわけではないと述べている（田口2000b）。

　上記研究の共同研究者の1人である佐藤によれば、現在のビキン川流域のウデヘは、主要対象獣であるクロテンに関し、最も平均的かつ効率的に猟が実施可能なように設定された狩猟テリトリー内でその罠猟を実施しているが、それは伝統的な領域をそのまま継承したものであるという。ロシア人猟師の導入よりもクロテンの行動生態に精通した先住民による罠猟を奨励した、毛皮の効率的獲得を目的とする帝政ロシア以来の先住民政策の所産であるという（佐藤2000a）。ウデヘの生業の柱は、サケ漁とアカシカ、イノシシなどの大型陸獣狩猟であったが、これにロシア人進出以降クロテン等の小型毛皮獣狩猟が加わったという考え方である。

　1998年の10月には、第8回目の国際狩猟採集民会議が日本で開催された。青森を会場にして実施された2つのセッションのうち、一方は縄文社会研究に焦点をあてたものであったが、他方は、北日本を含む東北アジアの森林地帯の狩猟採集活動を商業的狩猟採集活動とのからみで議論するという、これまでにみられない視点からのものであった。東アジアと太平洋の狩猟採集文化や社会を、自律した小規模システムのなかで完結するのではなく、外に開かれた社会としてモデル化し、それを国家のようにより大きな社会システムのなかに位置づけて理論化しようとする問題意識のもとで議論が進められたからである。

　その後、この会議に出席したメンバーの多くは1999年から2年間にわたって国立民族学博物館の共同研究「東アジア狩猟採集文化の研究」を組織し、研究を重ね、同じく国立民族学博物館重点領域プロジェクトの1つである「人類学的歴史像の構築」の一環として実施された国際シンポジウム「東アジア・北太平洋地域の採集文化研究の新たな視野」で活発な議論を展開してきた。それ

らの研究成果が所収された報告書が刊行された（佐々木編 2002a, b）。考古学者と人類学者にかかわりなく、狩猟採集活動に従事してきた人びとの文化や社会を、それだけで完結した閉じた系として理解するのではなく、異なるコミュニティ、あるいは異なる文化をもつ人びととの間で絶えず、人、もの、情報が交流し続けていたということを共通の前提とした論考がこのなかには収録されている。

　同じ報告書では出利葉が近世文書の分析に依拠し、「チェルカーン型」の罠（出利葉の分類でHA-2類型の罠）は、サハリンアイヌおよびソウヤ地域のアイヌに利用されはじめ、歴史的な要因によって、つまり全道的に小型毛皮獣皮が求められるようになって、北海道全域に広がっていくことをあきらかにした（出利葉 2002: 155）。

　その後もロシア極東地域の毛皮獣狩猟活動の調査は、佐藤、佐々木、田口らのメンバーによって継続され、多くの成果報告に結実している（大貫・佐藤編 2005: 佐藤編 2005）。これらの研究に共通してみられるのは、狩猟対象となる野生動物の行動生態は、地域や時間を超越した共通性を有しているために、その生業システムや狩猟行動の季節性にも特定の社会や文化を超えた機能的共通性が確認でき、考古学的な証拠しか残されていない先史文化のダイナミズムを記述することが可能であるという前提であり、文化や集団ごとに異なる多様な表現形は、むしろ社会的・言語的側面や心理的側面により反映されやすいとする立場である（大貫・佐藤編 2005: 322-324）。市場の需要動向に狩猟対象動物の種類や量が大きく左右され、雇用労働下にあって生業活動のスケジュール管理がなされる時代の狩猟行動と、先史時代のそれとの間に、どの程度の機能的システム連関が見出せるのかについては慎重な検討を加えなければならないであろうことはいうまでもない。

3. 仕掛弓の起源について

　仕掛弓が毛皮需要の増大にともなって近世に発達したという見通しを提示し

た場合に、その起源は古く、あえてあたらしい時期のものを議論する必要性が理解されにくいようである。構造も単純なために人やものの移動に必ずしも影響されずに各地で独立して発生した可能性も否定できない。しかし、後で述べるように、高級毛皮を有する動物に対してアムール特有の局地的な適応を遂げた仕掛弓があり、そのことは、単に古くに開発された道具の再利用にとどまらない近代的な発生の意義をもっている。筆者は起源と盛用は別々にあつかうべきであるとの立場であり、いままで意識的にこの問題を避けてきたが、誤解を招かないためにその起源問題についての立場を述べておきたい。

大林はかつて、仕掛弓の分布が西はハンティ、東はカムチャッカのイテリメンにおよんでおり、ツングース諸族において非常に一般的であるが、これは中国の戦国期に発明された弩（いしゆみ）が北方周辺地域に与えた影響の痕跡であるとみなしている（大林1991: 237）。そして仕掛弓はアムールランドからアイヌの居住領域にはいったものと想定している。したがって、古い狩猟民文化やアムールランドの漁撈民的な文化に由来するものではなく、中国文化の影響によるものとの立場を表明している。

一方、宇田川は仕掛弓の引き金（トリガー）に着目し「く」の字型の資料をオホーツク文化の骨角器に見出している。従来、錐や釣り針として分類されていたヒグマやオットセイの陰茎骨やクジラの骨を利用し、多くの場合、一端に円形の穿孔があるような資料を、このトリガーに相当するものとして再検討の必要性を提起した（宇田川1996: 67-69）。

筆者は、トリガーを加工の簡単な木で製作することが、素材選びの点で無理がなく、また、民族誌の実例が木製であり、あえて加工の困難な骨・角を素材にするのは考えにくいとして、当初、骨角器の可能性は低いと考えていたが、その後、みずからの考えを変更するような資料を実見する機会に恵まれた。それは、1997年に北海道開拓記念館特別展示室で開催した「バラートシアイヌコレクション展」で展示した仕掛弓の角製トリガーであった（図1）。これは、バラートシが1914年に北海道またはサハリンで収集したとされ、現在ハンガリーのブタペスト民族学博物館に保管されているが、宇田川の予測を裏づけた、

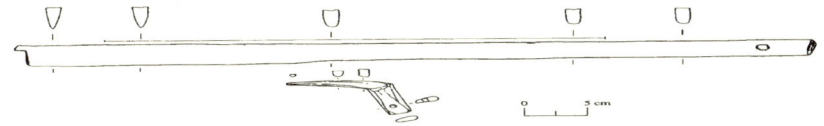

図1 アイヌの仕掛弓の台木と角製トリガー（古原・ガーボル編 1999）

管見の限り、唯一の実例といえる。したがってオホーツク文化期に仕掛弓が存在したとしても不思議ではない。ただしその場合でも、外部に成立した市場経済の発展と拡大に対応して、仕掛弓が次第に盛用されるようになったとの立場に変更を加えるものではない。日本列島における仕掛弓の起源は、はっきりしないものの、(5) 北方地域では、文献から1669年のシャクシャインの戦いの際にアイヌが和人に対し、「アイマツフを用候事」があったことが知られており（『津軽一統志』）、1696年には津軽アイヌが「阿へまつほう」でクマをとったという記述が確認できる（浪川 1992: 68-69）。

また、北海道を旅した町人の紀行文としては『北海随筆』（1739年）や1791年に同地をおとずれた菅江真澄の『えぞのてぶり』に噴火湾のアイヌの仕掛弓の記録が散見できる。仕掛弓のアイヌ語として、北海道アイヌではクワレがむしろ一般的であるが、古記録にはしばしばアマッポに類する発音が記載されている。和人によるアイヌの風俗画として著名な秦檍麿の『蝦夷島奇観』にはキツネ用に設置された仕掛弓の絵が掲載されている。以上のことから17世紀以降、仕掛弓にかかわる記述があらわれはじめ、毛皮獣狩猟が盛んになった実状を反映しているものと考えることも可能であろう。(6)

このように東北・北海道では、まず仕掛弓が大型獣用に使用されていたが、小型毛皮需要が生じるようになると、やがて同じ形態のものを小型獣に用い、さらに縦型に設置するようなパターンができ、さらに改良や工夫を加え、より毛皮獣を捕獲しやすいものへと変化したと考えられるが、北東アジア全体でも

おおむね似たようなプロセスをたどったのではないか。なお、挟み込みタイプの仕掛弓は、毛皮を傷めない工夫をしているので、あたらしく出現した仕掛弓とみなすこともできるが、当初は害獣駆逐のための防御的な罠として出現し、やがて商品価値の生じた毛皮獣捕獲用にも応用された可能性がある。トナカイ遊牧民であるトコロチェミカンスキーのエヴェンキは、現在でも食糧倉庫の近くにこの種の罠を仕掛け、おもにネズミを捕らえるという。(7)

4. 交易品の獲得

　北東アジアの罠道具は先住民の独自の創意工夫によってのみ開発されてきたと捉えられがちであり、起源問題が論点となることが多かった。しかし罠のなかには、16世紀以降外部からの技術の導入によって採用され、定着していったものも多く存在する。この動きに一定の役割を果たしたのがプロミシュレンニク（Промышленник）というロシア人のプロの罠猟師・狩猟者・交易人の存在であろう。

　16世紀半ばに西欧および東洋との貿易関係の発展にともなって、外国市場からの毛皮の需要がロシアの産業者や企業家を大いに刺激し、ウラル以東のあたらしい「クロテン」産地の発見を順次促した。最初に交易や狩猟のために商人や狩猟者が先頭に立ち、道を切り開きながらそれを踏み固め、やがて狩猟者の自由村落や冬営所が逐次発展し、最後に大企業家が進出し、あたらしく発見された地域に建設された砦市を根拠地としながら異民族が居住する地域の占領を企てる、というのがシベリア開拓の基本的な方法であった（バフルーシン 1971: 14）。16世紀末からヨーロッパ商品との貿易に必要な毛皮の確保が急務になると、国家が参入し、個人企業家と競合しながらシベリア西部の産業的開発を組織的に実行した。ロシア人は単に先住民から毛皮を入手するばかりでなく、みずからも効率的な狩猟活動を展開した（Bychkov 1994; Forsyth 1992）。

　ロシア人猟師が北東アジアの先住民の物質文化に与えた影響は、たとえば、そりの例をあげることができる。シベリアのそりは、東シベリア型、チュコ

ト・カムチャツカ型、アムール・サハリン型に分類できるが、シベリア北東部で最も広く用いられていた東シベリア型のイヌぞりは、ユカギールなどの先住民が伝統的に使用していたものをロシア人が改良し、各地に伝えたものといわれている (Jochelson 1975: 510-511; 中田 1998a: 8, 1998b: 18)。その普及にはシベリアの経済体制が自給自足的なものから商品経済へ移行するにともない、荷物や人の積載量を増大させる必要に迫られたという側面もあずかっていたという (斉藤 1987:123)。また、毛皮獣狩猟をシベリア全体で広範に実施したロシア人猟師の移動の主たる手段がイヌぞり、手ぞり、毛皮をはったスキーであり、罠を見回るうえで便利だったことを考えると当然予想できよう。

もっと直接的にロシア人の狩猟・毛皮生産の一連の技術(8)がシベリアに導入されたかどうかの議論に関しては、バイチコフはゼレフトソフのコミ地方の研究を引用しながら、ロシア文化からの影響が、特に毛皮の生産過程の部分にみられ、ロシア語の借用が先住民の独自の用語に交代することを紹介し、この現象は純粋な自己消費のための生業活動から毛皮生産と結びついて、市場の動向に関心を払った商業的な生活様式への再適応と関連があると述べている (Bychkov 1994: 82)。これはシベリア全体に当てはまる現象かもしれない。なぜならアムール川流域でも狩猟道具のほとんどすべてにロシア語、ないしは外から持ち込まれた外来の名称が存在し、伝統的な民族用語が忘れ去られつつあるからである。トゥムニン川流域のウシカ・オロチスカヤ村のオロチの伝統的罠猟に関する調査（手塚・水島 1997, 1998）（図2）の際にわれわれが持参した木製の圧殺罠類の図面を示すと、そのほとんどすべてに「クリョームカ」などの外来名称が存在し、それら外来語が地元のオロチにとって一般的であり、ツングース系のオリジナル用語が存在しないか、すでに忘れ去られているのが現状である。現地でオロチの狩猟者たちが丸太圧殺式の罠を作製して設置してくれたのが図3である。

狩場で丸太などを組み合わせて作る重力を利用した圧殺罠は「クリョームカ=кулёмка」、「プラーシカ=плашка」、「パスチ=пасть」などとよばれ、革命以前はロシア人やヤクート人がもっぱら使用しており、当初はその猟法を

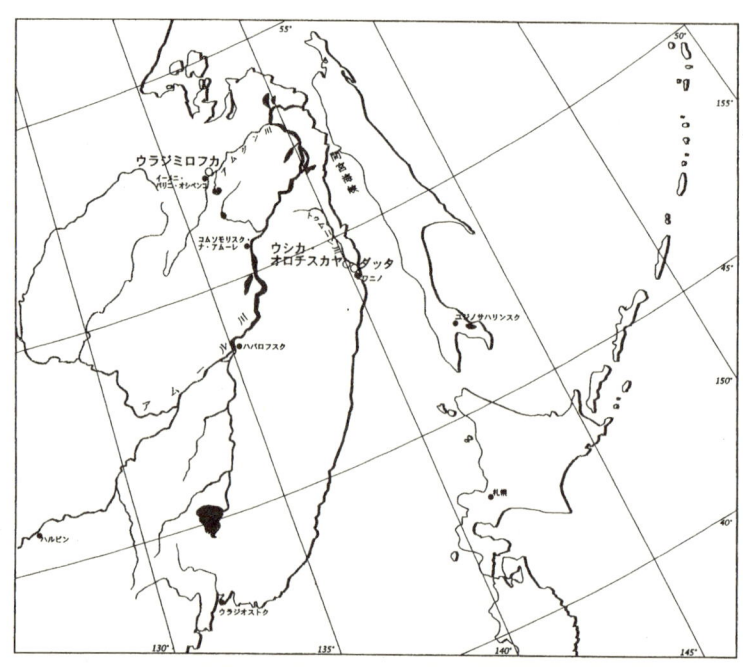

図2　極東地域におけるフィールドワーク実施地点（1996年）

図3　ウシロ・オロチスカヤにおけるオロチの丸太圧殺式罠「クリョームカ」の設置風景

軽蔑していたウチュル地方のエヴェンキをはじめ、その他の各集団も狩猟獣の減少で狩猟効率のよいこれらの罠を次第に使用するようになっていったという（トゥゴルコフ 1981: 18）。起源は別としても、これらの罠の名称は、方言ではあるが、今日の辞書にも載るロシア語となって普及している。ロシア人猟師が多用していた罠についていた名称が、それがロシア起源のものであろうと、ロシア人が東漸の過程で接触した先住民の用語に由来するものであろうと、そのままロシア人の移動によって、その技術とともに各地に拡散していったことを想定できる。

20世紀の初頭に外来の鋏み式罠カプカーンが導入されるまで、ユカギールの間では金属を全く使用しないで斧だけで製作される木製の圧殺式仕掛罠、「クリョーマ」、「パスチ」、「クレーペツ」によって毛皮獣が獲られることが一般的で、19世紀の初期には、大型の野生トナカイ猟の方がむしろ盛んであった。

しかし、アニュイの定期市に出荷する小型毛皮獣を獲得するために、19世紀においても金属を使用しない罠は盛んに使用されていたのである（トゥゴルコフ 1995: 89）。チュクチとロシア人の交易のためにアニュイ交易所が1789年に設置されると、周辺領域（ベーリング海交易）を巻き込んで交易はさらに活性化し、チュクチに対してはヨーロッパからの物品の供給を増大させた一方で、チュクチだけでは供給しきれない巨大な毛皮需要を生み出した（岸上 2001: 309）。

沿海地方ビキン川中流域で、現在もウデヘによって使用されている代表的で生産的なクロテン捕獲用の支え丸太式の重力罠は「カファリ」とよばれ、佐藤たちの調査によれば、これはロシア人から伝わったものとされている（佐藤編 1998: 158-159）。同じく極東のシホテ＝アリニ山地で20世紀初頭に行われていた誘導策と陥し穴を組み合わせたルーデワとよばれる罠猟は、この地域にももともと陥し穴が存在しないことから、あたらしく中国方面から導入された新式の罠であるという（佐藤 2000b: 222）。

次に川にわたした丸太のうえに仕掛けるテン用の枝の復元力を利用した跳ね

上げ式の罠は、間宮林蔵が北夷分界余話でサハリンアイヌのものを紹介して以来、つとに有名であるが、アムールランドの他の地域においても同種の罠が使用されており、輪の部分にロシア人との交易で入手したウマの毛を利用していることが特徴である。このウマの毛は、仕掛弓のさわり糸（道糸）にも適用され、筆者の1996年のネギダール調査時に（図2）、イーゴリ・ヤコブレフ翁にロシア人商人から入手したウマの尻毛のうち、特に白いものを使用することを教わった（手塚・水島 1997）。その理由として、人のにおいがしないこと、細くて動物が見落しやすいこと、霜がついたり凍りついたりしないことの3点をあげ、この猟法の成否の鍵を握る素材となっていることが注目される。ロシア人との接触によってこの罠の使用が活性化したことを示唆するものである。

　以上の例から、罠の一部に関しては、ロシア人を経由して別の地域（シベリア中央部から東部）の罠製作技術に加え、それらの用語が極東地方にもたらされた可能性があり、かつ罠の生産効率のよさから極東にも応用されたものがあることを推測できる。また、ニブフをのぞくアムール流域の民族は、クロテンの巣穴の一方に網をかぶせ、他方から煙でいぶし出す罠猟を広く利用していたが、これは中国で、17世紀にはすでに使用されていた技術であるという（佐々木 1996: 206）。テンは捕獲が難しく、この猟法ではよく訓練されたイヌを出口に待ち伏せさせる狩猟方法もあったが、テン皮を傷つけるので敬遠されたという（河内 1971: 106）。商品価値が狩猟方法の盛衰を決定づける事例として興味深い。

　伝統的な罠と外来の罠との区別は難しいが、民族独自の用語の他に、ロシア語の名称が詳細に存在していることから、ロシア人のシベリア進出によってあらたに先住民の間に伝えられたものがあると考えられる。したがって罠猟具には、独自の要素、中国からのもの、ロシアまたはシベリア（ヤクーチア）に由来するものの3種があることになる。

5. 仕掛弓関連用語の分布とその特徴

一方で、クロテンなどの小型獣用仕掛弓の用語として極東地方には、ユル（ユール）「Juru」系（サハリンのニブフ・アイヌなどの非ツングース語族）・セングミ「Sengumi」系（おもに南方ツングース語族）・デングレ「Dengure」系（おもに北方ツングース語族）の3系統の用語が確認できる。ユル系のうちユルはニブフによって使用され（Таксами 1967: 120）、サハリンアイヌはユールと呼称する（知里・山本 1979: 84-85）。セングミ系にはセングミ、セングミー（ウデヘ）、セルミ、セルム（ナーナイ）、セムミ、センム（ネギダール、オロチ）があり（Смоляк 1984: 97; スタルツェフ 1998: 221; 田口 1998: 132-133)、デングレ系には、デングレ、デングーレ（ナーナイ、ウリチ）、デングダ、デウグ（オロチ）、ダアングラ（ウィルタ）（Смоляк 1984: 97）（風間 1996a: 29, 1996b: 94-95; 澗潟 1980: 40; 池上 1997:4 3-44) などがある。ナーナイとオロチの居住域ではセングミとデングレという二系統の異なる用語の分布が重なりあっていることがわかる。以上述べたところをまとめたのが図4である。

サハリンにおいて分布するユル系の用語は、セングミ・デングレ系などのツングース語族のものとは別のパレオアジア系のものと考えることができるかもしれない。ニブフ・アイヌが矢毒を用いる仕掛弓猟を実践し、古アジア系の民族にその習慣がないことを勘案すれば（三上 1966: 265, 手塚 1995: 339, 手塚・水島 1997: 115）、両者の間にヒアタスが存在したことを想定できそうである。

また、北海道アイヌと違い、サハリンアイヌがユールを使用していたこと、サハリン中部に大陸から楔のように打ち込まれた分布を示すツングース系のウイルタが、デングレ系の用語を使用していることなどの状況は、山浦によって提示された環オホーツク海諸民族の間における、いわゆるマレク（鉤装着漁具）指示語彙の分布の特徴ともよく共通している（山浦 1998）。これによれば、「elgu」系語彙はツングース系民族の間にみられるのに対し、「marek」系の語彙はニブフ、サハリン・北海道アイヌを中心にして、北千島アイヌ、イテリメ

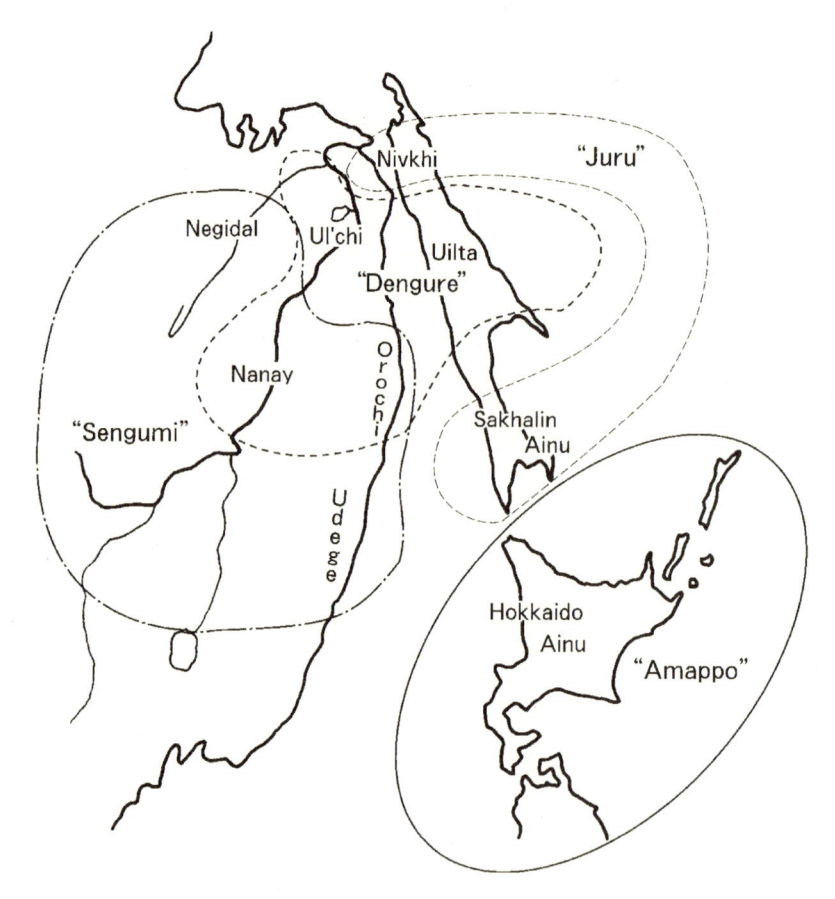

図4　北東アジアにおける小型獣用仕掛弓用語の分布

ンを経てコリヤーク居住域に広がっているという。「marek」系用語の起源はニブフまたはアイヌに求められ、そこから周辺域に広がったとする。

　それでは、図4に示した分布状況から何がいえるだろうか。仕掛弓用語のほとんどがエヴェンキ語起源であるとする立場からは、南部もしくは南西部を中心とした地域で一般的なセングミ系の用語は、エヴェンキ語で「しとめる」を意味する「セングテミ」に由来し、ナーナイ、ウリチ、オロチのデングレは、エヴェンキ語の「クロテン」を意味する「デングケ」との関係が指摘されてい

る（Смоляк 1984: 97, 100）。両者ともに高級な毛皮獣、ないしはその狩猟活動に関係しているのは興味深い。仕掛弓の細部名称がアムール流域のいたるところでバリエーション豊かなのは、おそらくそれぞれの起源が異なっており、ツンドラとは別にタイガの複雑な環境のなかでもさまざまな仕掛弓に関する技術や工夫が実践されたことを物語っている。

　さらに、対象動物や矢の先端の鏃の形態、弓の大きさによって、それぞれ別の民族用語が存在する。これらの用語は元来、矢と鏃からなる部分を指す名称が、やがて仕掛弓全体を指す用語としても用いられるようである。ただしサハリンアイヌの場合のユールは弓を指す名称であった。オロチでは、小さい毛皮獣（クロテンなど）、中型の毛皮獣（カワウソなど）、大型の動物（クマなど）によってそれぞれ、デウグ、ウスリ、セッミとなる。ウデヘにはこれに対応する用語としてセングミー、ポウ・モミ、ツガがあり、ナーナイにはデングレ（クロテン・イタチ用）とホソリ（より大きなカワウソ用）の2種がある。やはりサハリンアイヌにもウサギ・テン用の1本の受け木で受ける小型のユール（チ・アマク）とジャコウジカ、キツネ用の受け木が2本必要なやや大きいユール（チ・アマク）、それにクマ用の一層大きなユール（ポロ・ク）がある。[9]

　さわり糸と地面の間の間隔を調整することによって、ねらう獲物の種類が異なるわけであるが、サハリンアイヌの場合、その間隔を決める専用のイパカリニという木製の棒がある。これに類する道具は、ヤクートやウイルタにもあるとされ、この棒を片手で親指を立てたまま握り、獣道の真んなかの地面につきたて、弓の矢先とイパカリニの刻みを見通し、ちょうど人差し指の上端の高さに合うようにさわり糸の高さを調節するとカワウソ（エサマン）が獲れ、親指の先端の高さに合わせるとクロテン（ホイヌ）が獲れる（知里・山本1979: 86-87）。[10]広範な地域での斉一性の高さが強調されることの多い仕掛弓も、細かな要素に着目すれば、バリエーション豊かであることがわかる。サハ共和国のヤクートに存在するような仕掛弓のなかに、基本作動には関係ないが、さわり糸と矢の飛行経路とのずれを解消させるような細かい仕掛けの部品（つめ）が台座先端部に設けられていたり（図5）、トリガーの位置が獲物によって調節

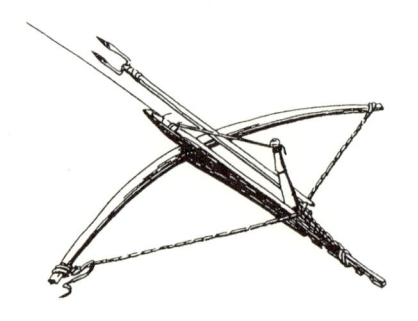

図5　ヤクートのつめつき仕掛弓
　　（Зыков 1989）

できるしゃもじ型照準器を取り付けるなどの工夫を行っている例が報告されている（田口 1998: 134）。

　一方、アムール地域のタイガのなかで成立し、他地域で認められない特有の仕掛弓の部品として、内部が中空になっている毛皮獣用の矢「ボー」がある（Смоляк 1984:99）。筆者は1996年のアムグン川流域のウラジミロフカ村のネギダールに関する狩猟調査のなかで（図2）、敏捷なクロテンの習性に適応して、その動物の敏捷な動きに対応して、より繊細で微妙な動作を実現するような独自の装置を実見し（図6）、アレクサンドゥラ・カザロヴァ翁の指導によりこの木製部品を製作復原し、その機能を実験したことがある（手塚 2000）。この部品はネギダール語で「ポンポリクカー」とよばれ、「く」の字型のトリガー「チャスウルグン」のうえに設置し、台木に通した（皮）紐の輪で軽く固定するものである（図7）。

　一般的な仕掛弓が弓の弦を掛け、回転しないように台木に通した紐の輪で止められており、さわり糸がその紐の輪に直接結びつけられているのに対し、この例では、さわり糸として用いるウマの尻毛「シーラ」は「ポンポリクカー」の頂部に刻まれた溝に挟み込まれ、「く」の字型のトリガー「チャスウルグン」のうえにのせられた「ポンポリクカー」が台木に結びつけられた紐輪で固定されるのである。そしてさわり糸のもう一方の端は対象動物に合わせて、テンの場合は2本、それより大型のカワウソの場合は3本に分かれ、糸に対して直角に木製の棒が結びつけられている。仕掛弓をセットするときに、獲物が頭を2叉または3叉に分かれた糸にふれるようにこの棒を地上の雪の下に埋め込んで隠す。なお、仕掛弓とさわり糸は、クマ、キツネの場合は斜め横にセットするが、テンの場合は縦にセットするという。キツネ用の鉄鏃は「オセル」といい、キツネまたはウサギ用には別に穴のあいた鉄鏃を用いるが、これは獲物の体内

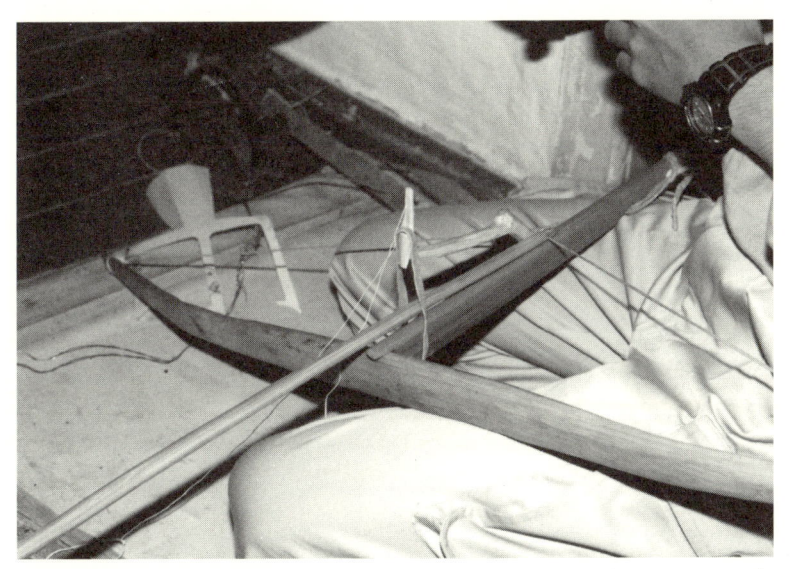

第1章　北東アジアにおける毛皮獣狩猟活動と近代世界経済システム　35

図6　ネギダールの仕掛弓のトリガー上部に装着するセンサー（ポンポリクカー）

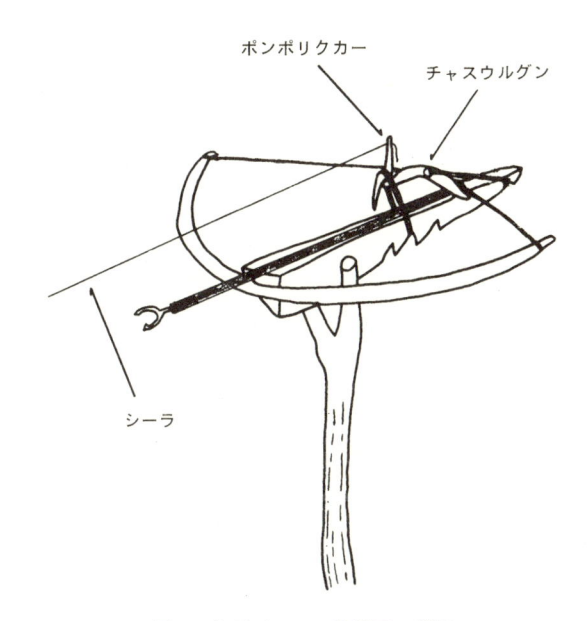

図7　ネギダールの仕掛弓の構造

で折れるので、その獲物は痛がって遠くへ行けないという効果を発揮するという。これは、仕掛けが作動した後の状況がわかる情報として貴重である。

これに対し、同じウラジミロフカ村では、かなり形態の異なる仕掛弓についてエヴェンキのイーゴル・ヤコブレフ翁からご教示を得ることができた。それによると、トリガーはまっすぐな棒状であり、仕掛弓を縦にセットするのはジャコウジカ、カワウソ、ミンク、オコジョを獲るときで、斜めにセットするのはキツネ、ウサギ、クズリを獲る場合であるという。なお、クロテン用の2叉の鉄鏃は「バダール」といい、カワウソ用の鉄鏃は「ウヘエル」、クマ用の鉄鏃は「サリモ」とよぶ。このように各種動物によって形態の異なる複数の矢のセットは、持ち運びに便利なようにヘラジカの毛皮と木材で作った仕掛弓背負具に格納して携帯する（図8～10）。

さて、「ポンポリクカー」は、トリガーの位置を獲物に応じてずらすという性格のものではなく、仕掛けにさらなる敏感さを与える一種のセンサー的機能を有するものであり、シュレンクがギリヤークの仕掛弓（ngarchotsch）の箇所で紹介した、やはり直角に曲がったトリガー（tschymrch）のうえにのせ、獲物の糸のわずかな引きにも反応する木製の小型部品（wettak）と同一のものと考えてよいであろう（Schrenck 1881: 554）。また、ツングースの仕掛弓として紹介されている例（図11）やエヴェンキかオロチョンの仕掛弓とされている例にも同じセンサー部品がみえる（図12）。また、スモリャークがアムール川流域で以下のように描写する道具（長方形の部品）とも同一のものであり、広い意味でのアムール川流域的な特徴の1つとして認めてもさしつかえないであろう。

　　仕掛弓は弦のついた弓、そのうえに矢と激発装置すなわち撃鉄がのっている銃床からなっていた。撃鉄から足跡へ細い白いウマの毛（シイリ）を張った。その毛に動物がふれると引き金が作動し、足跡に向けられた矢が動物を射た。シイリのもう1つの端を撃鉄の上端にあるごく小さな長方形の部品に結んだ。そのような部品（ウリチ、ナーナイではフンブルプー、オロチではカプティ）の存在は、仕掛弓に特別な繊細さをつけ加えた。つ

第1章　北東アジアにおける毛皮獣狩猟活動と近代世界経済システム　37

図8　ネギダール仕掛弓用の各種の矢と矢筒（前面）

図9　ネギダール仕掛弓用の各種の矢と矢筒（後面）

図10　ネギダール矢筒を背負った状態

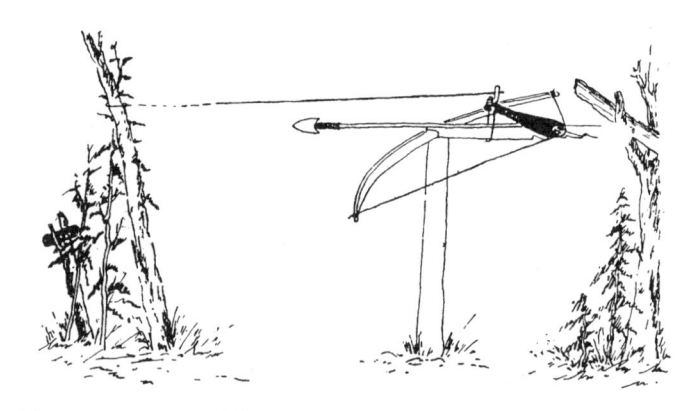

図11 ツングースの仕掛弓のトリガー上部にみえるセンサー（凌1990）

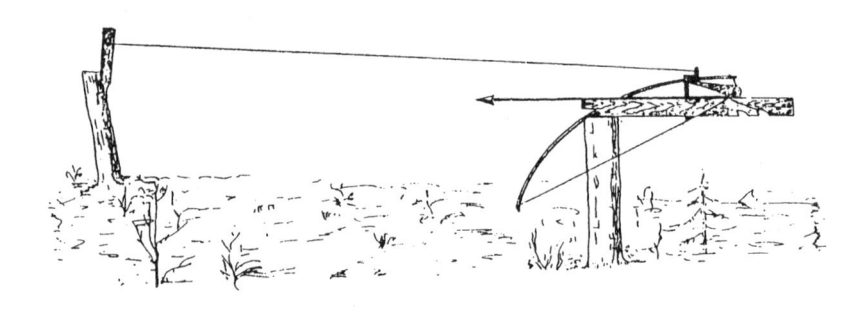

図12 エヴェンキまたはオロチョンの仕掛弓のトリガー上部にみえるセンサー（Мазин 1992）

まり小動物の最も用心深い接触ですら矢が発射された。大型獣用に据えられた仕掛弓では、警戒糸（毛）が単に撃鉄の上部または撃鉄を垂直の位置に保持する細い紐の輪の上部に結びつけられているに過ぎない（Смоляк 1984: 95）。

　これらの複雑な用語に対し、仕掛弓に相当するロシア語は、サモストレール以外はおおむねクリヤペツに限定されるようである（シランチェフ 1924: 228）。ロシア人が銃や網を使ったり、落とし罠の一部を多用するのに対し、仕掛弓を積極的に使用しなかったことによるものであろう。これはバイチコフがいうようにロシア語名称は、受動的な罠よりも能動的な狩猟具、たとえば銃を使用す

るような猟法により多くみられるものなのかもしれない（Bychkov 1994: 82）。
18世紀末のアムール川下流地方の冬の狩猟活動について、山丹人がロシア人
といりまじって毛皮獣を狩猟しており、山丹人は弓と輪縄を用いるのに対し、
ロシア人は鉄砲で撃ち取ることを、松前藩士が報告している（松前・青山他
1791）。ロシア人の猟法の好みをよくあらわしていると思われる。ロシア人も
加わっての集中的な狩猟の結果、大陸の毛皮資源は急速な減少に転じ、山丹人
はサハリンでの活発な狩猟活動を余儀なくされるが、その地のテンも減少させ
る（高倉 1972: 160）。

6. 交易品の流通と毛皮交易

　毛皮需要は先史時代から存在していたが、近代以降のそれは先史時代のもの
と大きく異なり、外部に成立した市場経済の原理に規定されるようになる。中
国辺民政策下における贈与・儀礼が織り込まれた前近代的朝貢交易の段階から、[11]
貢納地点では、辺民同士、あるいはその他の住民との間で活発な交換が行われ、
これに商人が便乗するなどして、換算レートが設定され、一人が複数回交易に
参与し、流通のチャンネルも複雑に拡大するものに変化することが特徴である。
こうした私的な交易は18世紀の前半を境に激化し、酒、タバコ、鍋に加え、
大量の繊維製品がアムール川下流地方に流入し、周辺地域の生活様式に大きな
影響をおよぼした（松浦 2006: 411）。清朝の弱体化やロシア人の極東方面へ
の進出などといったことも一因であろう。金属器に比べ、狩猟採集を基礎とす
る先住民社会への繊維製品の流入はこれまであまり着目されてこなかったが、
周辺に繊維製品を商業的に製造できる国家が存在する場合には、繊維製品のイ
ンパクトを考慮に入れる必要がある。1900年代初頭のロシア人研究者の記録
であるが、サハリンアイヌが日本製の綿衣を求め、草皮衣や樹皮衣を作る旧来
の機織技術が急速に失われていく状況がみえる（ヴァシーリエフ 2004）。
　中国の清朝や帝政ロシアによる17世紀以降の恒常的な毛皮需要は毛皮の獲
得と流通の整備を促し、アイヌを含む北東アジア地域の先住民社会を大きく変

容させてきたのは周知の事実である。同じような歴史的変化は、ほぼときを同じくして、北米大陸の先住民社会にもみることができる。ヨーロッパ人や中国人が毛皮を欲したという事実が世界の隅々に延びる毛皮のネットワークを構築させ、市場原則にもとづく世界システムの影響のもとで、北方の先住民社会がこれまでとは質的に異なる毛皮交易体制下に組み込まれた。

16世紀以降、世界には中国清朝とヨーロッパという2大毛皮市場が存在した。中国では明代に毛皮ブームがすでに存在しており、クロテンなど高級毛皮を着用することが富裕な階層の間で流行した（松浦 2006: 189）。そして満州という広大な毛皮産地から勃興した清朝の代にテン皮が隆盛を極め、黄テンは庶民も使えたが、クロテンは一般庶民ではなく、宮中用や一定官位以上のものに限定され、冬服の衿、袖、裾、帽子などのポイント装飾に利用された（佐々木 1996: 198）。

一方、ヨーロッパでは16世紀半ば以降、つばの広いフェルト帽が、地位の象徴として、ヨーロッパの貴族・富豪・王侯の間で流行し、19世紀のなかごろまで続いた。ビーヴァーの毛皮は他の素材に比べ、耐久性に富み、帽子用として最高級の品質を有していた（竹中 1984: 35）。また、ビーヴァー帽は相続される遺産の対象としても価値があった（Newman 1987: 196）。ヨーロッパではヨーロピアンビーヴァーが12世紀には王侯貴族の狩猟に限定されていたが、17世紀には貴族以外にも狩猟が許され、庶民にも毛皮の利用が広がっていったといわれる。すでに16世紀後半の西ヨーロッパでは、ビーヴァーはほぼ絶滅状態にあり、新大陸における豊富なビーヴァー資源の利用に拍車がかけられたのは、自然の成り行きであった。

ビーヴァーは、新大陸の諸植民地から当時ビーヴァー毛皮の製法に関する特別の技術を有していたロシアを経由してヨーロッパの市場に流入した。やがて毛皮生産は北米北部にその中心を移し、イギリス系とフランス系の毛皮商人が競合しながら、西進し、太平洋で露米会社勢力と出会う。ロシアのピョートル大帝によるシベリアの毛皮の独占は、あらたな毛皮資源を求めながら19世紀まで継続する。ロシアと中国を結ぶ内陸のシベリア中部のキャフタをめぐる商

品輸送は、私的企業によって 1820 年代まで存続する。内陸路の輸送は往復でそれぞれ 2 年も費やす非生産的なものであった（Bankroft 1886）。

ロシアからキャフタを通じて中国にわたった物資のうち、最も重要だったのは、クロテン、カワウソ、ビーヴァーである。このうち、ラッコ、クロテンは北部太平洋や北米北西沿岸で捕獲され、カムチャツカからオホーツク経由でイルクーツクに陸送され、そこで仕分けが行われた。アリューシャン列島部からの品質の劣った色の薄いクロテンとキツネ、二等品のラッコ、カワウソは中国市場用に取りのぞかれ、欠陥商品がイルビト（Irbit）の定期市場に運ばれ、タタール人（Tartar）に売却された（Bankroft 1886: 242; シランチェフ 1924:245）。最高級の毛皮のみがモスクワ、マカリア（Makaria）、ニジニ・ノブゴルド に持ち運ばれ、アルメニア人、ギリシア人、トルコ人、ペルシア人商人に売りわたされた（Bankroft 1886: 242; Pierce 1990: 74-75）。

一方カナダで捕獲されたビーヴァーとカワウソは、ハドソン湾会社が大西洋を横断してロンドンやペテルブルクに搬送し、そこから陸路でキャフタに運ばれた。ペテルブルクより 2〜3 倍の値がついたという。これらの毛皮は世界を周航して世界最大の中国市場に持ち込まれた。ラッコは 1875 年以降、イギリス人によって開発された海路による広東（中国市場）への接近がはかられるようになり、19 世紀前半までに、この中国沿岸交易はキャフタ交易を凌駕するものに発展した。クルーゼンシュテルンを船長とするロシア艦隊が、大西洋から南米ホープ岬経由で太平洋を横断し、広東に到達したのは、アメリカ、イギリス、スペインに対抗するために、コストのかさむ内陸ルートによらずに植民地で獲れる毛皮を広東に直送する航路を切り開くことが最大の目的の 1 つであったからである（クルーゼンシュテルン 1979: 15-18）。

7. 日本における毛皮生産活動

上記と比較して規模は小さいが、日本の毛皮産業も日本列島の北部と南部から中国市場に接続統合され、結果として毛皮交易の世界市場において欧米、特

にロシアとの競合の時代に突入する。

　明代にはすでに黒竜江流域から中国遼東方面を経由して朝鮮にいたる貂皮ルートが形成され、明宮廷で貂皮1万枚余、狐皮6万枚余に上る年間需要があったとみられている（丹治 1995: 222）。

　清代では貂皮等は支配階級の礼服に欠かせないもので、特に冬冠としての3種、すなわち江獺皮帽、藍貂皮帽、貂皮帽が知られている。そして冬のかかりには江獺皮帽が、真冬には藍貂皮帽が、酷寒の折りには貂皮帽が使用された（瀧川 1941: 4）。1656年にはじまる中ロの直接取引によってシベリアで獲れた毛皮がバイカル湖南部のキャフタから中国へ輸出された。シベリアで毛皮は安く、モスクワから遠く離れていたものの、中国の北京の富裕層が毛皮を求めたことが市場形成推進の要因とみなされている（和田・伊藤 1999: 173）。1768年から1785年にかけてロシアの全輸出品の85％が各種の毛皮であり、そのほとんどはシベリアからのものであったが、そのなかに中国の大衆層に人気のあった安価なリスが多く含まれていた（Pierce 1990: 74; 岸上 2001: 301）。当時、寒さの厳しい中国北部では、値は張るが暖かいラッコ皮が、南部ではかさばらないビーヴァー皮が内側に張られた防寒衣類（キャムレット、ケープ）が経済的な余力のある人びとの間で大いに人気があったという（Gibson 1992: 54）。18世紀には大衆層にも毛皮が浸透しつつあったことを示している。19世紀になっても、リスは軽く、暖かく、長持ちし、安いため、中国人に好まれ、数百万枚がキャフタで取引された（Cochrane 1970: 169; 岸上 2001: 315）。

　賞烏林を制度化した清朝は、黒竜江上流域の住民に対し、年に成人男子1人あたり貂皮1枚を、黒竜江下流域の辺民に対しては戸口を単位として定められた期日の貢納を求め、その定数は上流域では毎年5,000枚程度、中・下流域では1750年（乾隆15）以降、2,398枚とされた（丹治 1995: 222）。寧古塔副都統衙門档案によって記録された辺民が貢納したテン皮枚数の集計結果によれば、1728～1746年までの19年間の合計枚数は37,188枚で、年平均1,957枚になる（松浦 2006: 387）。また、三姓副都統衙門档案の1791～1873年までの毛皮収貢状況[13]は一定しており、年平均にするとクロテン2,700枚程度である

(佐々木 1996: 228)。ただし辺民との取引は政府の独占事業であったが、漢人商人たちが参入し、次第に毛皮交易の利を手中におさめはじめた（西村 2003: 258）。

一方、1853年にサハリン南端の白主において山丹人と松前藩の間で実施された山丹交易の定量的なデータを示している文書『北蝦夷地御引渡目録』中の「丑年山靼交易品調書」によれば、山丹人から松前藩白主会所に持ち込まれ、取引された商品をテン皮に換算すると、4,422枚に相当し、寧古塔副都統や三姓副都統の1年分の収貢量を軽くうわまわっている。山丹交易が終盤の時期においても、これほど多量の物資が交易されていたことは注目に価する（海保 1991: 8）。国家が山丹交易を直接取り仕切る19世紀初期までには、毛皮資源が極東、続いてサハリンで乱獲のため減少していることが明確になり、蝦夷地がその代替候補地としての役割を担わされたことが提示されている（出利葉・手塚 1994: 78-79）。山丹交易の初期から終末まで（1809～1867年）、来航船数や来航者数のペースに大きな変化がないこと（高倉 1939: 178-179）から、毛皮需要は恒常的なものであったとみられる。

清朝の衰退と山丹交易そのものの減衰を結びつける論議があるが、清朝の毛皮収貢が次第に低減するようになり、1858年にアイグン条約が締結されるころになると、山丹交易品にロシア産品が増加することから、蝦夷地の毛皮は山丹人を介しロシア人の手にもわたりはじめた。白主における毛皮交易は、北東アジアでクロテン資源が枯渇する時期に符合して19世紀半ばまで量的に低下しないのであって、国家統制のもとで毛皮の収集は組織的になされ、前代のアイヌと山丹人の間で物々交換が行われていた時期より交易が活発化した。箱館奉行が収受した19世紀半ば（安政3年）の文書によれば、例年東西蝦夷地で獲れた「獺、貂、狐、狢」などの毛皮を石狩會所に集荷し、そこから北蝦夷地へ廻送してきたが、抜け荷や番人の着服によって、山丹交易品の供給に支障をきたしており、南部津軽地方で買い入れた小皮類をも充当しようと画策した形跡がうかがえる。また、山丹人が懇望している物品は、実は鉄製品ではなくて皮類であるという事実がその当時認識されており、大陸での資源が枯渇してい

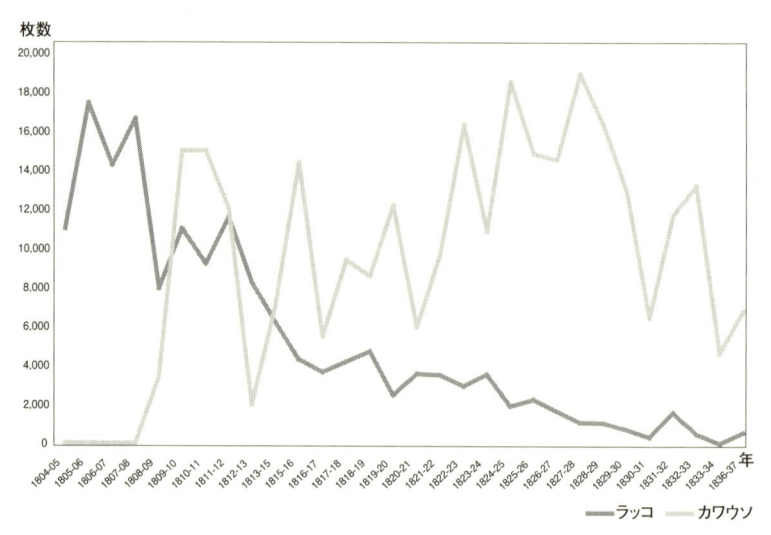

図13 中国・広東にアメリカ船が持ち込んだ毛皮枚数（Gibson 1992, 315頁のリストより作製）

る状況を裏づけている。以上のことから、極東地方の乱獲による毛皮資源の枯渇に対応した増産の体制がまず北海道で組まれ、のちに本州地方の毛皮資源にも触手を伸ばす過程をはっきりと示すことができる。

日本は幕藩体制下で、特に第一次幕領期には、蝦夷地経営が経済的な利潤をあげるものであったのか、あるいは政治・外交的な理由によるものであったのか議論の分かれるところである（尾崎1987: 48）。千島海域のラッコ資源がロシア側とは違うルートで長崎に運ばれ、中国向けに輸出された。ロシアの内陸路を利用した中国への毛皮輸出に加え、クックの第3回目の航海を機に、1780年代からイギリス船が中国の広東でラッコを中心とする毛皮を売りさばくようになる。やがて、アメリカ船がやや遅れてこの海上ルートでの毛皮交易に参入し、1809～1810年には早くもそのピークを迎える（Gibson 1992: 315）（図13）。

蝦夷地で生産されたラッコ皮の中国への輸出は、このように毛皮交易が国際的に競合しながら発展していく過程と軌を一にするようにみえるのは、まさに毛皮市場のグローバルネットワークにアイヌの狩猟活動が接合していることを

端的にあらわしている。この意味では、幕府の蝦夷地政策が必ずしも政治的な判断の結果だけによるものではなく、経済的な利益を意図するものでもあった（中井 1971: 152-153）ことを示唆する。

　北方の毛皮交易だけを外界との交渉から切り離された閉じたシステムのなかで機能する経済生活と捉えることは、その全体像をかえって曖昧にする。当時の国際的な毛皮の産地と消費地を結ぶ流通のネットワークのなかに位置づけて考察することが肝要であろう。木村が提唱するように、毛皮交易の世界史的意義が叫ばれている現在、北方を主産地とする毛皮の流通を欧米列強の構築したルートにのって運ばれる世界商品として見直すことは、近代社会の特質を描き出すうえでも有効である（木村 2004）。

8. 北東アジア狩猟採集民文化像の再検討

　以上、北東アジア諸民族の狩猟活動を評価した場合、庶民にまで浸透しつつあった商品価値の高い毛皮獣に対する需要が、北東アジア全域で斉一性の高い自動的に機能するメカニズムをもった罠を飛躍的に発展させたという見通しを提示した。[16]

　細かな要素に着目すれば、バリエーション豊かな罠猟具も、ディティールを捨象すれば、国際的な市場経済の枠組みのなかで活性化したことを認めないわけにはいかない。このような視点に立てば、外部との接触の証拠を伝播主義の名のもとに極力排除し、古く、伝統的な要素に拘泥することの多かった民族学研究のアプローチに再考を促し、豊かな自然環境のなかで、自律した先住民社会内部で完結する狩猟として漠然とイメージされてきたアイヌを含む北東アジア狩猟採集民イメージを、本格的に捉え直す契機になるものと考えられる。

　現に近年の漁川源流域における送り場の考古学調査からは、アイヌとシサム双方が同一の遺跡の形成に携わってきた証拠が導き出され、これを20世紀以降に生じたノイズとして安易に葬り去るべきではないとの提言もなされている（佐藤 2006: 78）。

アイヌのエゾシカを対象とする仕掛弓猟は、サケ漁に時間と労力を集中する必要に迫られて、実施されたとする見解がある（佐藤1989: 187, 1990: 52, 2000b: 217-218）。これは、アイヌ文化が自然環境へ有効に機能するような適応の手段として形成されたという前提に立った場合には、興味深い論点となりうる。罠が、対象とする動物の生態行動に強く規制され、「考古学に比較可能な現代の構造と機能に関するシステム連関」（佐藤1998: 161）として先史文化へ応用できるような狩猟構造をモデル化しようとする試み自体は理解できる。しかしその場合でも、外部に成立した巨大な市場経済に統合されたような近代の北東アジアや北米の事例は、上述したような周辺の国家レベルからの社会・経済・政治的影響が狩猟技術を再編させる原動力となった背景を理解したうえで、現代の民族誌と先史時代を結びつけなければ、生産的な議論につながらないように思われる。欧米の東洋貿易の進展を背景として、蝦夷地の毛皮資源が北と南から中国市場に接続されるのは時間の問題であった。したがって、近代における北東アジアの狩猟活動は、周辺の国家組織の影響と密接につながり、それらの社会の毛皮需要に左右されたという点で共通しているといえよう。

北東アジアの罠に関する調査は1990年代に集中したが、それは偶然ではない。やはり世界システム論やグローバリゼーションの思想が浸透してきた事実を見逃すわけにはいかないであろう。そしてその方法論はヨーロッパを中心とする分業化構造に組み込まれた地域だけでなく、中国を中心とした東洋システムをはじめ、世界的に毛皮の流通が「周辺民族」にまで浸透していた北米や他の地域にも柔軟に適応可能であり、地球規模での通文化研究の可能性を秘めている（池谷1999; 宇野2000）。

一方で、国内の歴史学の立場からも、一国一史観の無限にローカルな殻を破ろうとする圧力が次第に醸成されてきた。北方史でいえば、従来閉じた系のなかで、せいぜい本州との交流で考察されたに過ぎなかったアイヌが「北」との対比で語られるようになった。サハリン進出とアイヌとの抗争に関する一連の論争や、13世紀から14世紀にかけてたびたび勃発した「蝦夷の争乱」や「コシャマインの戦い」をめぐる一連の論究は、北東アジアの情勢と東北・北海

道・サハリンの動向が切り離せないとする点で共通している（榎森 1990, 1995; 遠藤 1988; 大石 1992; 海保 1993, 1996; 佐々木 1994; 中村 1992, 1997）。上述した毛皮交易のための罠猟研究の展開は、北東アジア全体の歴史的動向のなかでアイヌ文化像を捉えるというナラティヴが定着しつつあった時期と一致している。

註
(1) これは 10 カ年にわたり実施された研究プロジェクトであり、「北の歴史・文化交流研究事業」（1990 ～ 1994 年）とそれに続く「北の文化交流史研究事業」（1995 ～ 1999 年）からなる。
(2) すでに 1649 年には、ツングースがヤクーツク政庁にロシア人猟師のやり方を訴えたという事件も生じるほどであった。これは、現地在来の狩猟方法と異なるクリョームカなどの木製罠と休眠期を設けない長期にわたる精力的な狩猟活動が東シベリアにかつて豊富だったクロテンなどの毛皮資源の急速な枯渇を招いたことが憂慮されたためであった。
(3) もちろん半定量的な研究への試みがこれまで全くなかったわけではないが、先住民を支配する手段としての意義が、経済的な側面よりも強調されていた。交易の量について、幕末の北方問題として政治上の意味はあるものの、「数量は極めて勘く」（高倉 1939: 192）、あるいは「長崎貿易に比べて量として非常に少なく、ほとんど意味をなさなかった」と評価されてきた（児島 1989: 31）。しかし当時の英米の東洋貿易における国際的な毛皮取引の毛皮流通量と比較しても、長期間安定的に持続するものではないが、決して小規模な段階にとどまっていたとはいえない。
(4) 確かに HA-1 類型の仕掛弓の場合、矢の先端についた鏃によって毛皮を傷める事例が報告されている（トゥゴルコフ 1981: 17; スタルツェフ 1998: 227）。また、1994 年に行った筆者のナーナイ民族に対する聞き取り調査の結果、高価な毛皮を鏃などで傷つけた場合、糸で縫うので大した問題にならないという意見を数人の猟師から採録できた。これは毛皮を商人に納入する側の（毛皮を商人に安く買い取られたくないという）心理を反映しているものなのかもしれない。
(5) 『令義解』（833 年成立）に登場する「機槍」は、フムハナチと訓んでおそらくは仕掛弓のことであるという（千葉 1975: 57）。
(6) それ以前にこうした罠猟具があまり使用されていなかったということを示す資料としていわゆる蝦夷の風俗画を利用するのには、さらに慎重さが求められる。蝦夷の風

俗画の制作が、それまでの町絵師らによる本州の和人の嗜好を考慮に入れた蝦夷の風変わりなイメージを強調するものから、幕末にかけて明確な調査意図を有した和人や幕府調査隊が蝦夷地をおとずれるようになり、蝦夷の状況をつぶさに捉えようとしたものに変化してきており（手塚 1996; 林・手塚・水島 2000）、異文化を捉える視点（制作意図）の変化が記述の変化の主要因とも考えられるからである。

(7) ハバロフスク郷土博物館タチアナ・メリニコバ氏のご自身のフィールドワークにもとづいたご教示による。

(8) これはロシア起源のものに限定されない。ロシア人の東漸の過程で現地の先住民から吸収した効率的な狩猟技術や知識も当然のことながら存在し、それを再拡散する場合も含めておく。

(9) ウデヘとオロチの中型の仕掛弓である、「ポウ・モニ」と「ウスリ」も2本の棒で支える点で小型のものと区別されるという（スタルツェフ 1998: 223）。

(10) サハリンアイヌでは、この例のようにクロテンを撃つポイントは、カワウソのそれより高く、動物のサイズの違いに対応しているようだが、オロチ、ウデヘ、ナーナイでは、逆にカワウソはクロテンより大きい動物であるという前提がある。両者の認識の相違が何によるものかを解明することが今後期待される。

(11) 朝貢は王朝の出先機関がある地点まで出向き、臣下の礼をとって貢ぎ物を納める必要があり、一見屈辱的にみえるが、恩賞というかたちでさまざまな中国製品が与えられ、民間商人と交易する権利も与えられることから、経済的には朝貢する側が有利になる制度である（佐々木 2004: 94）。このように貢ぎ物に倍する下賜の品を与えて影響力を行使するのは歴代中国王朝の典型的な周辺民族統治のためのシステムとされる。しかし現実には、辺民が貢納したテン皮の合計は清朝が準備したウリン（返礼としての衣服）の総数をはるかにうわまわり、ウリンをもらえずに帰る辺民の数はかなりの数に上ったという（松浦 2006: 386）。

(12) ビーヴァーの毛とフェルト生地を原料としたフェルト帽を製作するうえで、ビーヴァーの内側の綿毛を残し、外側の長い刺毛を取りのぞく必要があり、当時この技術をもっていたロシアに輸出するか、もしくはインディアンに15〜18カ月間着用させて、着古して刺毛が抜けたものをわざわざ購入した（Glyndwr 1983:6-7; Trigger and Swagerty 1996: 352-353）。

(13) このデータの1803年以降の統計は、官吏によって不正に操作されたという指摘（松浦 1992: 155-156）もあり、未貢納者の分のウリン（返礼としての衣服など）を売って毛皮を買い集め、帳尻を合わせていたとされる（佐々木 1989: 718, 1991: 212）。しかし、その数値が当時の社会のなかで、毛皮収貢量としておおむね妥当として容認されていたということになり、理念として、それなりの意義が存在するといえる。もち

ろん貢納交易に付随して行われる私的交易で流通する毛皮交易を過小評価するもので
はない。テン皮の貢納とは別に、無制限ではなく定額に達したら終了するテンの自由
交易が行われたが、両者は全く性質の異なる交換であった（李 1992: 44-45）。
(14) 各場所の請負人に売買させずに幕府が一括管理して小型獣の毛皮を蝦夷地全域から
収集し、サハリンへ運ぶというシステムは、すでに山丹交易に幕府が介入した 1810
年代ごろには機能していた（高倉 1939: 176）。
(15)「十一月 一二六 北蝦夷地詰箱舘奉行支配調役並并同出役上申書 同奉行へ 山丹交易
小皮類并鐡物の件」（1926 年 東京帝国大学文学部史料編纂掛編纂『大日本古文書幕末
外国関係文書之十五』所収）に東西蝦夷地の毛皮が不足し、南部津軽地方での小皮類
の買入を検討している記載がある。
(16) この理論的裏づけとして、毛皮獣狩猟に関する通文化研究を他の地域も含めて実施
し、道具の効率性と経済性に関する一般理論（中位理論）を構築することも可能とな
ろう。具体的には伝播論と世界システム論の統合といったような理論的枠組みである。
実際に世界システム論とグローバリゼーション理論が高次元のレベルで各地の周辺部
における経済・社会状況を強く規定していく性格を有している部分が、古典的伝播論
のアナロジーとなっているとする見方が存在する（Barnard 2000: 54）。19 世紀に隆
盛をきわめた伝播主義は、特定の習慣や技術が単独に生じ、その要素の移転や人びと
の移住によって隣接地域に広がっていくという発想であるが、あらたな伝播論的立場
に立脚するならば、外部社会の需要動向や技術を受容する側の利点などの諸条件を設
定して限定的に応用するという考え方が成り立つ。

第2章　アイヌの生活様式の多様性
── アイヌ研究のあらたな展開 ──

1. アイヌを取り巻く政治状況

　1997年に「アイヌ文化の振興並びにアイヌの伝統等に関する知識の普及および啓発に関する法律」が施行された。その法律制定の基礎となる方向を「ウタリ対策のあり方に関する有識者懇談会」（内閣官房長官の私的諮問機関）が協議し、基本理念と施策の柱などの具体的な提言を盛り込んだ報告書を提出した。施策の柱には、アイヌに関する総合的かつ実践的な研究の推進やアイヌ語をも含むアイヌ文化の振興の他、当初から「伝統的生活空間」、すなわちイオルの再生が掲げられていた。その後しばらくの間は、具体的な施策の進展をみるにいたらなかったが、アイヌ文化振興等施策推進会議において審議・検討が重ねられた結果、2002年3月に「アイヌの伝統的生活空間（イオル）の再生」の整備適地、いわゆる中核イオルが白老町に選定された。このイオル構想では、河川流域の異なる生態ゾーンに存在する動・植物資源を再生し、それをもとに衣・食・住・信仰・生業等の伝承活動を実践することがイメージされている（財団法人アイヌ文化振興・研究推進機構編2005a）。

　生業活動という伝統文化を実際に行わなくても、いつでも行える立場にあるという選択肢が重要（スチュアート 1996: 146）であるとされる。実際に猟に出なくても、法によって猟を行う権利が保障されていることと、猟を「伝統的」に行ってきた社会の一成員であることから生じる一体感（アイデンティティ）が重要である。実質的な生業の復活は無理だとしても、生業に関わる知識（儀礼も含む）の普及は、生業の意義を象徴的に補完・維持するという機能を果たし、ますますその役割を増すだろう。

そしてこの構想には、のちに述べるように、1950年代に人類学者がフィールドワークで構築した同一河川流域の地縁・血縁集団が周囲の土地や資源を厳密なルールにもとづいて利用するイオル・モデルが反映していることは間違いない。現代のアイヌ文化施策のうちにも、こうした外部の経済社会にさらされる以前の外的影響がない伝統的社会像が仮定され照射され続けている。

1969年に、アイヌ研究の第一線の研究者によって当時の研究の集大成ともいうべき大部の民族誌が「アイヌ民族誌」として刊行された（アイヌ文化保存対策協議会編 1969）。この図書は同化政策によって衰退する以前の往時の文化の記録として、「アイヌは漁猟によって生活した漁猟民族であったが、その漁猟の対象となったものは、主として川に遡上するさけ、ますとしかであった」と規定しているが、自然環境に調和して生きるアイヌの生活を研究レベルで裏づけたものとなっている。

このように、農耕民というよりはむしろ魚撈民、狩猟採集民としてのアイヌの姿が強調され、自給自足で充足される、外部との接点があまりない社会に生きる人びと、というのがこれまでの多くの人びとの平均的なアイヌに対するイメージであろう。一般に、狩猟採集民が豊かな自然環境のなかで誰にもじゃまされることなく、エコロジカルに生き、持続的な生業活動を長期間維持できたという事例は少なからず存在するかもしれないが、常に正しい理解といえるであろうか。

近年、アイヌ文化の活発な交易を行っていた側面や自然の恵みを最大限に生かす側面、狩猟・魚撈に加え、意外にも農耕で得られる食品を多く利用していた側面、それに日常生活のさまざまな部分が儀礼と結びついている側面、クマ送り儀礼だけでなくフクロウ送り儀礼やトド送り儀礼がむしろ重要だった地域や年代があった側面などが次第に解明されつつある。このことから、地域や時代の細かい分析対象を設定したアイヌ文化の記述が重要になることは疑いない。アイヌ文化に純粋・不変の「本質」を想定することをやめ、変化と混淆に満ちた新たなるアイヌ史を「創出」する機運も多くの研究者の間で高まりをみせている（佐藤 2010: 90）。

2. 地域や時代で変わるアイヌ文化

アイヌ文化の中枢としてのクマ送り

クマ送り儀礼をアイヌ文化の中核に据えて、その他の要素群が緊密に社会・経済・文化的に連携する一つの自律的システムとして捉えるモデルを提唱したのは渡辺仁である（渡辺 1972）。アイヌ文化内部に見出せる自己の生計を支えるうえでの狩猟魚撈、儀礼活動、集落や居住形態といった個々の要素を、別々にあつかうことなく、まとまった一群の要素群として捉え、アイヌ文化の定義を明確化したことで後代に与えた影響は計り知れない。しかし、近世において、このトータルなシステムをアイヌの居住する地域や時代全体に敷衍し、一般化することには、慎重でなければならない。すでに近世期の場所請負体制のもとでは、和人商人との間で雇用の関係が生じるし、交易を通じて外来の物資に深く依存する体制ができあがっているからである。地域ごとの時代的・地域的差異や個性を抜きに場所請負の構造や歴史像を描くのは、実態とかけ離れた結果を招きかねないからである。

同化政策の再検討

アイヌの「和人化」「同化」「臣民化」の進行の経過については、幕府による2度の蝦夷地の直轄により段階的に進行し、途中に1度松前藩が復領し、その時期にかつての自藩の政策に戻り、同化のレベルは若干衰退したものの、明治維新後の開拓使によるアイヌ政策に受け継がれたという図式が広く受け入れられてきた（高倉 1972）。

しかし近年、幕府や藩は近代国家ではなく、前近代の封建的体制を引きずっており、その支配の力はアイヌを拘束するほどのものではなかったとする研究成果があらわれはじめた（麓 2002: 3）。場所で働くアイヌについても、3節で詳述するように、従来からのアイヌ社会の慣行に依拠して支配が行われていることが指摘されている。近世においてアイヌと和人をつなぐ役割を果たした場

所請負制が、アイヌの保有する権利に規定されながら展開してきた事実を再認識すべきであるとの論も、上記の立場にそったものとみなすことができよう（岩﨑 2003: 216）。こうしたアイヌの慣行権益を打破して一挙に近代化を推し進めた当事者として明治維新後の開拓使の役割は深く重い。

　近世後期には、商人資本が広く蝦夷地に展開し、体制側に一定の運上金をおさめることで交易権や漁業経営権を請け負うことができた。とはいっても商人がアイヌの労働力を自由自在に管理し、好き放題に蝦夷地の水産資源を開発できたというわけではない。場所には時代・地域的な相違があるが、一般に請負人経営の中核施設としての運上屋や作業小屋である番屋を中心に、経営の管理を担う三役（支配人・通詞・帳役）、現業部門を担う漁民（常雇いの番人と臨時雇いの稼方）、職人、定住漁民と出稼漁民（和人）、先住民族のアイヌ、および現地駐在の幕吏・藩吏など、出自を異にする複数の人間集団が場所ごとに複雑な社会を構成していた。このように場所請負制のもとでのアイヌの生活様式は地域により多様な形態を呈しているらしいことがわかってきた。

　アイヌの物質文化に関しても、はやくから周辺地域の他文化との接触により、多様な文物がアイヌ社会に流入し、日常生活利器としてだけでなく、威信財や宗教的行為に欠かせない物品にまで移入品の浸透がみられ、北方地域の他の狩猟採集民にあまりみられない特徴となっている。こうした事実は17世紀の快風丸の記事によっても確認できる。

　そこで本章では、文献史料によってその様子をうかがうことのできる中世末から近世のアイヌの生活様式をよりよく理解するための項目を設け、その総体でアイヌ文化を捉えることとする。政治・経済体制、集落と居住形態、労働形態、食と生業、年中行事、クマ送り儀礼を軸にあたらしい研究の動向をも参照しながらアイヌの狩猟採集文化の多様性を提示してみたい。それによってアイヌ文化のエコロジカルな狩猟採集民としての側面だけではなく、ある部分では柔軟で、またある部分ではシンプルにというように、その時々の社会状況に対する柔軟性をも併せ持つ、よりリアルな生活様式のパターンを描くことができると思われる。

3. 近世のアイヌと政治・経済制度

城下交易と商場知行制

「蝦夷管領」である安東氏の家臣の流れをくみ、のちに松前藩の初代藩主になる蠣崎慶広は、道南の和人勢力を統一しその頂点に立つ。そして1593年（文禄2）に秀吉からアイヌに対する非道な行為の厳禁と舟役（関税）の徴収権を認める書状を下賜され、松前に出入りする商船から関税をとり、松前城下に交易船を集中させる城下交易体制をしくことに成功した。そもそも城下交易体制とは、本州方面からやってくる他国の商船が松前に寄港し、蝦夷地の東西各地から毎年数百艘に上るアイヌの舟が松前に渡来し交易を行う体制である。アイヌの舟の積み荷には、中国製の絹布、乾鮭、鰊、猟虎（ラッコ）皮、白鳥、生きたまま、あるいは乾燥させた鶴、鷹、鯨、海鱸（トド？）皮・油がみられ、それらを米、小袖、または紬か木綿の着物と交換したという（チースリク1962: 95）。1550年（天文19）または1551年に慶広の父蠣崎季広は、渡島半島の戦乱に終止符を打ち、アイヌと安定的な交易関係を築くために『夷狄之商舶往還之法度』という協定を結び、松前城下で交易を実施することを認めさせ、諸国から渡来する商船から徴収した税金の一部を、道南の有力アイヌの首長に配分している。アイヌと蠣崎政権が対等な立場で交易を進めており、松前に交易にくるアイヌが松前藩主との間で贈答儀礼を行ったのち、城下で交易が行われたと推定され、支配・服従の関係よりも経済的な側面が大きかったとされている（小林 1995: 252-253）。

とはいえ、経済活動だけが重要ではなく、儀礼的な面での重要性を過小評価するものではない。異文化間の前近代的交易に典型的にみられるポランニーの「交易港」の概念を彷彿とさせるこの城下交易では、単に交易に携わる者同士が市場の需給バランスにもとづき交易価格を決定しているわけではないため、贈答品の授受などの互酬的な非経済性および非市場外交換に重点をおく実体主義的な見方の有効性が示唆される（ポランニー 1980）。

場所請負制への移行

やがて松前氏は幕府からアイヌ民族との交易の独占権を認める黒印状を与えられ、その権益を、商場とよばれる交易場所を設定し、知行として家臣に分与した。その場所では知行主以外の和人がアイヌとの交易に参入することは認められなかった。この制度は商場知行制といわれる。17世紀初頭には松前城下のみが交易の市場とされていたが、寛文期（1661～1673）には和人地と蝦夷地の区別が厳重にされ、アイヌはお目見えなど特別の事情がない限り松前に行くことは御法度とされた。商場で蝦夷地に出向いた知行主とその土地のアイヌが交易するこの制度は、和人地と蝦夷地の分離政策と同時に機能して初めて、和人が交易の主導権を握ることを可能にする。

当初、商場には知行主みずからが直接出向いて交易にあたっていた。元禄期（1688～1704）前後に多量の物資が蝦夷地に流入し、消費生活の拡大と知行主の家計が逼迫し商場の経営から撤退し、一定の運上金納入と引き替えに商人に請け負わせる制度に移行していく。経営内容もアイヌとの交易を主体にしたものから、商場内での漁業経営を主体とするものに移行していく。その結果、アイヌは交易のパートナーという関係から魚場の下層労働者という立場を余儀なくされる。これが場所請負制であるが、元文期（1736～1741）には常態化していくといわれる（図14）。

上記のような過程において、榎森によれば、次のような重要な点が指摘できるという（榎森 1992: 394-395）。

まず、商場における交易の発展は、他方でアイヌ民族の生産形態をより和人との交易に対応したものに変質させ、狩猟魚撈文化という側面を固定化させたことがあげられる。この視点に立てば、狩猟採集民としてのアイヌという特徴は、対和人交易の進展によって獲得されたものであり、必ずしも本来のものではなく、外来の物資に深く依存するようになって以降、身につけた特徴といえよう。

次に和人は、商場内の河川や海でサケ漁に着手し、寛永期以降、松前藩は蝦夷地河川での砂金採取に力を注いだため、河川を荒らし、アイヌ社会における

図14　18世紀末ごろの場所概念図（北海道開拓記念館編1999）

生産・生活の基盤としてのイオルに打撃を与えた。場所請負制の成立以降、アイヌ民族の基本的な社会集団である河川流域に形成された河川共同体の秩序が、それを支えるイオルの秩序と同様に破壊されることになったという。

このように、場所請負制下で、アイヌが和人の下層労働を担わされるという図式が高倉新一郎によって提示されて以来（高倉1972）、多くの研究者の間でも、アイヌに対する構造的な収奪や過酷な労働に関心を寄せる研究が多年にわたり再生産され続けることになった。

山丹交易

江戸時代、樺太や宗谷は大陸から中国製品が流入するルートとして知られ、樺太アイヌは山丹人とよばれる大陸の先住民と交易したことが知られている。

図 15　白主会所における山丹交易（末松 1928）

　山丹とはアムール川下流地域を指す用語として当時使われていた言葉である。また、山丹人とはウリチのことであるとされているが、言語学の立場から、単一の民族を指すのではなく、ニブフやときにはアイヌも含まれるような多民族的な性格をもっていたとされる（池上 1967: 28）。サンタン人との交易で多額の借財を背負い、そのかたに大陸に連れていかれるアイヌも少なくなかったという。そこで 1809 年（文化 6）から幕府が西蝦夷地を直轄すると、幕府はこの交易に介入し、交易価格を設定し、その管理のもとに樺太南端の白主の会所で交易を行うこととなった（図 15）。このスタイルの交易は 1867 年（慶応 3）まで継続し、これを狭義の山丹交易とよぶが、大陸伝来の物資をあつかう交易そのものは松前藩領期にさかのぼる。

　松前藩は宗谷にアイヌと交易するための商場を設け、ここは藩主の直轄とし、毎年交易船を派遣して、アイヌとオムシャとよばれる面会の挨拶・酒宴をともなう儀礼的性格の強い交易を実施し、山丹渡来の中国製の絹織物やガラス玉、鷲羽を集め、アイヌの必要とする物資と交換した。あるいは、鉄製品を前貸しして、その代償に山丹交易品を指定して入手していた可能性がある（海保 1996: 204）。宗谷のアイヌが樺太におもむいたり、その逆に樺太アイヌが山丹品を持参したり、山丹人が直接宗谷に乗り込むこともあった。1790 年（寛政

2)、樺太場所が開かれると、山丹交易品が流入する窓口は、宗谷から樺太南端の白主に移った。松前藩は、一定の利益を確保し、密貿易の嫌疑をかけられないように、山丹人と直接取引するのではなく、アイヌを介在させるという巧妙な手段をとっていたことになる。

4. アイヌエコシステムから歴史のなかのアイヌへ

エコシステムモデル

渡辺の提唱したアイヌのエコシステムは、必ずしも特定の外部社会との交渉を前提としておらず、自然環境への合理的な適応手段としての優れて生態学的なモデルである。この渡辺の生態モデルを検討してみよう。

同一の川筋に隣り合う複数のコタンには、同一の父系出自集団の成員が住んでおり、19世紀の半ばまで、1つのコタンは1つの家系の成員によって構成されていた。特定のコタンは、生活の基盤を狭い河川渓谷におき、その周囲に密集する異なる生態領域に属する資源を利用していた。大きく移動せずに、異なる領域の資源を活用できることがアイヌの高い定住性を保証している。コタンはサケの産卵場を中心に据え、コタンの人びとの生活に必要なさまざまな生活資材を入手できる範囲（イウォロ）を有していた。おもに厚真川、十勝川などの調査にもとづき、政府がアイヌに農業を奨励し、集住化させる以前の段階には、アイヌ集団の生態領域は次のように区分できるという（図16）（Watanabe 1968, 1972）。

1　河川：夏のマス漁、秋のサケ漁
2　自然堤防（氾濫原）：春〜秋の植物採集、小規模農耕
3　段丘面：秋のシカ猟、春〜秋の植物採集；居住地（定住集落）
4　丘陵面：初冬のシカ猟、クマ猟
5　河川水源の山岳地帯：春と秋のクマ猟、春のオヒョウ(衣料)の採取

このうち1〜3の生態領域は、段丘面の縁に存在する1つの定住集落から利用され、4と5の生態領域は、それぞれ猟期の間だけ使われる狩猟小屋を拠点

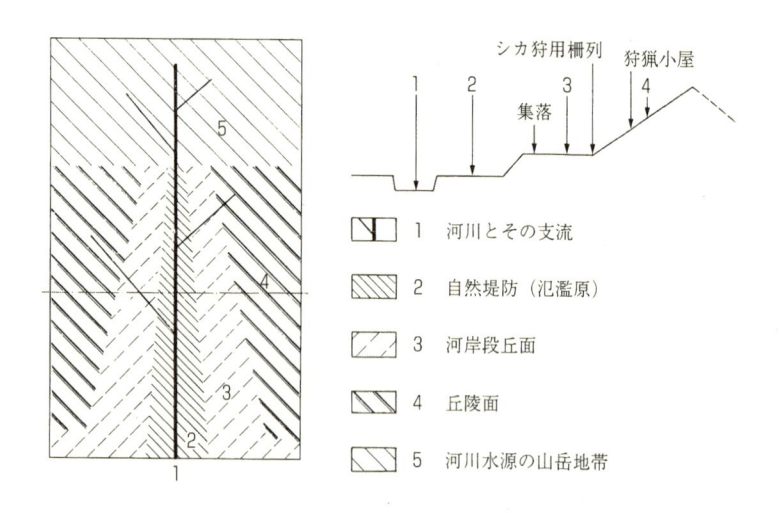

図 16 北海道アイヌの生態領域（Watanabe 1972, Fig.8 より一部改変）

として利用される。定住集落から狩猟小屋への季節的な移動は、定住集落の各世帯の男性成員によって、一年に春と秋、または初冬に各猟期1カ月ほど行われた。その間、妻や子どもは定住集落にとどまり、植物資源の確保を含むさまざまな仕事に従事した。

　この定住的な拠点集落を中心に据えながらも、季節ごとに狩猟小屋へ移って周囲の生態ゾーンを開発するという形態は、放射状もしくは直線型に分類される生業集落システムである（Binford 1980:11; Lieberman 1993: 600-601）。この移住戦略を採用している狩猟採集民は、アメリカ北西海岸インディアン、フロリダのカルサ、およびアイヌなど限られたグループにしかみられない。それは一定の地点の資源の枯渇を招きやすいからであり、その意味から、一年を通じて利用可能な資源が豊富に存在するような豊かな環境でしか、通常は実現可能ではないとされる（Yesner 1980: 730）。しかしその一方で、この移住戦略は狩猟採集民の周囲に農耕民か牧畜民が存在する場合、それらのグループとの交易によって達成可能になりうる（Lieberman 1993: 600-601; Headland and Reid 1989: 44-49）。この視点は狩猟採集民を閉じた系の内部で論じる研究とは別の

方向を示すものといえるだろう。まさに周囲に定着農耕民や国家の存在が見え隠れするアイヌにも適用可能であろう。

サハリンアイヌの場合、夏の集落は海岸付近に構築され、冬の集落は避寒のために山地の麓に築かれるという（山本 1970; Ohnuki-Tierney 1984）。夏と冬に集落を変えてそれぞれの集落に定住し、両集落間の移動を繰り返す生活様式は、通年で同じ拠点集落に定住する北海道の居住形態とは異なり、定住性の度合いは下がるといえるであろう。

泉の「iwor」モデルと言語学者の反論

いまひとつアイヌ文化の本質論の形成に寄与し、現在にいたるまで分野を超えた参照が繰り広げられてきたモデルとして泉靖一のiwor論がある（泉 1952）。泉は北海道日高地方沙流川流域のアイヌの聴き取りにもとづき、沙流川筋を中心として17のkotan（同一の家系に所属し、一定の広がりのある場所に集合した家屋群に居住する人びとによって形成された「むら」）が占めたiworの概念をあきらかにした。それによれば、iworとは、同一河川流域に居住する複数のkotanからなる人びとが自己をその河川の名称でよび、河川流域を中心に分水嶺、山稜、海浜によって区画された領域を占有し、その内部の資源を利用し、他の川筋の住民の無断の進入を許さない排他的な土地利用構造である。熊・シカ猟、サケ・マス漁、海漁が実施され、また食料・衣料・建築材料・燃料・毒物としての草木の採集場でもあった。河川での漁場も狩猟用の猟場も、kotanの人びとが全員平等の資格で自由にそのiwor内部の獲物を捕獲できる場合と、魚撈・狩猟方法に限って特定の家族が一定期間特定の場所を占有できる場合が存在した。また、iworの範囲は必ずしも固定的なものではなく、何らかの行為に対する代償として、別の川筋集団に譲られる事例も伝承をもとに紹介されている。

iworモデルの重要性は次の3点にある。

① kotanの生活の場としてのiworは他のkotanの人びとによって無断で侵されることはなく、特別な利用の許可は同一河川沿いのkotanと川筋を異にし

たkotanとの間では差がある。さらに同一iwor内の資源でも同一kotanの住人によって自由に平等に利用できる場所と特定の住人が一定期間一定の場所を専有して漁猟が行われる場所に分かれるなど、立体的な構造を呈していること。

②テリトリーの考え方は普遍・固定的なものではなく、iwor外部の人間が代償を支払ってテリトリー内の資源を利用したり、移住が認められてあらたな地縁・親族集団の成員になることができる場合があること。また、テリトリー内の偏在する資源を利用するために、同一河川集団に属する複数kotan間で、代償として獲得物の一部を充当する慣習があること。

③そのテリトリーの使用の考えは、場所請負制以前にも存在していたであろうこと。そして場所の設定されていない千島（エトロフ島）においても、排他的な土地利用が認められることとも関連し、蝦夷地全体におよぶ普遍性をもっている可能性がある点。その利用をめぐってユーザーの間で対立が先鋭化しやすい性格を必然的に抱えていること。したがって、重要な商品としての資源開発が行われやすい場所・資源については、和人が海岸部を一定の水産資源開発の場として利用するようになって多発した場所境論争や、一例をあげればムイサリ・イサリ川の「ウライ騒動」など、歴史的な問題に発展しがちな性格をもっている点。

これまで、泉のモデルについては、川筋を単位とし、そこに基盤をおく集団（地縁・血縁の両関係によって組織）が川の両側にまたがる領域を特定の社会制度・組織のもとで排他的に利用する図式が強調され、その概念は近年「イウォロ」というアイヌ語に、排他的な土地利用の実態を示す証拠がないとして、言語学者による厳しい批判にさらされている。一次的な言語資料のなかに「領域」「縄張り」という意味をもつものはないばかりか、「居住のための土地などを含めた河川流域全体に設定される領域を指すという記述はまったくない」というのである（奥田 1998: 244-245）。

しかし、住人が利用できる資源がiwor内部に偏在しているために、特定の

資源の利用に関しては、その資源が手近に存在しない人たちにもその分配や入会を主張する権利が与えられており、さらには建築材料用植物の採取には時期の制限が課せられるなど、通常の意味での領域の概念とは異なるものである。泉自身も『領域"と理解するよりもむしろ"生活の場"と理解すべきであろう」と述べており、泉の iwor モデルによって示される性格に iwor というアイヌ語をあてはめることが妥当かどうかの当否はともかく、これまで他集団の不法侵入に対処するような排他的な土地占有の概念が一人歩きし、iwor 論の重要性を見誤ってしまうのであれば憂慮すべき事態であると思われる。

集落形態の変化モデル

かつて高倉や佐々木は自然部落（自然コタン）と強制部落（強制コタン）の区分を提唱した（高倉 1966; 佐々木 1978: 78-80）。交通や飲料水の確保に便のある川辺に立地した自然発生的なコタンから、江戸時代に和人に誘致された、強制移住によってあらたに出現した海辺部の集落を、自然コタンに対し強制コタンと称した。近世の場所請負制下で、多くのアイヌが漁場の労働力として徴用され、海岸部の漁場経営の拠点となった運上屋で強制的に使役させられたために、海岸部にあたらしい集落が形成された。漁場には番屋、漁小屋、仮小屋、貯蔵倉などが設けられるのが一般的であり、雇用されるアイヌの住居もアイヌ独特の円錐形の構造をもつ丸小屋などの仮設のものも含め、その周囲に併設されることが多かった。

歴史生態という視点

煎本は、アイヌの生計活動を考察する際に時空間を設定した分析の方法を試みた。沙流川流域を対象に、歴史的文献にもとづき、1300 年ごろから 1867 年までの期間を次の3つに区分し、時代区分Ⅰ（1300～1603）、時代区分Ⅱ（1604～1669）、時代区分Ⅲ（1670～1867）とし、時代区分Ⅲはさらに Ⅲ-1（1670～1798）、Ⅲ-2（1799～1821）、Ⅲ-3（1822～1867）に再区分した（煎本 1987）。

その結果、狩猟・魚撈活動は時代区分ⅠからⅢ-1期にかけて重要だったが、その後衰退していく一方、農耕活動はⅢ-2の幕府直轄以降、逆に重要性を増すことを明確にした。交易活動は時代区分Ⅰには外部に出かけての交易形態であったが、時代区分Ⅱにおいて場所内部に交易所が設置されると交易量は増し、時代区分Ⅲには交易活動における質的変換がみられ、雇用労働への推移が生じた。雇用労働はⅢ-2以降比重を増し、アイヌの生計活動の主要部分を占め、交易活動、農耕、場所請負制下での季節労働への依存が深まる過程を示した。沙流川流域には落葉広葉樹林帯から亜高山常緑針葉樹林帯にいたるまでの間に混交樹林帯が展開し、多様な植生がみられるものの、サケの遡上量は少なく、住民の自家消費に供される程度の利用しかなかったとされる（煎本 1987: 75）。これはサケを移出用に生産できるほど豊富だった道内の別の河川地域、たとえば石狩川水系とは大きく異なる生態環境といえる。場所請負での労働も海岸部での雇用労働に加え、石狩川でのサケ漁など、他場所への遠隔地雇用活動に従事することもあった。

　上記の分析は、和人との相互作用をも視野に入れ、長い時間軸で特定地域のアイヌ集団の生活様式を捉えた業績である。歴史学者は別としても、時代地域を特定しない普遍的なアイヌ文化像の追求に終始したこれまでのアイヌ研究とはあきらかに異なるアプローチを援用したといえる。

　また、上記研究において煎本は、人口統計と居住型については、詳細な記録の残るⅢ-3では沙流川流域17居住地において、一居住地あたりの平均家屋数は12.5軒、平均人口55.6人と算出した。沙流川流域全体を見渡した場合、沙流川中・上流域居住地群の平均人口が42.1人であるのに対し、沙流川下流域居住地群では74.9人と大型であり、両者の差を生み出した原因として、生態学的な条件の差によるものよりは、和人とアイヌ社会との間の経済・政治的関係によるものが大きいことを指摘した。

　この河川上流と下流の居住グループの相違は、場所請負制の浸透とともに、場所請負商人が経営する河川下流部で、アイヌが漁場の労働力として雇用され、漁場の周囲にアイヌ人口が集中する経緯を示していると考えられる。

5. アイヌの労働形態の特徴

北海道史研究のあたらしい動向

1990年代にはいり、個別地域の場所の生産構造についての緻密な研究が進展し、場所請負制下のアイヌには、漁獲物の加工や山仕事、逓送、運上屋周囲の雑用に追われる雇い労働以外にも多様で自主的な生産様式が存在したことがあきらかにされるようになった。

近世の蝦夷地における場所経営は漁業生産を中心としたものであったが、それだけに限定されるものではないことにも注意が必要であろう。西蝦夷地における漁業域の拡大とともに漁場労働衣のアットゥシ（樹皮衣）需要が増大し、アイヌによる森林資源を素材としたアットゥシ生産が本格化するという側面もあった（本田 2002: 19-20）。

また、幕府の第一次直轄期以降、本州から多くの和人商人や幕吏がおとずれるようになると「蝦夷土産」の需要が高まり、アイヌが冬季間の「自分稼」のために贈与交換用に細工物（鞘、杓子、盆、糸巻き、菓子入、香合、水差し、筆軸、筆筒、手拭掛け）を製作することが一般的になる（齋藤 1994: 142-145）。これらの工芸品は腕の確かな職人によって製作され、自家使用のものより多くの文様を施すことが往々にしてみられた。また、すぐれたアイヌ細工を製作する職人は、「こゝの島人木を彫て巧にものにす。人々ほり求めて家つと（土産）にす。かうやうの物造りなせるは、此島にて悪消とこゝ（佐留）にのみ限れり」（児山 1985（1808））とあり、西蝦夷地よりも東蝦夷地に多い東高西低傾向がみられるが、雇用主体として場所請負の影響が強く、出稼和人の浸透がはやい西蝦夷地南部の状況が影響している可能性があろう。

アイヌの自主的な動きや連帯についても、余市場所の研究にもとづき、小林は場所請負人の雇用にはいらない「自分稼」（和人による雇用によらずに交易品等を生産する）の存在や運上屋の不当なあつかいに対抗してアイヌが集団で他場所へ逃亡する「イケシュイ」を指摘した（小林 1993: 22, 24, 27, 1998: 105-106）。

田島はアイヌが幕末にいたるまで秋味漁一定の魚業権を保持し続け、請負人以外の和人鰊漁者と密交易をするなど、独自性の強い漁業を実施していたことをあきらかにした（田島 1995）。

また、谷本は道東オホーツク海「北海岸」地域、特にモンベツ領アイヌの道北ソウヤ方面での出稼の少なくても一部は、場所請負人の経営する漁業に雇用されない、みずからの自由意志による「自分取出稼」とよばれる遠隔地への出稼形態であることを分析した（谷本 1998: 50）。また、すべての青壮年がオリジナルのコタンを離れて強制コタンの被雇用者となるわけではなく、雇用という形で請負人との契約を取り結ばないアイヌの存在を無視するべきではないことが指摘された（谷本 2003: 219-220）。

長澤は「子モロ」場所のアイヌの漁場労働を対象にして、場所請負人がアイヌの生存を保証するためにアイヌに飯料（食料としての漁獲物）を支給しながらアイヌ労働力を効率よく利用して〆粕生産を行う漁業経営システムの存在をあきらかにした（長澤 2003）。これは場所請負人の極端な収奪とは異なる労働力の確保を目指したものであり、アイヌの側も飯料の支給に一定のメリットを感じたからこそ、自分稼がこの地域で発達せず、場所に依存した生活様式を築くことができたことを示唆している。アイヌが「狩猟採集民」のなかでも極めて定住性の高い居住形態を獲得したとされる背景には、このような特殊な社会状況の存在した場合も考慮に入れる必要がある。

岩﨑は道東地方のアイヌの研究から、これまでの商人を媒介とした松前藩とアイヌ間の収奪・抑圧、被収奪・被抑圧関係という硬直化した歴史観は、和人とアイヌの多様な関係の諸相を捨象し、近世アイヌ社会のリアルな姿や慣習の存在を覆い隠してしまっていると主張している（岩﨑 1998）。彼女の分析したアッケシに地盤をおくイコトイは、ウルップのラッコ猟を主要な産業として30～40人のウタレ（妻妾召使）を抱える地場の最大級の有力アイヌであるが、アッケシ全体を統括する領域的な支配者ではなく、産物の豊富な地方ならどこにでも成立する余地があったとみる。

一方菊池は、拠点のアッケシで松前藩と交易の接点をもち、松前藩の勢力が

およばないエトロフやウルップにまでみずからの生業や交易の場を拡げ、ロシアとも接触の機会をうかがいながら、アッケシ以外のアイヌをウタレとして取り込み勢力を拡大するイコトイの姿を、場所や島単位を大きく踏み超えて政治的に結集しようとする時代の動きと捉えている（菊池 1999a: 46）。

瀬川は石狩川水系に属する上川盆地周囲のアイヌ語地名の分布やサケの産卵場の推定復元から、近世期の上川盆地には3箇所の産卵場が分布し、サケ漁の生産性（遡上量と漁法）の相違から石狩川扇状地産卵場、突哨山産卵場、忠別川扇状地産卵場に区分されることをあきらかにした（瀬川 2003a: 24-25）。それぞれの産卵場には乙名（首長）を頂点とする「少しく風習を異に」する3つの地域集団が占有していたが、これらを統括する惣乙名（総首長）は最も生産性の高い石狩川扇状地産卵場の地域集団に属していた（瀬川 2003b: 12）。上川アイヌは河川最下の段丘面に集落を築いたが、それは漁場を開発し尽くして徹底的にサケ漁を行い、重要な交易品として移出するためであったという。

この集落の立地は、アイヌ文化の直接の母胎とされる擦文文化の集落の立地と一致することから、内陸の石狩川水系では交易品生産としての魚撈への特化の萌芽が10世紀にすでにみられ、ほぼ同時期に日本海沿岸の商品流通体制の確立によって流入する本州産品への対価であるサケの生産という位置づけがなされている[2]。しかし、北海道最大の石狩川はサケの漁獲においても第一の河川であり、この特徴をすぐに北海道全域にあてはめることはできない。

石狩川の一支流である千歳川もサケの豊富な河川であり、明治初年の開拓使による禁漁化措置は、サケを常食としていたアイヌにとってきわめて大きな痛手であったことは想像に難くない。文化年間（1804～1817）に請負人山田文右衛門がこの河川を経営したときに、上流部に「鮭産卵蕃殖場」を設け、アイヌと和人からなる番人を配置し、密漁を取り締まり、給与としてサケの漁獲権を与えたという興味深い記録がある（山田 2004: 127）。事実であれば資源の保護と利用の両立をはかる思想が北海道の近世に存在したことを示すが、昔時からの千歳アイヌの慣習であったのか、場所請負人が他地域の例を持ち込み適用したものかはわからない。村上藩で1780年代に実施されていたサケの資源保

全のための種川制度は、近世の段階ですでに東北地方各地に拡がりをみせていたという（高橋 2007: 66-69）。したがって水産資源管理の知識が当時の北海道に伝えられていたとしても不思議ではない。

同じくサケの有数の産地として知られる道東のニシベツ川では、近世に場所請負商人が商業ベースでサケ資源の開発をするようになってからも、アイヌの食料の確保を目的にした魚撈は明確な漁業権として認められてきた（岩﨑 2003: 201）。

6. 食と生業

植物食の偏重

近代におけるアイヌの生業は、手近な食料として、野生植物の採集に多くの比重をおいていたことが知られている（手塚 1997: 73-74）。近代では植物と動物が食される割合が80％対20％と圧倒的に植物食のウエイトが高い傾向にある（藤村 1992: 135）。リーが提唱したように動物食より植物食の全食料資源に対する貢献度が高いのは、狩猟採集民の普遍的な姿にみえる（Lee 1968: 43）。しかし、それが過去においても普遍の姿であったかどうかについては異論がないわけではない。山菜類の重要性は、飢饉などへの危機の対処として、近代以降の暮らしのなかで増大したものであり、サケやシカを自由に捕ることができた時代には適用できない（児島 2003b: 178-179）からである。

農 耕

近代になり、明治政府によって農耕が奨励されるようになっても、アイヌが農耕に適応できない事例は数多く引用され、アイヌは狩猟採集民であったとの印象がよけいに深まったようにみえる。アイヌの農耕は規模が小さく、施肥や除草も行われず、耕種方法もきわめて原始的であるという評価がなされてきた（林 1969）。一方、アイヌが利用する食用野生植物の豊富さについては定評があり、確実に使われたものは120種ほどとされるが、そのうち薬用や嗜好用

（茶、タバコなど）の植物をのぞき、よく利用されるものは、果実、茎葉、根菜、海草など52種におよぶという（林 1967: 159-160）。

しかし、18世紀以降のアイヌは、採集や狩猟・魚撈の比重が高いようにみえても、実際にはかなり広範な地域でアワ、ヒエ、ソバ、ダイコン、カブ、インゲン、キュウリ、カボチャ、アズキ、アサ、タバコなどを作って自給用作物としていたことが知られ、武四郎の紀行文にも場所によってはかなりの収量があることが記されている。この時期の農耕では、鋤鍬を使用せず、畝も作らなかったようである。

近年、考古学調査の進展とともに、近世前半に相当する道内各地の遺跡から鉄製農耕具（鋤・鍬先、鎌）が出土し、畝をもった畑跡が発見されたことから、アイヌが集約的な農耕を継続的に実施していたとする報告がある（山田 2000: 112-114）。たとえば、伊達市ポンマ遺跡では1640年から1663年の間に使用された5条の畝を有する畑跡が検出されており、耕作者はアイヌ民族の可能性があるとしている（添田他 2010: 80, 84）。また、近世後期にアイヌ農耕が停滞するのは、シャクシャインの戦い以後、松前藩により農耕具としても使用可能な鉄製利器の供給が制限されたこと（関根 2003: 48；深澤 2004: 116）や、17世紀から18世紀にかけての気候の寒冷化に起因するという見解がある（山田 2000: 114）。

確かに「蝦夷地へすべて穀物の種をもちわたる事停止也。故に耕作の道を知らず（中略）只魚肉、獣肉のみを常食とす」『蝦夷草紙』とか「古来より蝦夷地におゐて穀類を作候儀は法度の様に相成」『蝦夷地一件』、「すべて鉄類は蝦夷地へ渡すことは松前侯よりの制度ありて、みだりに交易することならず」『東遊雑記』とあるように、松前藩の対アイヌ政策が、深沢の説く禁鉄・禁農モデルと深い関連があった可能性はあろう（深澤 1995）。そして松前藩が禁農政策を断行した理由は、漁場における強制労働力の確保にあった（深澤 1995: 277）ようにみえる。

しかしながら、近世後期において、場所によってはアイヌが農耕で食糧自給ができた状況があったことも事実である（田端編 2000）。幕府関係者によって、

松前藩が意図的に蝦夷地での穀物栽培を禁じていたかのように語られることは少なくないが、それは疑わしいという（菊池 2003: 255）。武四郎にみられるような松前藩や場所請負人による恣意的な横暴を批判する幕府寄りの視点が投影されていることにも目を向けなくてはいけないだろう。さらには1716年（享保元）には、松前藩自身が蝦夷地で雑穀を植えさせたことが記録に残っているという（高倉 1972: 91）。クマ送り儀礼でカムイに捧げる稗酒は欠かせないものとされており、農作物への特別な価値観が存在している。しかも和人の関心は漁場における海産資源を中心とする開発に注がれていたはずであり、その支配は海岸部に限られ、内陸部のアイヌの生活を直接拘束するほどの政策が推し進められていたとは考えにくい。安政年間（1854〜1859）には幕府の施策によって道東にもアイヌの自作畑があり、十勝では2000坪の畑が60戸ほどのアイヌによって耕作されていた（高倉 1972: 345）。この時期には農耕が生業のなかで重要度を増している（児島 2003b: 181）。

食生活の復元

アイヌの生業、とりわけ、どの程度農耕に比重をおいていたかを定量的に判断する材料はきわめて限定されているが、最先端技術を用いて復元されている食性の分析結果によれば、これまで一貫して「只魚肉、獣肉のみを常食」（『蝦夷草紙』）とか「山野に自生する植物から得られる食物は、数千年にわたってここに生活してきた数万のアイヌの食料としては、とるに足らない数量」（『アイヌ民族誌』）と評価される実態とは多少異なっている。古人骨に残留するタンパク質成分の有機体炭素と窒素の安定同位体比から、人骨の主の生前の食生活の内容を推定するというアプローチである。

人骨コラーゲンから見積もられた食物構成比率は、北海道では海洋大型動物や魚介類に依存した生活が、他の地域とは違って北海道の縄文時代以降から近世アイヌ期まで続き、大きな摂取食料構造の変化がなかったことを示している（図17）。

人骨コラーゲンの分析から、アイヌは近世段階において、食品構成の重量寄

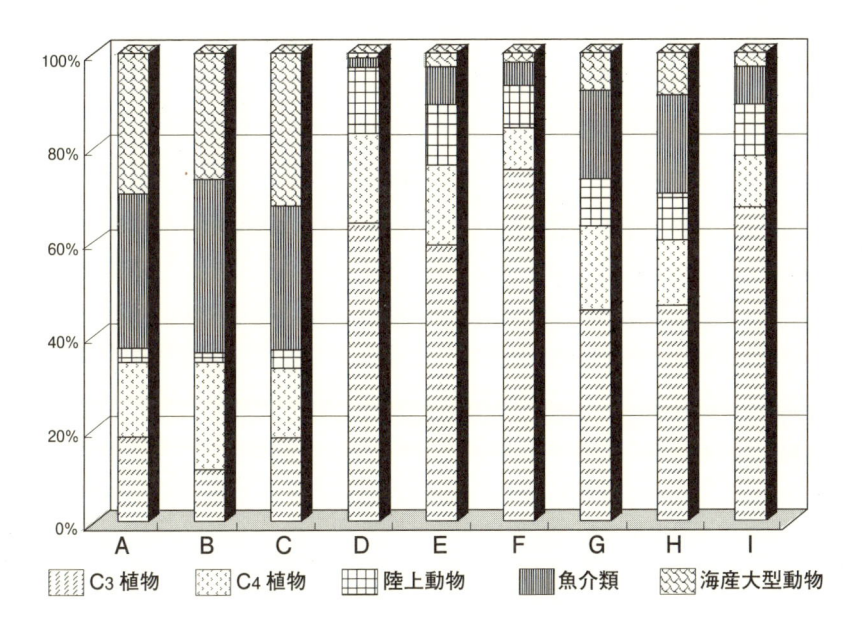

第2章　アイヌの生活様式の多様性　71

	遺跡・集団名	地域	時代
A	北黄金	北海道南部沿岸	縄文前期
B	有珠	北海道南部沿岸	続縄文
C	近世アイヌ	札幌・樺太	近世
D	三貫地	東北沿岸	縄文後晩期
E	古作	関東沿岸	縄文後晩期
F	寄倉	中国内陸	縄文後晩期
G	津雲	瀬戸内海沿岸	縄文後期
H	轟	九州西部沿岸	縄文前期
I	土井ヶ浜	中国沿岸	弥生

図17　先史から近世までの9集団間における重量寄与率にもとづく食物利用構成の推定（南川2001, 表7より作製）

与率に関して、植物食が33％に過ぎず、陸上動物や魚介類、海産大型動物のトータルが実に70％近いという、動物食に大きく依存した生活をしていたという結果が導き出されている（南川 2001: 356）。これはリーらのサン（ブッシュマン）モデルで導き出され、多くの狩猟採集民にあてはまるとされた60％を超える植物食への依存とは、全くかけ離れた数値を示しているようにみえる。

これは従来からの漁猟民族としてのアイヌ像とも矛盾しない一方、植物は全食料資源中C$_3$植物（堅果類、イモ、コメ、ムギ、ヤシ、バナナなど）とC$_4$植物（アワ、ヒエ、キビ、トウモロコシ、ヒユなどの雑穀類が含まれる）を合わせ、重量で約33％となり、決してとるに足らない量とはいえない。特にC$_4$植物資源はこの地域の自然分布よりも高い比率を示しており、雑穀類などの栽培品の利用を反映している可能性がある（南川 2001: 343）。植物の構成比が縄文以来さして変化していなくても、生業構造の変化はあった可能性がある。近世アイヌ期の北海道の植物食料には、採取した野生植物だけでなく、自分たちで育てたものや交易で入手するものも含まれていたであろう。

アイヌの日常的な食料において、農耕や野生植物の採取を含む植物が一定の割合を占めていたことは評価できる。これを少ないとみるか否かは研究者個人によって開きがあるだろう。植物は食料にとどまらず、薬用や衣服やかご、網、住居の素材や染料にも使用できるので、その総体的な価値が世界中の民族誌のなかでも高い部類にはいったとしても別段不思議ではない（手塚 1997）。また、イナウ（木幣）や呪術など精神文化における重要性も決して低くないことはいうまでもない。

「食物は時々の魚漁を致し食す。昔より戸勝（十勝）川筋にて粟稗作少々宛仕付取入置、冬分の食糧とす。或は姥百合きとひるの類を干製して貯置、粟稗と共に食す」『東蝦夷地各場所様子大概書』（1808〜1811年頃）とあるように、雑穀類の栽培は、常食する目的なのではなく、冬季間の食料に充当するために行われたのであろう。規模が小さく、施肥や除草も行われず、耕種方法もきわめて単純な技術でも十分適応的だったのではないだろうか。近世前半のア

イヌの農耕は畝を作り、糞便を希釈して畑に撒く施肥方式がとられていたという（山田 2000: 109）。近世後期のアイヌは糞尿を不浄として特に嫌い、農業に糞尿を利用することも拒んだといわれる（高倉編 1969: 260, 270）。この指向は文化的価値観によるものであろうと思われ、たやすく変化しないだろうから、両者の差が何に起因しているのか今後詳細に検討していく必要があるだろう。

　想定外だったのはシカを含む陸上動物が重量として食料全体の4％しか占めていなかったことである。シカはサケ・マスと並んで「アイヌの主要常食」といわれてきたが（渡辺 1964）、この食性分析結果からそれを裏づけることはできない。

　さらに最近、炭素・窒素同位体による食性の復元にあらたな研究成果が加わった（米田 2006）。米田はオホーツク文化の食生態の調査に精力的に携わっており、オホーツク文化人の同位体比は、北海道北部から東部への広い範囲の遺跡を含んでいるものの、いずれも窒素が非常に高い食物を多く摂取し、海洋生態系の頂点に位置する海生哺乳類が主要なタンパク質源であったと結論づけている（図18）。これは遺跡出土の動物遺存体の分析から海生哺乳類よりも魚に深く依存していたとする考古学的な解釈とはかなりの開きがある（西本 1978, 1984）。一方、比較のために北海道北部・東部の遺跡から出土した縄文文化期からアイヌ文化期までの古人骨の分析結果は、オホーツク文化期とは分布パターンが異なり、海生哺乳類からサケを結ぶ直線上に分布している（図19）。アイヌ文化期の試料は浜中2遺跡（礼文町）と内淵遺跡（名寄市）出土のものであるが[3]、残念ながら時代背景ははっきりしない。浜中2遺跡例はオホーツク文化期の個体と同様に海獣類が主要タンパク質源になっているが、内陸部に立地する内淵遺跡例はあきらかに海獣類とサケ類の双方を摂取していた可能性が示された。地域によって生業の比重のかけ方には相違がみられるが、アイヌ期には食品の流通も考慮に入れる必要がある。

　アイヌ期の海獣猟は地域的にサハリンやオホーツク海沿岸地域、噴火湾沿岸地域などに限定されるといわれている。しかし、回転式離頭銛だけでなく、弓

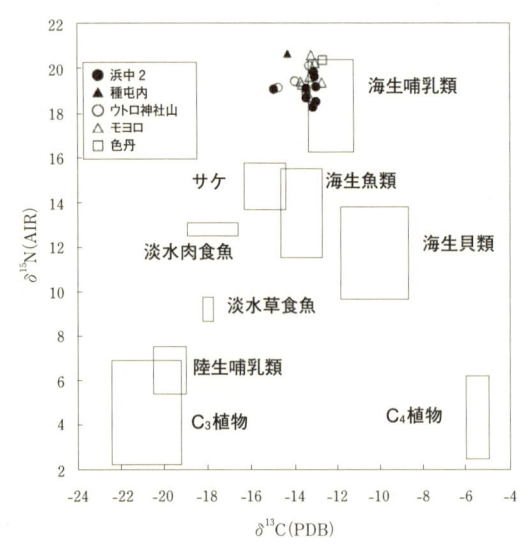

図18 オホーツク文化期の古人骨の同位対比にもとづく食性の特徴（米田 2006）

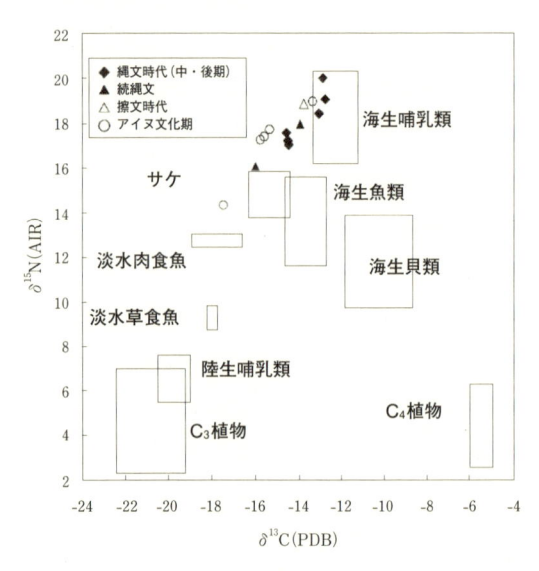

図19 北海道北部・東部の遺跡から出土した縄文・続縄文・擦文・アイヌ文化期の古人骨の同位対比にもとづく食性の特徴（米田 2006）

矢やトリカブト毒、浮鏢などにみられるように、その狩猟方法の多様性や海獣猟との密接なかかわりを感じさせるものが少なくない（渡部 1992, 1994）。近世にはトド・アザラシが交易品目として登場する機会が多くなり、上述した技術で専業的に狩猟されたものなどは、食品として内陸部にまで広く流通していた可能性がある。

狩猟と魚撈

アイヌにとって大型動物の狩猟は一年の生業活動のなかに組み込まれ、日常的に行われたものであったが、食料の利用にとどまらず、交易品の確保にとっても重要なものであった。以下にクマ、オットセイの近世期を中心とした狩猟活動を

検討したい。

　武四郎の熊捕（『蝦夷訓蒙図彙』巻の二）の記述を中心に、穴グマ猟を再構成する。春になって山雪が少し凍って硬くなったころ、クマ猟は実施された。これはクマが冬眠から覚める前にまだ動作が俊敏でない時期をねらって行われていたことを意味している。猟にはイヌをともない数人で出かける。懸崖や大木の周囲で探索を始め、雪をかき分けてクマ穴をみつけると、木を切って穴のなかに投げ入れる。クマは穴の奥にいるが、投げ入れられた木を奥へ奥へと引き込みながらみずから穴の前方に出てくる習性があるので、そこをトリカブトの毒を塗った矢で射止める。木の代わりにアットゥシの衣（樹皮衣）を使う例が 1864 年（文久 3）の北海道中部の日本海に面したハママシケ（現石狩市浜益区）で記録されている（関 2004）。このときは槍を使って親クマを獲り、仔グマは生け捕りにして集落で育て、後日クマ送り儀礼を行った。

　クマ穴からのクマの飛び出しを防ぐために 2 本の杭を交差させて打ち込み、出入り口をふさぐことも行われた。さらに杭に紐を縛り付けて付近の大木に固定する。クマ猟の開始前に祈りを捧げ、熊神を賓客として迎えにきたことを伝える。祈りを終えると、イヌをけしかけ、クマが様子をみようと出入り口にあらわれたとき、弓につがえた矢を射てクマを捕獲すると再び祈りが捧げられ、その場で解体して集落に持ち運んだ（内田 2004: 137）。なお、毒矢猟は、手弓とは別に仕掛弓によっても行われ、クマ、シカ、キツネなどが獲られた。冬眠時期以外にクマを獲ることはどうしても危険がともなうため、仕掛弓をのぞきあまり盛んに行われなかったらしい。

　現在の北海道の野山には、60 万頭以上のエゾシカが生息するとされ、猟期になるとハンターが年平均 6 万頭以上のエゾシカを捕殺する。アイヌの陸獣狩猟のうちで最も重要な活動はこの北海道の豊富なエゾシカを対象としている。

　コタンから数キロ離れた、秋にシカが繁殖のために越冬地に移動するルート上の見回り可能な河岸段丘や丘陵斜面部に、長さ数百メートルから数キロにおよぶ木製の誘導柵を設け、柵の切れ目に設置しておいた仕掛弓でシカを捕ることが近世には知られている。越冬用食料の確保にきわめて重要な意義を有し、

武四郎の日誌によっても、十勝地方や道東地域で具体的に実施されたシカ猟の状況を知ることができる。

　鹿笛でシカをおびき寄せ、手弓で射止める方法や女や子どもたちが勢子になってシカを断崖の縁に追い込み、ころあいを見計って一斉に叫び声を発し、イヌをけしかけ、断崖から追い落とす猟法もあった。崖下に潜んでいた男たちが群がり、槍や棍棒、弓矢でしとめるという方法であった。よく訓練されたイヌが集団でシカを取り囲み水辺に追い込み、狩猟者が接近して射止めるという方法も盛んに行われた。シカが季節移動の途中で河川をわたる時期はおおよそ決まっており、その機会を利用し、岸辺に隠しておいた舟で、動きの鈍いシカを捕るという方法もあった。

　シカの肉や骨髄は調理して食べる他、煮て天日で干して乾燥させて保存食とした。シカの毛皮は冬の防寒衣類にしたり、靴に加工された。シカの角は、最も重要な狩猟具の1つである銛先やマキリの鞘、あるいは土掘り具の素材となる。サケ、クマ、海獣などと異なり、シカの捕獲に関連した儀礼の存在は希薄であり、また、昔から道内にシカが豊富であり、後でふれるように軽物の品目に指定されておらず、手軽に狩猟できた動物であった。

　オットセイは江戸期には、軽物といって請負人の商売品にはならず、松前藩が独占して買い上げるものであった。アイヌが狩猟して会所に持参すると会所が購入し、さらには元値で藩が買い上げるものであった。徳川家康がこの陰茎の献上を求めてから需要が伸び、松前藩は、奥尻島に膃肭臍奉行を設置し、1718年（享保3）から毎年、徳川将軍家へ精力剤として献上したという（更科・更科 1976: 397）。近世期には、オットセイがタラ、ニシン、スケトウダラを追って噴火湾に回遊する初冬から夏の間に猟が行われた。オットセイ猟は丸木船や縄綴船に2人から3人の男が乗り込んで行われた。ハナレといわれる回転離頭銛や3本の鉤がついた銛を遠くから投げて突き刺して獲った。銛の柄には丈夫で水中の滑りがよいシユリザクラが使われた。近世にはこの他、弓が使われた。出漁の前にはイナウをたてて猟の神に安全と猟の成功を祈る。出漁中にはさまざまなタブーがあり、口笛を吹いたり、放尿はもちろんのこと、長

いもの、ことにヘビのことを口にすることは固く禁じられていた。沖合ではオットセイが集団で昼寝しているときにこれを襲った。オットセイが海面で昼寝しているときに風下の方から櫂を水から出さないように静かに漕いで接近した。村に残った妻は、夫が沖猟に出ている間、縫い針を動かさず、アットゥシ織りもせず、食事の支度もせず、家でじっと伏せているという（『蝦夷洒天布利』）。日本山海名産図絵によれば、オットセイは見張をたてるが、この見張番に接近し、まずキツネの尾を紐で竿の先端につけたものを振り回すと、驚いて逃げるので、寝ているオットセイを容易に捕獲できたという（図20）。これはキツネが猟の神であるところから、実際にはまじないの意味を含んでいるのだろうといわれている（犬飼・森 1956: 45）。出漁する舟にはキツネの頭をイナウキケ（削りかけだけのイナウ）で包んだものを舟形の彫り物容器に入れて安置するが、キツネが猟の神に御使いとして出向き、獲物を授けてもらうとされているのもキツネに対する信仰の一部であろう。

図20　アイヌのオットセイ猟（『日本山海名産図会』北海道大学付属図書館蔵）

江戸期の末期には、獲ったオットセイはアイヌが会所に持参し、腹を割いて内臓を引き出し、塩を胴体に詰めて肉と塩蔵し、手足を一所に結びつけてから木箱に詰めて出荷した。また腸と陰茎も会所におさめ、役人が燻し干しして出荷したが、胆のうと肝臓はアイヌがもらい受け、胆のうは干して薬用に用いたという（犬飼・森 1956: 44）。

7. 外需を満たす狩猟活動

文献からみた毛皮獣狩猟活動

1990年代以降、毛皮の供給を円滑にするうえでの政策やシステムについての議論も進展をみせた。上下余市場所での19世紀前半の具体的な狩猟動物の定量的なデータと近世蝦夷地において流通した動物の種類の特徴にもとづいて、特に小型毛皮獣を対象とした狩猟活動が松前藩、幕府、さらには中国清朝、あるいは帝政ロシアなどの外部に存在し、増大しつつあった毛皮需要によってコントロールされた可能性が提示された（出利葉・手塚 1994）。ロシア人のシベリアへの到来とともに、それまで市場経済的な重要性が高くなかったクロテン、カワウソ、キツネなどの毛皮が、商品として俄然クローズアップされるようになった。

この北東シベリア諸民族にあてはまった原則が、アイヌにも適応可能であり、自給自足の閉じた生計システムのなかで狩猟採集を行っていたのではなく、グローバル経済の生産の一翼を担っていたことが指摘されはじめた（佐々木 2000b; 出利葉 1995, 2000; Tezuka 1998; 手塚 2000）。そして場所請負制のもとで、漁業経営と両立させるために指名されたアイヌの狩人が山にはいり、軽物とよばれる小型毛皮獣を捕獲するように要求され、その生産物が山丹交易に供される構造が詳細に検討された（出利葉 2002）。

また、千島海域のラッコ資源はロシアと競合しながらも中国向けに輸出された歴史的事実がある。ロシア人はラッコの品質の等級を上等の方から、千島・カムチャツカタイプ、アリューシャンタイプ、北米北西沿岸タイプ、およびカ

リフォルニアタイプの4つに区分していたという（Gibson 1992: 7）。18世紀後半に、帝政ロシアが千島に食指を動かしたのは、千島の豊富で良質なラッコの存在があったからである。蝦夷地で生産されたラッコ皮の中国への輸出は、種名が必ずしもはっきりせず、テン皮などの小型毛皮獣と混同されている場合もあるが、少なくてもその一部は千島近海で狩猟されたものである。当時、アイヌがラッコ猟専用の網を自製して、ウルップ周辺でラッコ猟を行っていたこともその傍証となろう。

　　　同所沼之傍チヤシ之柴江手廣く家作致、アツケシよりウタレ共呼寄セ、
　　ラッコ捕候網を拵居申候（東京大学史料編纂所編纂 1984: 114）。

　上記は1788年（天明8）に近藤重蔵が記したものであるが、アッケシのアイヌ首長イコトイが股肱とともに厚岸の奥地におもむき、夏のウルップ島で行うラッコ猟専用の網をチャシで製造していたという記述である。また、これに先立ち、一行がクスリ（釧路）の山奥に立ち寄っているのは、出猟用の船を造るためであると重蔵は推察している。

　18世紀以前の活発な交易とそれを支える狩猟活動の記録は散発的であるが、17世紀末に生じた朝鮮人漂流民の記録『漂舟録』やフリースによる1643年（寛永20）の航海記録から、交易用に各種毛皮類を大量に貯蔵していた東西蝦夷地のアイヌの実態があきらかにされている（海保 2000; 小林 2000）。

考古学的な成果からみたアイヌの狩猟魚撈活動

　アイヌ文化の直接の母胎とされる擦文文化期には、貝塚の形成はほとんどみられない。また、竪穴住居床面のサケの焼骨をのぞき、遺跡出土の動物遺存体が少ないという大きな特徴がある。それは、縄文・続縄文文化のように貝塚を形成するほど貝に依存しなくなっていること、そして魚への依存が深まっていることを示している。その背景にはオホーツク文化や本州からの漁撈技術の伝播、特に網漁の技術と道具が北海道にあらたに加わったことと、米を中心とする穀類が流入し、生活全体におよぼした影響が指摘されている（西本 1985: 69）。そして中・近世のアイヌ文化期にはいると、狩猟・漁撈活動に大きな変

化が生じる。

　まず、動物遺存体の出土量と種類が多くなり、ヒグマの出土例も増加する（西本 1985: 70）。動物遺存体を多数包含する貝塚が海岸部に形成される特徴は、擦文文化にはみられないものである。日本海沿岸ではクロアワビ、太平洋沿岸の有珠湾周辺ではホタテガイやアサリが多く出土する。海獣類では、知床半島沿岸域でアザラシ類が多く、有珠湾周辺ではオットセイが多い。また、道南から釧路にかけての沿岸部では、シノタイ A 遺跡にみられるようにメカジキが出土するケースが多い。このような特徴から、アワビやホタテガイ、アザラシ類の遺存体を多量に出土する貝塚（遺跡）は、中・近世のアイヌ期に特徴的な存在であり、その背景には俵物や軽物などに対する需要が高まり、交易の盛行にともなって、それら資源の集中的な採捕が行われるようになったことがあげられている（佐藤 1997: 14）。さらに中・近世アイヌ期の貝塚出土のアワビやホタテに、孔のあいた個体が多いことから、深場に棲息する個体をも、船上からのヤス漁によって捕獲していたと推測され、従来以上の漁獲量を確保する必要性に迫られていたことを示唆している（佐藤 1997: 14）。

　貝や海獣骨にとどまらず、魚についてもニシン、サケ、カレイ類が多く出土するのが中・近世アイヌ期の貝塚の特徴である。特に水深の深いところに棲息する大型種のカレイ類の漁獲には、本州の漁民が保持していた底刺し網漁の技術の伝播があったことを想起させるという（佐藤 1997: 16）。和人とアイヌが互いに接したり、共生しているような場所では、そのような技術の伝播がみられたとしても不思議ではない。

　青森県東通村浜尻屋貝塚（14～15世紀）や大平貝塚（17世紀）などでは、アワビを主体とする貝層の存在が知られており、北海道でも奥尻島青苗貝塚（擦文～アイヌ文化期）、青苗砂丘遺跡（1640年以前）でも同様な性格の貝塚が存在する。越田によれば、これらは両者の居住地が近接していることから、和人またはアイヌの集団が交易を目的として同一種類の貝類を大量に捕獲したことによって形成された遺構であるという（越田 2005: 245）。

　各貝塚出土の魚類組成パターンの顕著な相違も、中・近世アイヌ文化期の特

徴である。佐藤が指摘しているように、季節性の相違だけでなく、集中的に交易産品を生産・加工・処理した集団単位の遺跡と日常的に消費した食糧残渣が蓄積した世帯（個人）単位の貝塚など、社会的な構造をも視野に入れた分析が今後必要になることは間違いない（佐藤 1997: 18）。これは iwor における集団漁猟と、一定の場所が世襲的、または一時的に占有されて世帯的・個人的に実施される魚狩猟とでは、獲物の分配を含めて異なる原理が働くことがあったという民族誌の情報とも一致する（泉 1952）。外部に成立した需要がアイヌの生業活動に長期にわたって大きなインパクトをおよぼし、近世段階にはいるとサケ以外の多様な物資（鯨、海獣、皮、魚油、鶴、羽）も交易リストに登場するようになる。17世紀には商品流通形態にかなりの変化があったことが想定されている（海保 1984: 288）。

　海洋資源だけでなく、室町時代後半以降のものとされる釧路市の遠矢第2チャシ跡遺跡からは、シカが多数出土している。チャシの主体部やその南地区から多数の動物遺体が出土し、その95％は実にエゾシカのものである。報告書によれば、頭蓋骨には特別にあつかわれた形跡がなく、雌雄の幼・成獣が出土し、四肢骨と頭蓋骨が破砕され、その骨髄が食用に供され、角や中手・中足骨に鉄器の傷が多くみられ、骨角器の製造がここで行われていた可能性が強いという（北海道教育庁振興部文化課編 1975: 73）。チャシの性格の一端をうかがうことのできる資料であるが、大量のシカ肉はこの遺跡の内部だけで消費されたと考えるよりは、少なくともその一部は交易に振り向けられたと考えるほうが合理的であろう。前節でみたように、少なくても食性分析の結果にはシカの存在は希薄であり、交易用途にあてられた可能性がある。

8. 年中行事からみたアイヌと和人の交流

　場所請負人の和人によるアイヌ収奪の場とみなされてきた近世蝦夷地の場所という単位を、請負人、番人、出稼漁民、アイヌといった文化背景の異なる諸集団から構成される、いわゆる「場所共同体」や「蝦夷地在地社会」として重

層的に捉え直すべきとの議論が近年勢いを増している（田島 1998; 谷本 2001）。

　水産資源などの合理的な生産を維持するうえで、この共同体の複雑な利害や関係を調整する文化的・宗教的儀礼が、各場所の年中行事のなかに組み込まれて重要な意義を担っていたことが次第にわかってきた（谷本 2002）。少なくとも西蝦夷地余市場所では、請負人の漁業経営において、アイヌ集団を異文化として位置づけており、「古例」や「定例」に配慮した儀礼が幕末まで続けられていることがわかる（谷本 2002: 57）。漁期の節目には場所の年中行事としてオムシャや祝いなどが組み込まれた。余市場所の場合は、旧暦の7月～11月までの間に年4回開催され、運上屋から米、酒、タバコを支給され、アイヌにとっては労働の合間のつかの間の安息の日となっていた（小林 1993: 26）。

アイヌ民族の芸能・餅つきの図

　ロシアの南下と樺太南端のクシュンコタンの占拠や1853年（嘉永6）に長崎で日露が国境交渉を行ったことが契機となり、幕府は蝦夷地の直接経営を決意する。蝦夷地の無防備とアイヌの離反を恐れた幕府は1855年（安政2）に松前、および江差地方をのぞく北海道と南千島、サハリンを再び上地し、東北の諸藩に蝦夷地を分与し、警備の強化を命じる。このため噴火湾沿いの虻田や絵鞆、幌別は南部藩領となり、道北の留萌、苫前、天塩は庄内藩領となった。

　ここで紹介する絵図は、南部藩の会所のあったモロランで行われた年中行事で、南部藩士長沢盛至が描いたものである。この『幕末期モロラン風物図』をみれば、当時北海道各地で行われていたお囃子と歌で彩られたにぎやかな餅つき風景がよみがえってくる。この絵には新年を祝う正月に先だって暮れの餅つきの場面がある。搗き手、餅を臼からすばやく取り出す合取、餅を取り戻そうとする者、鉦をたたく者、餅を伸す者、三味線弾き、餅を丸めるというように7人の男女がそれぞれの仕事を分担している様子が描かれている（図21）。このうち餅を丸める女をのぞく人物は縦縞のはいった厚司状の着物を身につけている。山崎屋の娘と三味線を弾く番人以外はすべて頭髪の様子からアイヌであ

第2章 アイヌの生活様式の多様性　83

図21 1856年にモロラン（室蘭）会所で行われた餅つき（『幕末期モロラン風物図』北海道大学附属図書館蔵）

ろう。アイヌが和人と共同で和風習俗の最たる餅つきをこなしている点が興味深い。

　また、1862年（文久2）暮れから翌年正月にかけての西蝦夷地天塩での年中行事を描いた「庄内藩蝦夷地風俗絵巻」には、天塩場所での年中行事が以下の6つの図で紹介されている。

　一　運上屋餅搗之図
　一　正月元日御役宅江役土人年礼ニ出る図
　一　同二日番人共馬鹿行列ニ而挟ミ之図
　一　同日運上屋ニ而土人共喰初之図
　一　役土人酒呑図
　一　メノゴ之図

　これらは、詞書きとともに庄内藩が天塩場所に派遣した代官原半右衛門の子

図22 テシホ（天塩）場所の餅つき（『庄内藩蝦夷地風俗絵巻』原家所蔵）

孫に伝わる貴重な資料である。庄内藩の領地のうち最も北に位置する天塩には、陣屋を設けず、勤番所をおいて、少数の藩士、足軽等を派遣していた。庄内藩は領地のアイヌ政策に関しては、幕府の方針にしたがい、1860年（万延元）「且又風俗を乱し候様の儀有之間敷ハ勿論候得共、猶又厚く相心得、土人漁獵之妨等も不可致候事」とアイヌの風俗や習慣に留意し、アイヌの魚撈のさまたげになる行為をしないように庄内藩から新領地におもむく士民に指示している（関 1980: 14-15）。

『運上屋餅搗之図』では、炉端の土間におかれた大型の臼の周囲で多数の番人が太鼓をたたき、笛を吹き、3人並んでまさに杵を振り下ろそうとする臨場感あふれる場面や、その背後にさらに1人の搗き手が控え、合取が餅を返えそうとする忙しい様子などが描かれている（図22）。

詞書には初めは7人で静かに搗くが、なかほどでは5人になり、序破急の拍

子後に3人で搗くという説明がある。臼の左手には、竈の火を見守る人物や蒸籠に米を投入する人物、さらには餅つきを楽しそうに見守る人物や踊り出す人物もみえる。これらは衣服や髪様からアイヌであろう。

天塩場所での和人・アイヌの交流

　正月の行事の場面では、元日に役人宅に年禮に参上し、酒でもてなされる「役土人」（場所の経営に携わった土地の有力アイヌ）の姿が登場する（図23）。対座する代官とアイヌの間には酒のはいった行器、天目台、酒杯、捧酒箆がおかれている。代官の顔には酔いのせいか朱がさしている。アイヌが神に祈りを捧げるときには、酒を満たした杯に捧酒箆（イクパスイ）の先端をつけ、祈り言葉を捧げる。捧酒箆は人間の言葉を神に伝えるもので、通常、裏側に舌を表現した刻みがついている。杯の受け台として天目台があり、これらのセットが膳に並べられる。これらはアイヌ固有の儀礼の際に欠かせない漆塗りの儀式道具であり、和人がアイヌ固有の習慣に配慮した供応を行った証左とみなせよう。

図23　代官宅での年始の供応（『庄内藩蝦夷地風俗絵巻』原家所蔵）

図 24 正月の舞の競演（『庄内藩蝦夷地風俗絵巻』原家所蔵）

　それに続く2日の行事では運上屋に集った大勢のアイヌと番人が入り乱れてそれぞれの文化に属する踊りを踊っているにぎやかな場面がある（図24）。なかでも「番人共トド舞ひ」と「土人踊り」が目を引く。前者は番人の1人が皮のようなものを全身に纏いトドの姿態を演じている。そのかたわらでは銛をもった男がトドにねらいをつける。おそらく漁師の間に伝わる余興なのであろう。

　後者は、アイヌの男たちが立ったまま額を寄せ合って輪舞を舞っている。これは「ホイヤ ホイヤ」や「ハンロッサー」などの囃子をもったリズミカルな踊り歌で踊られるアイヌの伝統的なリムセ、あるいはホリッパに相当する輪踊りであるという（谷本 2000: 27）。この他「女ノ子踊り」のシーンもみえる。左手を頭にかざし、右手を腰の脇に添え、輪になって踊る女の踊りであるが、どこか盆踊りを思わせるようなのどかな風情があり、おそらくは和風の踊りと考えるのが自然であろう。

　場所の年中行事の場面においても、アイヌの慣習に配慮した経営が行われて

いたことを知る数少ないビジュアルな手がかりとなろう。松浦武四郎によれば、北蝦夷地は東蝦夷地の「十倍の非道」が行われたといわれるほど過酷な場所労働が強いられていたとされる（松浦武四郎「廻浦日記」巻 13）。西蝦夷地では、宗谷場所をのぞき、飼育型クマ送りの記録が乏しいのは、はやくから漁場が開け、和人も多く入り込み、場所請負制のなかでアイヌの消耗が激しかったとされる（佐々木 1990: 119）。そのような厳しい労働環境にあっても、上記の絵図をみれば、アイヌ固有の踊りも和風文化の受容とは別に併存していたことが理解される。アイヌ文化にもとづく儀礼・踊りは不可欠の要素として年中行事のなかに組み込まれていた。さらにハママシケでは、飼育型のクマ送りが行われていたことがあきらかである（関 2004; 手塚・池田・三浦 2005）。このときは、いわゆる帰俗（和人化した）アイヌがクマ送りの祭主を務めている。いわゆる帰俗アイヌが場所の経営のなかで文化融合やあらたな文化の創造を担っていった側面は、今後あらたな視点で捉え直さなければならないであろう。

　しかし、この異文化の共存という事例を西蝦夷地全体に敷衍し一般化するのには、より慎重さが求められる。場所ごとの時代的・地域的差異や個性を抜きに場所請負の構造や歴史像を描くのは実態とかけ離れた結果を招きかねないからである（田島 2003:45）。おりしも、正月の競演から数年たった 1864 年（元治元）テシオ運上屋の支配人平四郎の非道な仕打ちに耐えかねて、役蝦夷のトトノフ夫妻が逃亡する事件が勃発した。取り調べの過程でこれまでの平四郎の行状が暴かれ、庄内藩がその身柄を拘束するという結末にいたったことは場所労働の過酷な一端をよくあらわしている（関 1980: 17-18）。

9. クマ送り儀礼

クマ送りの伝統
　クマ送りは、アイヌ文化の中核を担うものとされている。豊かなサケ資源に立脚することで、コタンの安定性と定住性を高める、アイヌ最大の集団儀礼とされ、動物との相互関係を円滑にするイオマンテを可能たらしめ、クマ祭文化

複合体の各要素を社会・宗教的に緊密に結びつけるとともに、さらにはそのイオマンテを通しての毛皮と宝物の取引は経済流通の側面にも影響をおよぼしている（渡辺 1972）。アイヌのクマ送りには、野外の狩猟活動で捕らえたクマの成獣を、その場で送る、いわゆるオプニレ型の儀礼と、捕獲したクマの仔を一定期間（通常1〜3年）飼育し、冬に集落で盛大に送る仔グマ飼育型のクマ送り儀礼（イオマンテ）とがある。この飼育型クマ送りは、アイヌの他、ウイルタ、ニヴフ、ウリチ、オロチ、ネギダールなど、北海道、サハリン、アムール川下流地域の諸民族に集中して発達してきたことから、ハロウェルの研究を手始めに（Hallowell 1926）、研究者の注目を集める存在となり、現在までアイヌ文化成立の解明を志す考古学、民族学、文献史学を中心とする方面から、その起源・成立についての議論が活発に行われてきた。

　これらの議論を踏まえ、池田はアイヌの飼育型クマ送りについて、どのくらいの時間をかけて儀礼が形成され、その後どのような展開があったのかを掌握してからでなければ、起源・成立論を展開する意義が深まらないと述べた（池田 2000: 200）。また、筆者は、北東アジアにおける仕掛弓の発達を巡り、「起源」と「盛用」は別々にあつかうべきとの見解を示した（手塚 2000: 218）。起源問題の解決は、単なる通過点に過ぎず、後世の受容・定着の背景をもあきらかにすることで、実り多い議論に到達できるとの見通しを示した。先史時代のクマの飼育と近世・近現代の飼育型クマ送りには、その儀礼行為を取り巻く環境や儀礼行為そのものの意義にも相違がある。飼育型クマ送りに付随している価値観は、外部の動向に応じて時代とともに柔軟に変化し、主体的に操作されてきたといえるし、そのことに重要な意義があると考える。そこで、アイヌの飼育型クマ送りが具体的に描かれはじめる18世紀後半の文献資料を検討してみたい。この時期の飼育型クマ送りを中心に、仔グマ飼育の意義、および仔グマの獲得について考察を加える。

　サハリンアイヌのクマ送りについては、長期間クマを獲ることができない場合やクマ送りそのものにともなって、しばしばイヌを送る習慣があったとされる（ピウスツキ 1999: 41）。千島アイヌの間では、飼育クマ送りの習慣はな

かった（加藤 1986: 330）。ヒグマの住んでいない中部千島列島では、海獣類、なかでもトドの儀礼が動物儀礼のなかで重要な位置を占めていた可能性がある（Fitzhugh et al. 2002; Tezuka and Fitzhugh 2004）。このように、クマ送り儀礼もすべてのアイヌ居住地域で均一に行われていたわけではなく、地域差が存在している。

渡辺はアイヌのクマ送りの源流について、クマや他の獣骨の屋内集積の習慣、クマの彫像の製作と使用の習慣、クマ送り用仔グマの装束としての腹帯の習慣にもとづき、クマ送りがオホーツク文化に由来するとしている（渡辺 1974：81）。道東地域北部のオホーツク文化集団の間に後期以降、クマを主体とする骨塚が竪穴住居の外側に構築されるようになることから、後世のアイヌ文化の動物儀礼の特徴との相違は、これまでより緩和されるだろうとの見解も表明された（佐藤 2004a: 257-258）。

1989年には、知床半島南東部に所在する羅臼町のオタフク岩洞窟でヒグマの成獣の頭蓋骨が7体並んだ状態で発見された。このオタフク岩洞窟の事例は、擦文文化終末期の送り儀礼の証拠とされ、仔グマだけが見当たらないことから、集落に持ち帰られ、送り儀礼が行われたと推測されている。この事例に依拠し、飼育型クマ送りは、擦文文化にその起源が求められるとの立場がある（西本 1989; 佐藤 1993）。一方、オホーツク文化においても、考古学的な研究成果として、一定期間仔グマが飼育されていたことがあきらかとなっている（大井他 1980: 43-74）。この飼育期間は、近世アイヌのものより短く、およそ6カ月程度であったという（佐藤 2000: 27）。また、サハリンアイヌのクマ送り時のクマ装束を彷彿とさせる腹帯状の表現が、湧別町川西遺跡などのオホーツク文化期の遺跡から出土するクマの彫像にみられることも飼育型クマ送りの傍証となっている。

他方で、飼育型クマ送りについて比較的あたらしい時期の成立を示唆する議論がある。送り場を中心とした考古学的研究の結果、飼育型クマ送りは18世紀なかごろから19世紀なかごろとする見解（石川 1988）や、18世紀後半以降とする見解（宇田川 1989）に区分できる。

また、飼育型クマ送りの伝播論として、靺鞨文化のブタ飼育とブタに関連する習俗が北海道に伝来し、在地のクマ信仰と結びつき変容したという議論（春成 1995）や、西暦二千年紀の初頭にアムール川下流域で成立し、それが16世紀、あるいは17世紀にサハリンアイヌ、および北海道アイヌに伝えられたとする議論（大井 1997）がある。
　このように近年の起源・成立論の動向を振り返ると、なお流動的である。それぞれの主張は、飼育型クマ送りの意義や認定の仕方について相違を抱えたまま、起源問題の解明に多くの関心が向けられていることが特徴である。

18世紀後半のクマ送りの記録

　最上徳内の『蝦夷國風俗人情之沙汰』（1790年）に記されたクマ送りの情景は次のようなものである。

　　　扨、首前に幣を建て、鉾、太刀、長刀、其外種々の長器を飾り、其後其村の乙名を初、其親類及び近郷近村の乙名及び長立たる者集りて大祭禮の祝儀あり。此時、家格、新古等に因りて其席に前後上下ありて其席々に急度着座あり。（中略）此式終りて、其供物を以て近郷近村の老若男女に分ちあたへ、賑恤する事甚し。（中略）前庭には二行に旗幟を建て、武具を飾り厳重に見へにけり。祝儀の大酒宴あり。赤熊の肉を肴とし次に鹿肉、狐肉、魚肉澤山にして終日終夜にぎはふ也。是を毎秋乙名家、豪富の名利とする。此時は、衣服を改め、器財寶物を披露し藝術を以て鳴り、才徳器量を輝して格式を採んことを策となり。才徳爵祿を布くは此大祭禮の入用を一人にて度々するを以なる也（高倉編 1969: 454）。

　首前に幣を建て、鉾、太刀、長刀、その他種々の長（武）器を飾り、また、前庭には旗幟を建て、厳重に写るほど武具を飾るなどの情景が写し出されている。また、村の乙名をはじめとして、その親類、近郷近村の乙名、有力者が集っての祝儀があり、家格、新古などによって席に相違があるなど、クマ送りが、家、親類にとどまらず、近郷近村の人びとまでを巻き込み、また厳格な序列をともなったものであったことがわかる。[4] 大きな酒宴も催される。このよう

な儀礼を毎年行うことによって「才徳爵祿」を広く示し、威信を増大させたことがわかる。同様なアイヌの飼育型クマ送りの様相は、平秩東作の『東遊記』(1784年)、1785年から1786年にかけての幕吏の蝦夷地巡見に際し同行者が宗谷とサハリンの状況を記録した『北海記』(北海道大学附属図書館蔵)、秦檍丸の『蝦夷見聞記』(1798年)など、18世紀後半の他の記録にもうかがえる。

飼育型クマ送りに集まる人びとについては、『北海記』巻中に次のような記録がある。

> 召客トテハ三十里程ノウチノ乙名ヲ使ヲ以テ招寄セ、近所七八里ノ内ハ小児マデ不残、前日ヨリ相集リ、三合容リ盃ニテ昼夜飲ツヽケテ飲事ナリ。当日ハ吾等ガ方ヘモ乙名ヨリ使ヲ以テ申来ル。其ノ口上ニ曰ク今日陽満祭有故殿方乍恐来臨御説ト云也。既ニ其日四ツ時許ナリシガ、運上屋ノ者通辞案内ニテ、乙名レテイレカ宅ニ行見ルニ、乙名タル者三十余人、濁酒数十樽ヲ並ヘ置、己カ家ニ昔ヨリ傳ハル盃ナリトテ、古盃ニ濁酒ノ冷ヤノミ〜トツギ、盃ノ上ニ呑箸ヲ添テ吾方ヘ出ス

宗谷場所のアイヌは30里離れた村の乙名や、7〜8里離れた村の小児まで招いたとしている。また、『北海記』の記録者自身も招かれ、古くから伝わるという盃で冷やの濁酒が振るまわれている。和人に対する特別な配慮があったかもしれない。

『蝦夷國風俗人情之沙汰』など、18世紀の記録に描かれているアイヌ民族のクマ送りにおいて、武具などのさまざまな器財や宝物といった過剰な演出がみられる。それは授かったクマを送りかえすという儀礼本来の意義のうえに加わった「みせる」要素であると考えられる(手塚・池田 2001: 27)。飾り物の品目は武具など、権威的な物品が多く、主催者の地位を誇示するには、一定の効果を発揮したと推定される。『北海記』巻中には、「長タル者ハ一二疋ツヽ畜置ナリ」とあり、同じく巻下には、「凡威信ノ富者ハ皆熊子ヲ畜ヲキ」とあるように、クマを飼育すること自体が威厳の象徴であった。元々のクマに対する宗教的行為に、地位、名誉、威信などの社会的な価値が付与され、主催者がみ

図25　クマ送りの場面（『蝦夷風俗絵巻』橋本芳園、天理大学附属天理図書館蔵）

ずからの地位を誇示すべく、過剰なほどに飾り立て、多くの人びとを集め、盛大な酒宴を開いた18世紀後半の飼育型クマ送りの情景を想定することができる（図25）。

　飼育型クマ送りが成立するためには、一定期間仔グマを飼育する必要がある。クマを飼育すれば、必ず飼育型クマ送りが成立するわけではないが、その儀礼を支える重要な条件であるといえる。アイヌの信仰によれば、クマは神の国ではアイヌと同様の生活をしているが、人間界に出向くときには毛皮と鋭い爪をつけ、仮装し、毛皮と肉をアイヌの贈り物とする。アイヌはそのクマを捕えて、クマの霊に、イナウや花矢、団子、酒などの土産をたくさんもたせ神の国に戻す。クマの霊はその土産で酒宴を開き、招待した神々にアイヌに歓待されたことを伝え、アイヌを厚遇するように話すと考えられていた（犬飼・名取 1939: 250）。ここには神と人間の相互依存の関係を容易に見出すことができる。[5]

　クマ送りは、神々との互酬的な関係だけでなく、他集団との関係を安定・維持するという社会的な機能にも貢献している。儀礼はさまざまな物財の交換と儀礼的分業の機会を提供し、経済的意義を超えた社会関係を表現し、いわば平和秩序の確立の行為としても捉えることができるからである。ここに狩猟グマ送りとは異なる多大な労力や資源の投入が前提となる飼育型クマ送りの意義がある。先にみたとおり、近世文書によれば、投資した量が多ければ多いほど、他者に対する威信が深まる傾向があり、名誉のために儀礼が実践されている。クマ送りには「みせる」要素が付加されていることも見逃せない。[6]　クマ送り儀

礼は、主催者がみずからの地位を誇示すべく、移入品で華麗に演出し、正装で臨み、かなり遠方の、おそらくは親族関係にないアイヌや和人までをも含む大勢のゲストを招いた大規模な酒宴をともなう儀礼へと変貌を遂げ、18世紀に最盛期を迎える。共同体内部に限定されない大規模な祭礼であり、儀礼の小道具となった武具や器財宝物は、その多くを和人やサンタン人との交易によって入手している。これは、近世の商品流通経済やいわゆる毛皮交易にアイヌ社会が組み込まれていたことを反映している。アイヌの社会的統合をはかる際に、集団の連帯を深めるような、飼育型クマ送り儀礼などの大規模な儀礼が必要とされるという（池田 2000: 205）。

これと類似したような現象としてすぐ思い浮かぶのは、北米北西海岸先住民の事例であろう。欧米人との毛皮交易によって得られる、あたらしい物資や富の蓄積にともない、ポトラッチの規模や回数が増大し、トーテム・ポールや仮面製作の発達や精巧化がみられ、主催者たるチーフの地位の強化や社会の階層差が顕在化したという（岸上 2001: 320）。アイヌの飼育型クマ送りに階層化社会への移行をみるかどうかは別にしても、外部情勢の変化に応じて飼育型クマ送りに質的変換が生じたことは指摘できるであろう。

また、近年、仔グマ飼育は、かつて生薬の原料として毛皮以上の価値をもっていたクマの胆を効果的に肥大させる手段として捉える考察がある（天野 1990）。同様の観点から、ワシ類の飼養と送りを考察しようとする論考がある。良質の矢羽に対する武家社会からの需要が芽生え、アイヌが対和人交易で商品価値が増大したワシ類や同じ猛禽類のシマフクロウの幼鳥を飼養し、またその再生を願う送り儀礼の成立を促したという立場である（岸上 1997; 佐藤 2001）。これらはいずれも経済的な側面を強調し、飼養型の送り儀礼の近世期における成立・発展を示唆した研究である[7]。

クマの獲得と授受

シャクシャインの戦いの直接的な原因に関しては、以下のような記述が残っている。

四年巳前、シヤクシヤイン熊の子二ツ取て川を下申候を、折節鬼ひし見
　　懸、シヤクシヤインに申候は、我等不仕合にて熊の子一ツも取不申候。其
　　方二ツ取申内、一ツ此方へくれ候へ、祝申時分は互に振舞致酒をもり可申
　　由申候得とも、シヤクシヤインしかと返答も不仕罷通候に付、鬼ひし腹を
　　立、悪口申候得共、不聞体にてシヤクシヤイン罷通候由（『津軽一統志』
　　巻第十、中）。

　ここにみられる「祝申時分」はイオマンテを指すとされ（佐々木1998:7)、シャクシャインの戦いが起きた1669年には、飼育型クマ送り儀礼としてのイオマンテが成立していたという（中村1999: 190)。この「祝申時分」が飼育型クマ送りであり、かつその成立が近世初期に設定できるかは、今後も慎重に議論を継続していかなければならないであろう。ここで注目したいのは、「鬼ひし」がこの年に仔グマを獲ることができず、2頭獲ったシャクシャインから、1頭譲り受けようとした行為である。

　『北海記』には、アイヌ同志による仔グマの交易のことが、より詳細に、次のように記されている。

　　　然レトモ難得事ト見ヘテ、午年ノ春モ十人許深山ニ入、十余日ニテ帰リ
　　シガ、大熊ハ勿論、熊ノ子ヲ一ツ取リ護ヲ帰ルモノナシ。故ニ他郷ノ人ノ
　　取タル熊ノ子ヲ交易シテ、長タル者ハ一二疋ヅヽ畜置ナリ（巻中)。
　　　夷人仲間ニテ交易ス（巻下)。

18世紀後半において、クマを捕獲することが何らかの理由で難しく、そのため、仔グマがアイヌの間で交易の対象となっていた。交易をしてまでも仔グマを手に入れ、飼育する必要性があったことは興味深い。[8]

　当時の北海道では交易で入手したクマを取引し、一定期間育て、しかるべき時期に送るという慣行が存在したようである。これは狩猟者みずからが狩猟で得たクマのみを送るという近現代の宗教的に厳密な方法に比べ、思想的にも簡略化されて簡便な方法であるが、不猟に左右されない確実な方法であり、富裕な人なら、実施しようと思えば狩猟の手間を省いて毎年実施することが可能になる利点がある。こうしたあたらしい方式が容認されて、近世に飼育型クマ送

り儀礼が最盛期を迎えたことは想定できる（手塚・池田 2001: 29）。

そして、送り行為そのものだけでなく、他人からクマを譲り受ける、または購入する行為そのものにも重要な意義があろう。交易という手段は、おそらく飼育型クマ送りが宗教的価値以外のさまざまな（経済・社会・文化的）価値を包含していく過程で行われるようになっていったものであろう。近年報告された興味深いデータによると、礼文島のオホーツク文化期の遺跡から出土したクマ頭骨について、ミトコンドリア DNA 分析を行った結果、成獣は道北を中心とする地域に由来し、仔グマは道南に分布する個体群と共通の DNA を有したクマであることが判明した（Masuda *et al.* 2001）。報告者は、仔グマを遠方の続縄文文化圏から持ち運んでクマ送りを行ったことを想定しており（Masuda *et al.* 2001: 747）、親族や文化の差を超えた交易パートナーシップのような存在すら示唆させる（天野 2002: 213）。このような遠距離間の仔グマの移動は、クマやクマ送り儀礼の存在の大きさや重要性を浮かび上がらせる。先史時代にも近世後期にみられるような飼育型クマ送り儀礼の萌芽がすでにあらわれていたのかもしれない。

10. 近代化と変容

19 世紀以降、明治から昭和初期にかけて旅行者や民族学者らによって記録された儀礼にみられるように、ゲストの臨席という要素は部分的に残しながらも、狩猟採集民としての属性を強調し、地域や共同体の意向が外部世界からの影響にさらされるなかで実施されるような儀礼に変容してゆく。小川は、19 世紀末からのクマ送りの特徴を 3 期に分けて各時期の特徴をつぎのようにまとめている（小川 1997: 276-277）。① 1890 年ごろから余興や見世物興行的なクマ送りが、北海道内に限らず、本州各地でもみられるようになる。②そして 1920 年代後半から研究者が記録・調査を行う目的で実施されたり、市町村や観光協会が行事や観光の目玉として位置づけたクマ送りが挙行されるようになる。③ 1970 年代から伝統文化の伝承や復興を目的としたクマ送りがみられる

という。また、マスメディア等にみられるような戦後のクマ送り自体の表象のされ方には「古式ゆかしい」か「野蛮」、「残酷」の2通りに分類でき、その結果、儀式で送るクマを実際に「殺す」か「殺さない」かの判断をめぐる意味づけが論議の中心とされてきたことがわかる（東村 2002: 115, 127）。このような世相の推移が、一方でアイヌ自身の側にとっては、みずからの手で狩猟したクマを神の国に送り返すという儀礼の本質を意識した送りを実践したいという機運にもつながった。

冒頭で述べたように、周囲の社会から束縛されることなくエコロジカルに生きた狩猟採集民像は、現代においてはもちろん、近世においても、その明確な姿を確認することはできなかった。アイヌ文化の直接の母胎とされる擦文文化の段階で、すでに外需を満たす魚撈活動がスタートした可能性が指摘されている昨今、時代をさかのぼることによって、山野を自由にかけめぐるアイヌ文化像を研究者が提示することは、今後も期待できないのかもしれない。しかしそれでもなお、自己の食料を得るために比較的自由な狩猟魚撈が可能だった近世と、欧米近代のロジックが強力な国家主導のもとで導入された近代の間には大きな隔たりが横たわっている。

明治初期において、アイヌによる自己食料の調達のための生業にもかつてない近代化の波が押し寄せていた。米国内の資源保護や進化思想への関心の高まりに影響されたと考えられる開拓使顧問ケプロンの答申を受けて、開拓使が1876年に毒矢猟を全道的に禁止する布達をだす。資源の保護の他に開拓の進展にともなう山林内の往来者の安全確保や文明化の足かせとなる「汚習」「旧習」を「洗除」すべきとする見方が政策決定に影響を与えていた（山田 2001: 222）。その当時、アイヌは衣・食を確保する手だてとして、矢毒を用いた仕掛弓によってシカなどを捕えることを広く行っていた。この毒矢猟の規制の実施に対して、各地のアイヌが延期の嘆願書を提出しているが、開拓使はそれらの声に耳を傾けようとせず、あくまで禁止を強行する。シカはサケと並ぶアイヌの主要食糧であるが、近代においてサケ漁とともに、近代国家が近世から継続されてきたアイヌの狩猟・魚撈の権利を剥奪したといえる。

道東のニシベツ（西別）川においても、幕藩権力や場所請負人がアイヌの権利として認めてきたサケ漁が、明治初期に開拓使によって全面的に否定されたとし、近世蝦夷地と近代北海道の移行期に存在する断絶性が指摘されている（岩﨑 2003: 201）。本来、アイヌの自由意志によって実施されてきたはずの山野の狩猟活動にも、相手の立場を斟酌せず、固有の民族的生活様式の剥奪を指向する一方的な近代化理論の貫徹がみられる。

　これまでみてきたように、場所請負人たる和人と被雇用者であるアイヌの二項対立の図式で捉えられがちだった近世蝦夷地の場所を舞台に、請負人、番人、定住・出稼漁民、現地駐在の幕吏、藩吏、アイヌといった文化背景も社会階層も異なる諸集団から構成される複雑な社会が出現し、海産資源などの効率的な生産を維持するうえで、共存への一定の努力がみられた。ロシアの南下に備えるべく、同化政策が急速に押し進められるべき幕領期にあっても、アイヌ旧来の慣習に配慮した儀礼が幕末まで続けられていることからもそれがわかる。開拓使が欧米近代の理念や価値観を一挙に北海道の開拓に適用した状況とはあきらかに異なる近世社会の姿が浮かび上がってくる。

　アイヌと和人という対立軸だけによりかからずに、重複したコミュニティを議論の俎上に載せることができるようになったとき、次の段階の議論が可能になろう。これまで意に添わない強制使役の先導役や迅速な和人化の例とされ、本格的な議論の対象とならなかった両者の仲介をとった集団、すなわち「役土人」や帰俗アイヌといわれる人びと、および和人との婚姻によってあらたに生じた集団が北海道史で果たした役割の正当な評価がはじまる日はそう遠い先のことではあるまい。カナダ北西平原地帯の歴史研究の動向は、カナダ多民族社会の実状を反映して興味深いが、日本北方史を考察するうえでも示唆に富んでいるといえよう。ここでは18世紀末にはフリーマンとよばれるヨーロッパ系の交易者と先住民の間の橋わたし（交渉・ガイド・通訳）をする混血集団の存在（メティの起源）が経済社会的に重要性を増していた（Binnema 2001: 172）。親族のネットワークを重んじる北米先住民社会において、ヨーロッパ系交易者と先住民女性との婚姻は、夫がその妻の父や兄弟との密接な協力関係を

樹立するうえで大きくプラスに働いた。毛皮交易商と先住民との関係を円滑にするうえで果たした彼らの功績が、北米の歴史学者の間ではポジティヴに評価されはじめている。

註

(1) 1804年から東蝦夷地エトロフ島に派遣され、数年にわたって滞在した津軽藩士により記録された『毛夷東環記』を構成する地誌「衛刀魯府志」には、次のような記載がある。

　　山海共に境界あり、ヲツトナ、是を司る、其領分にあらされハ草木と云とも猥に是を伐る事能ハす、若鯨等の寄たるを見当れハ、其領のヲツトナへ断り、ヲツトナの下知を受て配当す、法令甚厳重にして少しも法を犯す者あれハ、チヤンラゲを入てツグナイを取るなり（浪川 1994: 66）。

一定の領域内の動・植物だけでなく、寄りクジラや漂着船のような不定期の資源にもそれらを利用するうえでの厳格なルールが存在していたらしいことがわかる。

(2) 日本海ルートによる商品流通経済の活性化が鉄製品、陶磁器、漆器、衣類、装身具、米、酒などの本州産品の急激な流入を促し、擦文文化を終末へと向かわせたとする立場は、多くの考古学者に支持されている（宇田川 1980: 13-14; 菊池 1984: 112）。交易の対価を獲得するための生産が擦文期にさかのぼるとする議論もこうした商品流通の発展が前提となっている。

(3) 海生哺乳類に近い炭素・窒素ともに高い1個体が浜中2遺跡の出土で、それ以外の3点は内淵遺跡出土のものである。また、図には掲載されていないが、淡水肉食魚と淡水草食魚の中間に位置するアイヌ文化期の乳児のサンプルも存在するという。乳児の場合は、母乳の影響で窒素同位体比が高くなる傾向にあるが、その個体にはそのような特徴はみられず、陸地の食べ物、たとえば植物食の多い離乳食を食べていた可能性があるという。以上は、分析者の米田穰氏のご教示による。

(4) 18世紀後半の飼育型クマ送りへの参集範囲は、おおよそ近郷近村はもとより、かなり遠く離れた村の乙名にまでおよび、同一の川筋や同一の親族集団に属している以外の人びとをも巻き込んでおり、また和人も参加するなど、遠くからも大勢の人びとが参集し、語り合う機会でもあった。地域集団間のネットワークが機能していることを示唆している。

(5) 狩猟採集民にとって、狩猟して得た動物を殺害するという行為とたくさんの動物が存在してほしいという願望は矛盾する。この矛盾を解決するのが「骨儀礼」である。これは、狩猟して食したあとの動物の骨に細心の注意を払って保存するというもので、

動物が骨から再生されるという観念をあらわすものとされ、また、動物霊の再生を可能にする唯一且つ必須の手続きとして理解されてきた（手塚 1995:334）。このように動物（霊）と人間との観念的な相互関係において獲物の捕獲と殺害には、手間のかかる儀礼が付随し、動物霊との和解・再生の手続きが組み込まれている。これは無制限の捕獲に一定の歯止めがかかるうえでも好都合であろう。もし過度に自然生物を消費するなら、両者の関係はそこなわれ、人間は大きな損失を被ることになる。

アイヌのイデオロギーのなかにも捕獲した動物に対して適切な儀礼の手続きを踏まないと、動物の主や動物に姿を変えているカムイによって将来の狩猟が保証されないというケースが存在する。しかしながら、ヨーロッパ人社会との接触期に北米先住民やシベリア先住民が商品価値のある毛皮獣を絶滅、あるいは絶滅に近い状態にまで追い込むケースがままみられたのはなぜであろうか。マーチンによれば、北米北東部の亜極北地方に居住するインディアンは、人間に害をおよぼされた動物（霊）の制裁は先住民に対する病気の形であらわれると信じていたという。しかしヨーロッパ人の到来以降、疫病がみずからの集団内に急速に広がった理由を動物の仕業と考えたために、自然生物殺戮（動物への戦い）への扉が開かれたとする説を展開している（Martin 1978）。これに対し、ビショップやクレッチらは、むしろ先住民は病気の原因をフランス人や妖術師、シャーマンに求めている例を紹介している（Bishop 1981: 42; Krech 1981: 95-99）。

アイヌの場合も疫病は、疫病のカムイがもたらすものと考えており、パコロカムイとよばれる流行病のカムイ（神）を追い払うためにさまざまな野草の利用が記録されている。センダイカブという匂いの強い植物の皮を生のまま火にくべて、その煙でパコロカムイを追い払うこともその１例である（財団法人アイヌ民族博物館編 1999: 3）。先住民が病気の原因を動物だけに求めているとはいえず、過剰生産への動機に帰することは、現状では困難であるが、動物の捕獲とそれを許容する観念の調整は重大な関心事であった。

アイヌの送り儀礼にも、このように死生と結びつく秩序の維持や再生産の安定を求めるといった先住民の動物に対するイデオロギーが色濃く反映している。

(6) 現在、道内の広い地域で伝承されており、斉一性の高いアイヌの輪舞に「鶴の舞」がある。鶴の羽をひろげて飛ぶ様をアットゥシの袖を広げて模し、大勢が輪になって、鶴の鳴き声を真似ながら踊る舞踊である。現在でも古式舞踊の定番として、各地の伝承保存会の催しなどで演じられる人気の演目であり、通常は女性同士で舞われることが多い。松前廣長が 1781 年（天明元）に著した『松前志』にこの踊りについてのこんな一節がある。

　　　蝦夷も亦好で鶴雛を捕て育て、名をサルルンと云。中略。夷中酒宴酣に及べ

ば、必ず此のサルルンの飛揚するの舞曲を楽むなり。

　この舞は、かつてはクマ送りなどの大切な儀式の折りやオムシャの場面で舞われた。1785年（天明5）に行われたクマ送りの詳細な記録である『北海記』に照らせば、クマ送り儀礼が終わり、招待されたゲストが帰る前のプロセスとして女子による手を打ちながら輪舞する場面が登場する（池田 2003: 74）。輪舞は和人とアイヌが公式に接触する場面で踊られることが特徴となっており、場所請負人の運上屋（会所）や代官の勤める役宅、巡検使の来着時など、和人にみせることが前提となっていく。これはアイヌの舞踊が、コミュニティ内部で完結せず、文化背景の異なる和人にも開かれて「みせる儀礼」として形式化されていった18世紀のクマ送り儀礼と同一の道筋をたどっていることを示している（池田 2000: 201; 手塚・池田 2001: 28）。

(7) すなわち、明治期以降、武家社会の終焉とともに矢羽に交換価値がなくなると、フクロウ送りは各地で衰退したとされるが、フクロウ送りの成立と盛衰を、和人をはじめとする周辺諸民族との交易という、世界経済システムのなかに位置づけて考える必要性を、これらの研究は表明している（岸上 1997: 114; 佐藤 2001: 126）。交易の盛行など、外部社会との関係のなかで、儀礼の中身に変化が生じたことは想定されてよい。実際にワシ類の送り儀礼など、近世に盛んに行われた一部の動物儀礼は消滅することとなった。

　しかし、飼育型クマ送りに関しては、その起源は中世以前にさかのぼる可能性を秘めており、宗教的にも形態的にも多様な伝統を有し、文化・経済・社会的に同時にかかわるような多元的な価値観を付与する余地があったために、文化の意義づけの格好の媒体としても活用され、容易に衰退することはなかったのではなかろうか。

(8) また、サハリンやアムール川河口域の諸民族について記した民族誌にも、オロチ、ウリチ、ニヴフ、ナーナイが、購入という手段を通じてクマを入手し、飼育したことが記されている（天野 1975: 71, 75）。北海道アイヌの間でも、近世段階に、すでに仔グマの取引とその飼育が存在していたことになる。

第3章 石狩低地帯におけるアイヌ交易の展開と本州製品の流通

1. アイヌ文化における商品流通

　本章の目的は、周辺国家が狩猟採集社会の形成と維持におよぼした経済・社会的な影響を考察することである。ここ数十年間、アイヌ文化期にかかわる考古学調査は十分な成果をあげているとはいいがたかった。それは土器や竪穴住居といったそれまでの先史時代におなじみの物質文化の存在が希薄であり、遺跡そのものの探索にもかなりの困難がともなったからである。幸いにも、石狩低地帯の本州社会と北海道アイヌ社会の接触期前後に位置づけられる低湿地遺跡の発見と調査が相次ぎ、良好な保存状態の有機質遺物が多量に発掘され、アイヌ文化期の生活様式に関する多くの推測が可能になってきている。札幌市K39遺跡、札幌市K483遺跡、千歳市ウサクマイN遺跡、千歳市オサツ2遺跡、千歳市ユカンボシC15遺跡、千歳市美々8遺跡等の低湿地遺跡がそれらに相当する。

　擦文文化期から中世アイヌ文化期を経て、近世アイヌ文化期にいたるまでの木製品が出土した遺跡は道内では67遺跡が知られているが、報告書で実測図が掲載され、属性などの比較分析に利用できるものは27遺跡出土の総数7,420点の木製品にとどまる（藤井 2008: 39）。それらの木製品を5つのテーマに分類し、時期的な出現率をみると、擦文文化期から近世アイヌ文化期までの木製品の使用に関して「外交・交易」グループに相当する遺物が増加傾向にあるという(1)（藤井 2008: 41-42）。交易制度の変化が本州産品の受容状況になんらかの影響を与えている可能性は無視できない。

　道内の擦文文化期から近世アイヌ文化期にかけての遺跡で、100点以上の木

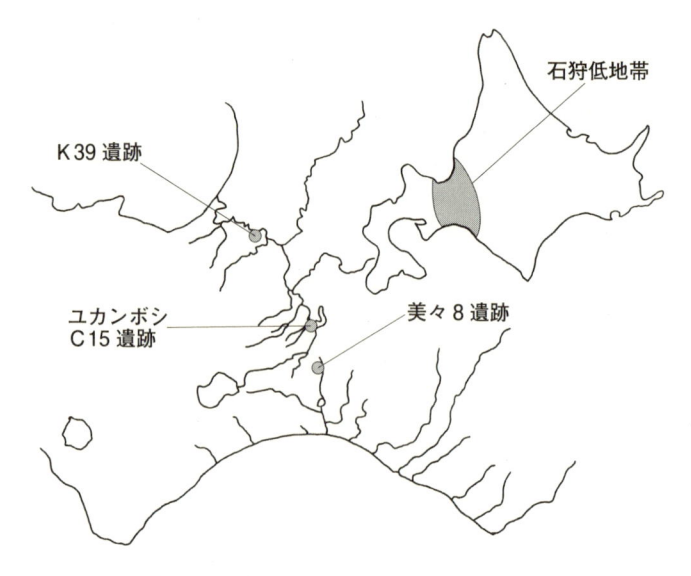

図26 本章であつかう低湿地遺跡の位置図

製品を出土し、同定可能な木製遺物のほぼすべてについて樹種同定結果が公表されている遺跡は、千歳市ユカンボシC15遺跡、千歳市美々8遺跡、札幌市K39遺跡の3遺跡に過ぎず、いずれも石狩低地帯に存在している。本章ではこの3遺跡を中心に、交易を通じ移入された木製品の時期的な出現状況に変化がないかを中心に検討する(図26)。

中世の終わりごろから本州の移住者たちが北海道の南西部に移住して生活の基盤を形成していた。16世紀の半ばにはコシャマインの戦いを契機に武田信広が渡島半島の和人層を糾合し、和人統一政権(松前藩)への基礎を築いたとされる。通説によれば、17世紀以降松前藩が蝦夷地の資源を利用する機会をうかがい、アイヌとの関係を強化するにつれ、アイヌは徐々に交易活動への依存を深めていく。[2]しかし石狩低地帯の低湿地遺跡から出土した木製品の層位的な分析結果は、アイヌ社会の本州製品への依存は意外にはやく、擦文文化期にまでさかのぼりうる。また、その傾向はアイヌ文化の形成期から近世期まで一

貫して続いていたことを示唆している。

2. 外部社会との接点と物質文化

　アイヌの日常生活については、18世紀末から19世紀に記録されたものがほとんどである。18世紀以前の様子を知る文献は残念ながら少ない。近現代アイヌ民族史研究の成果によれば、アイヌは方言差あるいは地域集団によって、北部・東部・南部の集団に細分されることが多い。しかしながら、宗谷海峡、根室海峡、津軽海峡によってこれらの地域集団が分断されていたわけではなく、時代によって相違はあるものの、優れた航海術によって、人、もの、情報の流れは制約を受けてはいなかった。一般的に彼らは比較的定住性の高い生活様式を保持し、狩猟魚撈採集活動によって生計を支えていた。一方近年では、大陸を含む周辺地域の人びとと活発な交易を繰り広げていたことが注目されている。

　和人とアイヌの直接的な接触は、少なくても移住者が渡島半島に居住しはじめた14世紀後半にまでさかのぼることができる。移住者は交易活動の拠点となる館を築き、道南地方の南部でアイヌと混住しながら暮らしていた。広域的な商業が成立していくにつれ、館主は徐々に北方に交易の手を広げた。本州産品（鉄鍋、刃物、斧、針、漆器、米、酒）は多くのアイヌを交易関係に誘い、アイヌは経済的な接触がもたらす異質な社会で生産される物質文化の豊かさをも享受した。そのためにアイヌ社会は漁撈狩猟による自給自足で成り立っている閉鎖的な社会にとどまることなく、柔軟性に富む狩猟採集活動を展開しはじめた。すなわち、本州産の物資の獲得に向けて、生業活動の性格は自給自足的なものから交易の対価を得るためのものに比重を移していった。

　アイヌの物質文化を構成するもののなかに信仰具を含む漆塗り製品や金属製品などの大量の移入品が存在しており、アイヌ文化を理解する際に、それを和産物として、アイヌみずからが製作する自製品と一体となった歴史的背景を考えることの重要性が指摘されている（宇田川 2001: 23）。

アイヌの住居内の神窓のそばに設けられた宝壇のうえには、行器、盥、樽、湯桶などの高価に取引される漆器が並ぶことはめずらしくなかった。各種の儀式になくてはならない、膳、天目台、酒杯、捧酒箆のセットをはじめとして、煙草入れや矢筒、鎧にいたるまで用途も大きさもさまざまな道具に漆が使われている。漆器のなかには金蒔絵が描かれるような豪華なものもあり、日常的に使う道具ではない。むしろ儀式の際に飾ったり、酒を醸したり、ついだりするときに使用される。幕吏で江戸後期の北海道をたびたびおとずれた最上徳内は、アイヌの漆器好きを次のように表現している。

　　扨、器物の多きを雅なりとして、日本の製の行器、耳盥、湯桶、柄酌、盃臺の類にて、都て金蒔絵の器物を以て良器とせり。皆是酒宴に用いる道具なり（『蝦夷国風俗人情之沙汰』1790年ごろ）。

周辺地域との毛皮交易によって、漆器、刀剣、装身具などの、アイヌが高い価値を付与する品目がもたらされ、クマ送りを実施する際に欠かせない儀礼具となる他、「ツクナイ」とよばれるアイヌ社会特有の慣習として、集団内で生じた軋轢から全面的な対決に発展するのを回避するための和解の品としてやりとりされ、社会秩序の維持に大きな役割を果たした。

このように大切な儀式の場面で使用する道具のなかに、本州からわたってきた製品が多くみられることは、アイヌ文化の一面を物語っている。しかしこのことは、海保が指摘するように、利器容器の自前生産をやめ、構造的に対本州交易に依存する他律的な性格の強い社会が北海道に成立した点で、恒常的、平和的な通商こそがアイヌ社会を維持する前提となってしまったことを意味する（海保1984: 287）。17世紀以降、蝦夷地と本州間の人・ものの流通を、幕藩体制に参画した松前藩が自領の和人地で完全に掌握できる交易制度に作り替えることによって、アイヌ社会が直接規定される条件が整ったのである（図27）。

やがてアイヌのあたらしい集落は沿岸部に形成された和人との交易地点付近に形成される一方で、旧来の小規模集落はサケや毛皮のような資源を利用できる場所にも存続していた。そのようなアイヌの集落は小規模で孤立しており、60人を超える規模の集落は少なく、多くの場合は平均で10人程度である。ま

た、住居の数は1軒から30軒までさまざまであり、6〜7軒のものがほとんどとされ、20軒を超える集落はまれであった（高倉 1966）。それぞれの集落は交通、移動、食料や飲料水の調達に適した場所に河川渓谷の河岸段丘面の縁に位置し、たいていは最寄りの集落とは数キロ隔たっていた。1軒の住居の住人はたい

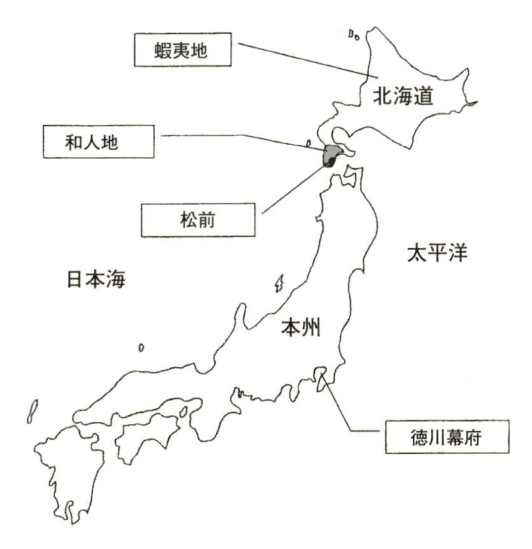

図27　幕藩体制下における和人地と蝦夷地の区分

ていの場合は4〜5人程度であった。アイヌ文化の定住的集落は擦文文化と同様、サケの遡上河川や産卵場近くの河岸段丘の最下面に立地することが多く、サケ漁が必須の生業となっていた（瀬川 2005）。本章で分析の対象とする低湿地遺跡の多くもそうしたサケ漁に適した河川沿いに立地している。

　松前藩の成立後、徐々に蝦夷地の海岸各地に出張所を設け、アイヌが収集した産物と物々交換を行い、のちの時代にはアイヌを使役して漁場を経営した。和人の勢力が強まると、漁業利害の調整などで、村落を統合することも行われ、惣乙名、乙名などの役職が松前藩によって設定されもする。1799年に幕府が東蝦夷地を直轄して以降、各地に常備兵を配備し、道路・旅宿を整備し、馬を使って駅逓の制度を整えると、これらの小使・飯炊・馬率・人足・用状継立・渡船夫等の下級労働はアイヌに委ねたために、ますます海岸付近にアイヌを居住させる必要が生じ、集落の規模も大型化したという（高倉 1966: 143）。本章で分析する美々8遺跡からは、小規模なアイヌ集落の他、船着場などがみつかっており、19世紀前半に物資搬送の中継点として隆盛を誇った拠点集落の前身と考えられている。

1858年(安政5)の勇払場所には、松浦武四郎の記録から232軒、36集落の存在が知られているが、そのうち分析が可能だった32集落中、1小集落から構成されるものが25を占め、2小集落から構成される集落が6、5小集落から構成される比較的大型のものは1つに過ぎない(遠藤 2000: 6)。

3. 千歳アイヌとシコツ場所

シコツの名がはじめて文献に登場するのは1688年の『日本分域指掌図』である(千歳市史編さん委員会編1983)。シコツは石狩低地帯の南半分を指す広大な地名として使用されていた。近世初期には本州和人社会では鷹狩りが愛好され、北海道は鷹の産地としても著名であった。17世紀には北海道全体で400以上の高価な鷹を販売できる場所、すなわち鷹場があり、松前藩が鷹を独占し、鷹からはいる収入は藩の一大財源であった。シコツはそうした産地の1つであった。

石狩低地帯は日本海側の石狩と太平洋側の苫小牧を結び、入り組んだ河川や湖沼を通じて多量の物資と人の行き来を可能にした。シコツ川(現千歳川)やその支流で捕獲された豊富なサケ資源は太平洋側と日本海側の双方にもたらされた。太平洋に面したユウフツ(勇払川と安平川の合流点付近)には場所請負人が所有する8軒の運上屋が立ち並び、アイヌがもたらすサケなどを受け取って倉に入れ、アイヌの求める品と取り替えていたという(更科編著1969)。

石狩と千歳が幕領期に1つの行政区画に組み入れられると、シコツ川のサケ漁獲はもっぱら太平洋側のユウフツに集結した。春にシコツ川の内陸部に居住していたアイヌは干鮭を背中に担いで2里の陸路を歩き、ビビで船に乗り換えて5里余りをユウフツ浜まで運びこんだ(市立函館図書館編1969)。このビビとは美々8遺跡の付近を指すと考えられる(図26)。

『東蝦夷地各場所様子大概書』(1801〜1811年)(北海道編1969)の勇武津場所の項には当時のアイヌの生活が次のように記述されている。

　　一　夷人食物は四季共に魚狗(釣)にて取続き来候得共、海漁無数故川

漁をして夫食とす。初秋よりは千年川にて鮭漁有、是を重の食にし産物に出す也。場所に寄、粟　稗　大豆　小豆少し作れとも、千年川場所は先年タルマイ山焼、石の焼砂にて作物生立難く所多く有、うはゆり　ふくしや等を取糧にもする也。
　一　此所廻船掛澗なし。荷物掛積の前（処）故弐、三百石積より以下の廻船を浜え揚船に致し置、日和見極荷物積立出帆也。

　このようにアイヌが千年川で捕獲し、勇払浜に運び込んだ干鮭はユウフツ場所の板倉などに納められ、松前からの船を待ち、船が来ると浜に引き揚げ、船荷を積み込み、日和を待って出航させた。生業としては、交易用としても、ふだんの食料としてもサケが重要な産物であり、農耕も行われたことがわかる。興味深いのは、1739年に噴出した樽前a火山灰の降下による影響によるものか、農耕に支障をきたすところが増えていることである。
『蝦夷商賈聞書』（1739年ごろ）（松前町史編集室編 1979）には毎年夏に三百石斗の船が12艘干鮭を積取るためにやってきて、秋には1艘が七百石相当の鮭塩引を積出すことが記録されている。蝦夷地における豊かな場所の1つであった。
　幕府が1799年にシコツ場所を直轄したとき、ユウフツにあった8つの運上屋は1つの会所に統合され、1800年にはシコツに4つの出張小屋が設置された。その4つの出張小屋は1804年に廃止され、1805年、あらたに売場と買場が、シコツ川から改名されたばかりの千歳川に設けられた。さらに1807年に、この売場・買場は1つの会所にまとめられた。同年、物々交換が貨幣制度に代わると、同地のアイヌは会所の物資逓送等を請負い、賃金を受け取った（中山編 1944）。千歳やその周辺のアイヌは会所との日常的な結びつきを深めた。当時のアイヌは秋から冬にサケ漁を実施し、男は交易用の椎茸を採取した。周年魚を食し、ウバユリが食料の不足を補い、肥沃な土地では小規模な農耕も行われた（市立函館図書館編 1969）。
　19世紀の初期になると幕府の正式な調査が開始され、千歳アイヌの正確な人口統計が作成された。1811年の段階では千歳全域で、19の集落に1,238人

16〜17世紀　　　　　　　　17〜19世紀

○ アイヌ集団　　　　　　　○ アイヌ集団
◆ 松前城　　　　　　　　　◆ 商場
⬠ 和人地　　　　　　　　　⬡ 蝦夷地

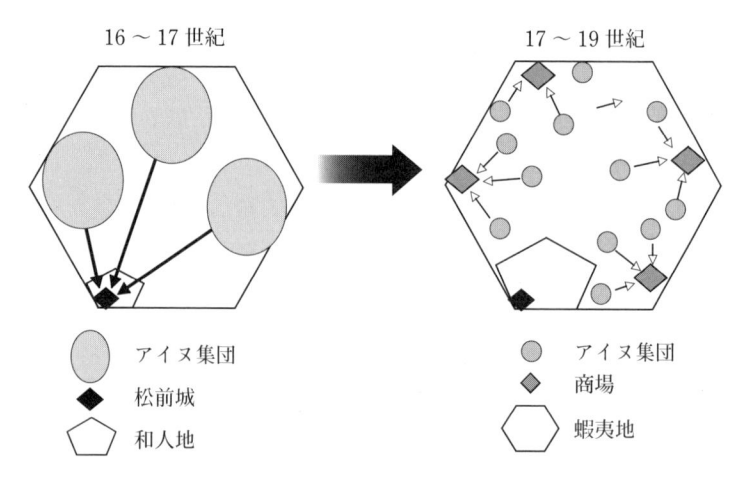

図28　交易制度の変化を示すモデル：城下交易から商場知行・場所請負制へ

と 238 軒の住居が記録された。残念ながら各集落の正確な位置は不明であるが、オサツはユカンボシ C15 遺跡附近にあったと推定され、1807 年当時 5〜6 軒の住居があり（中山編 1944）、9 軒 39 人（うち男 20 人、女 19 人）のアイヌ人口が記録されている（玉蟲 1992: 271）。

4. 交易制度の変化──城下交易から商場知行制へ──

イエズス会宣教師らの残した記録によれば、以下のように 17 世紀初期には各地のアイヌは船で松前をおとずれ、松前城下で移住者たちと年礼をともなう交易を実施していた（チースリク編 1962）（図28）。

北海道北部地方からやってくるアイヌ集団は中国製錦を米や酒と交換した。

> 蝦夷国の西の方に向う一部である天塩国からも松前へ蝦夷人の船がまいりますが、それらの船は種々の物と共に中国品のようなドンキの幾反をも将来します（『アンジェリスの第一蝦夷報告』）。

一方めなし地方からやってきたアイヌの集団はさらに北部に住む住民と交換したラッコ、鷲の羽をも携えていた。

図29 縄綴船と筵小屋による野営(『蝦夷記行図』谷元旦、北海道大学付属図書館蔵)

　毎年東部の方にあるミナシの国から松前へ百艘の船が、乾燥した鮭とエスパーニャのアレンカにあたる鰊という魚を積んで来ます。多量の貂の皮をももって来ますが、彼等はそれを猟虎皮といい、わがヨーロッパの貂に似ています。頗る高価に売ります(『アンジェリスの第一蝦夷報告』)。
　彼等が松前にいる間は、筵と予め準備して来た木の骨組とで海浜に造った小屋に住み、(着くと)直ぐに舟を引き上げ、それを横倒しにしておきます。(中略)その舟には一本の釘も打ってありません。というのは舟は皆纏縛して造られ、帆は筵でできているからであります(『カルワーリュの旅行記』)。

　以上のような城下交易段階の活発な交易場面の記述から、アイヌの乗ってきた無数の船が城下の海岸一面に揚陸されていた光景を想像できる。長距離の航海の後で、船の構造からたやすく浜に引き揚げられることができたためである(図29)。

この時期のアイヌは蝦夷地に固定化されていたわけではなく、和人集団と混住し、縄綴船に物資を満載して松前城下だけでなく、津軽海峡をわたって南部や津軽におもむき、自由な交易活動を行っていた。

1604年に幕府からアイヌとの交易の独占権を付与されるころ、松前藩が発足し、北海道南部の和人居住地は幕藩体制の一角に組み入れられた。松前藩は北海道内におけるみずからの立場を強化し、「和人地」と「蝦夷地」の区別をはかり、蝦夷地の海辺を分割し、家臣に知行地として与え、その内部に居住するアイヌと「雑物替」（物々交換）をすることを認めた。家臣はアイヌが生産した蝦夷地の産物を松前に持ち帰り、それを売却した利益を得るのが、商場知行制というあらたにはじまった制度の要諦である。結果として蝦夷地には多くの商場が設置され、各商場知行主は交易船を派遣して商場内の産物を収集した（図28）。

1790年代ごろになると1商場に派遣できる交易船の数を夏船1艘に制限していた原則を改め、より多くの交易船を派遣できるようにした。やがて商場知行主は運上金（税金）を受け取って交易の管理を商人に委ねるようになった。商人は高い運上金をすみやかに回収するためにあたらしい漁法や漁業を導入し、アイヌにも教え、漁業生産の拡大をはかったので、単にアイヌとの交易を行う場であった商場は、水産資源生産の場として一定の広がりのある場所に変質していった。こうして多くのアイヌが和人の漁業経営のもとで労働力として使われるようになると、いわゆる「自分稼」としての漁撈、狩猟の比重がさがり、雇い賃を得るかたちの稼業の比重を増加せざるをえない事情がアイヌ社会を変えていく（田端1999: 9）。

5. ユカンボシC15遺跡出土の木製遺物

ユカンボシC15遺跡は、千歳駅の北方約6kmに位置し、長都沼（オサットー）に注ぐ旧ユカンボシ川岸の標高5〜8mの低湿部と台地からなる（図30）。確認されている遺跡の範囲は東西の長さ300m、南北の幅80mである。

図30　ユカンボシC15遺跡付近の現況

未調査部分を含めると遺跡の範囲はさらに南北に延びるものと予想される。縄文文化期からアイヌ文化期にかけての複合遺跡であり、財団法人北海道埋蔵文化財センターは1996〜1998年に発掘調査を実施し、『千歳市ユカンボシC15遺跡』(1)〜(6) の発掘調査報告書を発行した。高さ8〜9mの台地上から先史時代に相当する遺構（住居址、土壙墓、杭列）が検出された。発掘は遺跡全体におよんでいないが、アイヌ文化期に相当する火山灰で覆われた刀子と鉄鍋の送り場、住居跡、土壙墓、集石、柱穴列などの遺構がみつかっている。

　基本土層は、本書の分析にかかわる堆積層に限定して示すと、旧表土の下に上から順に以下のようになる。

　Ta-a：樽前a降下軽石層（1739年噴出）
　0B層：黒色土層　近世アイヌ文化期　この遺跡には堆積していないが、
　　　　Ta-b（樽前b降下火山灰堆積物、1667年降下）が美々8遺跡の0B
　　　　層直下に堆積している。
　IB1層：黒褐〜暗褐色泥炭層　近世アイヌ文化期の主要遺物包含層
　IB2層：濁暗灰褐色泥炭層、擦文文化後期〜中世アイヌ文化期。

IB3層：濁暗褐色〜暗褐色泥炭層、B-Tmの前後の擦文文化中期。
B-Tm：白頭山—苫小牧火山灰、10世紀前葉の降下、低湿部や擦文文化期の遺構覆土に層厚0〜2cmで断続的に分布し、IB3の上下を分層する。なお、B-Tmは部分的に堆積しているために発掘調査報告書ではIB3層の遺物は上下に分層して記録していない。
IB4層：濁暗褐〜濁黒褐色泥炭層　続縄文文化期〜擦文文化期初頭

　低湿部を中心に、およそ12万点の断片を含む木製遺物が出土した。発掘調査報告書によれば、木製品の層位別点数は、IIB層（縄文時代）1.30％、IB5層（縄文時代晩期〜続縄文時代）1.06％、IB4（続縄文時代〜擦文文化期前期）IB3層（擦文文化中期）45.01％、IB2層（擦文文化後期〜中世アイヌ文化期）28.33％、IB1層（アイヌ文化期）12.63％、OB層（アイヌ文化期）1.56％となっている（財団法人北海道埋蔵文化財センター編 2003）。1,000年以上におよぶ擦文からアイヌ文化期の木製遺物が、堆積した層位のなかで確認された例はめずらしく大きな意義がある（図31）。

おおよその年代（years B.P.）旧石器・縄文はのぞく

アイヌ文化
800 − 0

擦文文化
1200 − 800

オホーツク文化
1500 − 900

続縄文文化
2300 − 1200

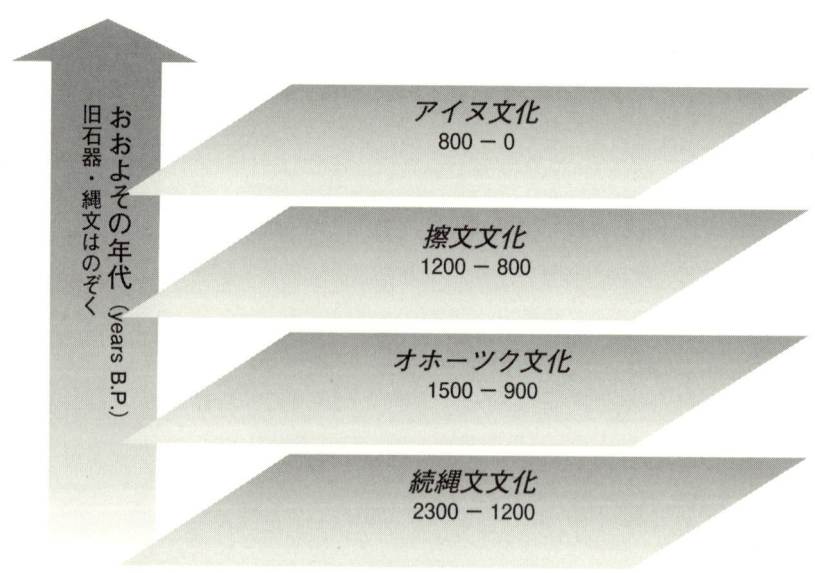

図31　北海道の文化編年

出土した木製品総数は 11,612 点であり、同定不能・樹皮・大分類止まりなどをのぞき 11,095 点が属レベルまで樹種が判明した。木製遺物のうち、顕微鏡観察による樹種同定の結果、針葉樹 4 科 7 属、広葉樹 27 科 41 属が識別されている（財団法人北海道埋蔵文化財センター編 2003）。

遺跡周辺の植生に関しては、珪藻化石、花粉化石、植物珪酸体、種実遺体の産状に依拠した自然科学的分析結果から、おもに広葉樹を中心に針葉樹が散在する構成を示し、コナラ亜属などの落葉広葉樹を中心とした植生が広がり、低湿部ではハンノキ湿地林が存在しており、過去 2,000 年間は大きな変化が生じておらず、現植生と大差はない（財団法人北海道埋蔵文化財センター編 2001, 2002）。

6. 木製遺物分析の目的と方法

これまでに道内の遺跡から出土した木製遺物を対象とした研究は少なくないが、その主な関心は木製遺物の分類、製作技法と利用樹種の時期・地域的な変化、遺跡周辺の自然環境（植生）の推定復元にかかわるものが多く（三野 1994, 1996, 2000, 2001; 三浦 2003; 田口 1994, 1999）、文化接触の指標として積極的に利用しようとしたものはない。低湿地遺跡の発掘調査報告書には個々の遺物種別ごとや層位別の樹種組成を分析しようとしたものもないわけではないが、分析の目的に違いがあり、周囲の自然環境の変化、および木製品の樹種別加工の実態（木取り）、樹種選定の特徴、現代アイヌ語や伝承利用との関係に焦点があり、移入品の通時的・体系的な流通の変化を探ることを意図していない。そのため複数の文化層を一括してあつかって樹種選択の時期的な変遷については不明確であったり、遺跡の全体的な傾向をつかむために、同じ文化層出土木製品のすべての種類をひとまとめにして樹種組成グラフを作製したり、あるいは器種ごとの樹種組成を知るためにすべての層から出土した同じ種別の木製遺物ごとに樹種別構成比グラフを作製している（財団法人北海道埋蔵文化財センター編 2003; 札幌市埋蔵文化財センター編 2001）。唯一の例外として、

発掘担当者らが出土木製品について、すべての樹種48属とすべての遺物を140分類に分けて、層別にカウントしたデータを「種別木製品の樹種別・層別出土数」を示す21枚の表として公表しているものがあり、関係者の努力には大いに敬意を表する（財団法人北海道埋蔵文化財センター編 2003）。しかし煩雑に過ぎ、本州産品の浸透や商品流通の時期的変化を要約するものとなっておらず、一目で体系的に理解する用途には適していない。

地政学的に重要な位置を占める石狩低地帯の接触期初期に属する遺跡出土の木製遺物の分析は、当該地域に関する文献史料が少なく、なかなか解明できない文化交流の性格と範囲を理解するうえで多くの手がかりを提供してくれる。本章では同定可能な物はすべての木製品遺物について属レベルまであきらかにしようとの方針で実施され、発掘調査報告書に記載された正確な樹種同定結果にもとづき、移入品の浸透規模の評価とそのリサイクルの状況、および当該社会がいつ、どのように地域間交易ネットワークに参画したかを推定してみたい。

本研究の目的はアイヌ文化期と関連する木製遺物を検討することにあるので、骨角器、土器、金属器はあつかわない。

筆者は、砕片や断片をのぞく種や属が同定されていることから、財団法人北海道埋蔵文化財センターの一連の報告書の写真と実測図で例示された木製遺物を研究の対象とした。アイヌ文化期は3層の時期に区分可能であり、報告書に記載されているカテゴリーの分類基準を参考にして木製遺物を8つに分類した。財団法人北海道埋蔵文化財センターの報告書で採用されている分類基準は他の低湿地遺跡、たとえば美々8遺跡でも踏襲されており、札幌市埋蔵文化財センターによる発掘調査報告書の分類とも基本的に共通するため、単一遺跡内だけでなく、遺跡間の木製品の傾向を比較するうえでも汎用性は高いと考えた。

それらを図（グラフ）で使う略号とともに示すと、「狩猟魚撈具」（略称：狩猟漁労）、「船とその関連具」（略称：船関係）、「作業用具および諸道具類」（略称：諸道具）、「食用具」（略称：食用具）、「容器類」（略称：容器類）、「祭祀具」

表1　出土木製品の分類

略号	種別	主要形態
狩猟魚撈	狩猟・魚撈具	弓、矢、銛、やす、浮子
船関連	船とその関連具	舟部材、櫂、あかくみ
諸道具	作業用具および諸道具類	槌、斧、杵、把手、鞘、楔、発火具、炉鉤、除雪具
食用具	食用具	箆、箸、串
容器類	容器類	桶、曲物、箱物、椀、樽、刳り物
祭祀具	祭祀具	捧酒箆、木幣、捧酒箆・木幣状製品
素材	素材	薄板、細板、割材、丸木材
部品素材	各種用具の部品や素材等	製品、素材の区別が困難なもの
加工製品	各種加工製品	ピン状・軸状製品、加工製品
建材	建材	建材、部材、杭、梯子

（略称：祭祀具）、「素材」（略称：素材）、「各種加工製品」（略称：加工製品）、「建材」（略称：建材）となる。当然のことながら木製品には部品や再加工品などがあり、用途を特定できないものも少なくないが、ひとまず報告書の記載にしたがって分類を試みた。分類については表を参照されたい（表1）。

　ただし発火具と運搬具（かんじきなど）、紡織編具は「作業用具および諸道具類」に含めた。未製品や再加工品であっても「祭祀具」と判断できるものは「各種加工製品」ではなく、「祭祀具」に含めた。なお、樹皮製品は樹種が同定できないものがほとんどであるため、樹種が同定できるものだけを分析の対象にした。本州で職人によって製造されたと思われる、毛引き線が多くみられる曲物や箱物、桶の大半はスギとアスナロで製造され、容器類の主要構成品となっている（図32）。

　これらの曲物類は完成品として北海道にもたらされアイヌ集落に持ち込まれた。交易地点から本州製品がアイヌの集落地に持ち運ばれて遺物となるまでの過程をモデル化して示したものが図33である。このモデルには本州産木製品に使用されていた外来種素材の遺跡における使用、維持・管理、転用、廃棄な

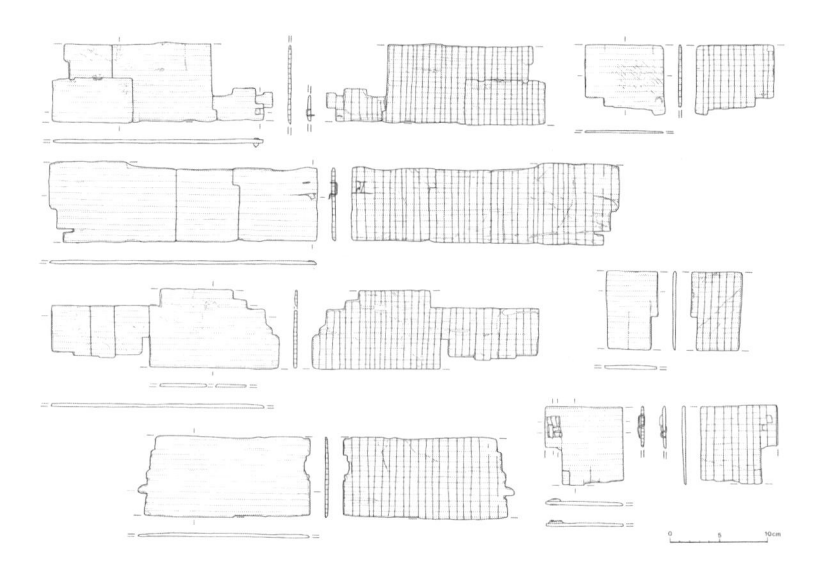

図 32 ユカンボシ C 15 遺跡 IB2 層出土の毛引き線がついた曲物部材（財団法人北海道埋蔵文化財センター編 2002）

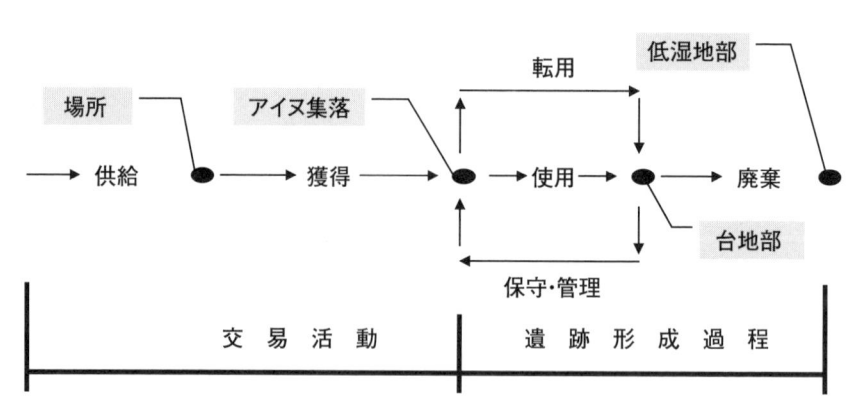

図 33 木製品の入手から廃棄までの処理過程モデル
※楕円は移入品の取引き、分配、保管が行われる地点をさす。

どのプロセスが要約されている。

ユカンボシC15遺跡の発掘報告書によれば、曲物・箱物の過半は外来種（アスナロ・スギ）で製造され、全体の94.2％に達し、残りが地方種で製造され、漆塗り容器とともに交易で得たものである（財団法人北海道埋蔵文化財センター編 2003: 337）。地方種によるものは道内で製造されたものか、本州の製作地で道内でもみられる素材を使って製造されたかは不明である。近世前期までの恒常的な製作地は本州に存在しただろうから、後者の妥当性が高いものと思われる。

この木製品分析に用いた各文化層の樹種同定が済んでいる木製遺物の数量は次の通りである。

B1層220点；B2層598点；B3層775点。

おもに低湿部に堆積している17世紀後半から18世紀前半に相当するB0層の木製遺物は23点しか出土しなかったので分析に利用しなかった。これはこのころ、遺跡がもはや実質的に機能していなかったことを示唆している。この遺跡から出土した木製遺物の大半はアイヌ文化期に属し、それらは遺跡居住者の経済生活の一端をあきらかにしてくれる。

筆者は個々の木製遺物の素材として用いられた樹種の、地元（地域）産・遠隔地（外来）産の出現割合[4]、つまり北海道産樹種とおもに本州産樹種の構成比率を層位ごとに比較した。特定の木製品が複数の樹種から製作されているものは、ごくわずかであるが、その場合は主要部分を占める樹種を算定の対象とした。遠隔地産樹種はおもに本州以南に自然分布する次の6種（カラマツ、スギ、アスナロ、ブナ、トチノキ、タケ）であり、このなかには本州産製品（和産物・移入品）を製造するのにふさわしく、代表的な汎用種が含まれる。ブナは黒松内低地帯が現在の北限であり、ヒノキアスナロは道南の檜山地方山間部にも分布し[5]、タケ属はマダケ（本州以南）以外にネマガリダケのような道産種も想定できるが、数量は限定的であり、用途適性、製造環境、入手状況を考えると北海道産のものをあえて使用する可能性は低いものと思われる。さらに本州以南の樹種が北海道に漂着する可能性もあるが、製品の形で遺跡にもたらさ

れたものが多いと考えられることと、遺跡が海岸部から離れた内陸部に位置することから、この研究には大きな影響をおよぼさない。

7. 木製遺物の分析結果

自製品に対する移入品の割合は、遺跡近辺に交易所が開設されて以降、飛躍的に増大することが仮定できる。交易制度の改変により、商場が設置され、交易拠点がアイヌの居住する地域の近辺に立地し、和人商人や和産物への接近が容易になると、アイヌはますます市場への結びつきを強め、結果的にアイヌの文化変容が生じるという状況をひとまず仮定することができる。

交易の進展にともなって本州産品の道内への流入が増加し、移入品への依存が徐々に深まっていくだろうという予測に反し、木製遺物の分析結果は、擦文文化中期～アイヌ文化期を通じ、一貫して移入品への強い依存度をあらわしている（図34 ～ 36）。

外来種が地域種に対し高い頻度で使用されているカテゴリーは、「食用具」、「容器類」、「祭祀具」、「素材」の４つであり、B3層では「祭祀具」と「素材」がほぼ同じ割合で１位と２位を独占するが、B2層とB1層では特に「容器類」、

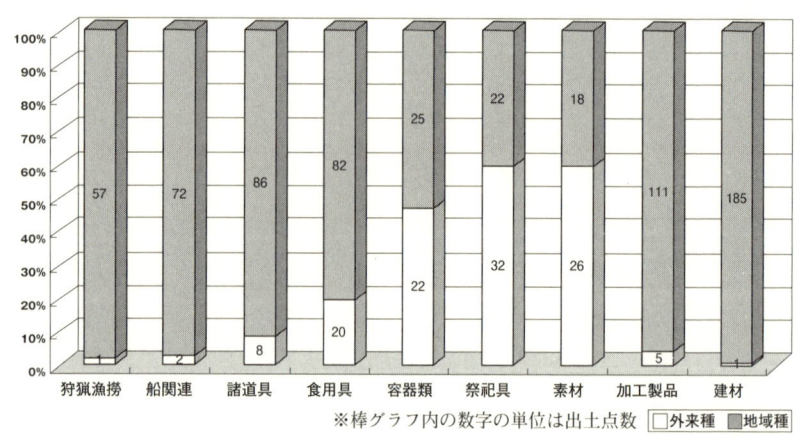

図34　ユカンボシC15遺跡 IB3層（擦文文化中期）出土木製品の外来・地域種構成比

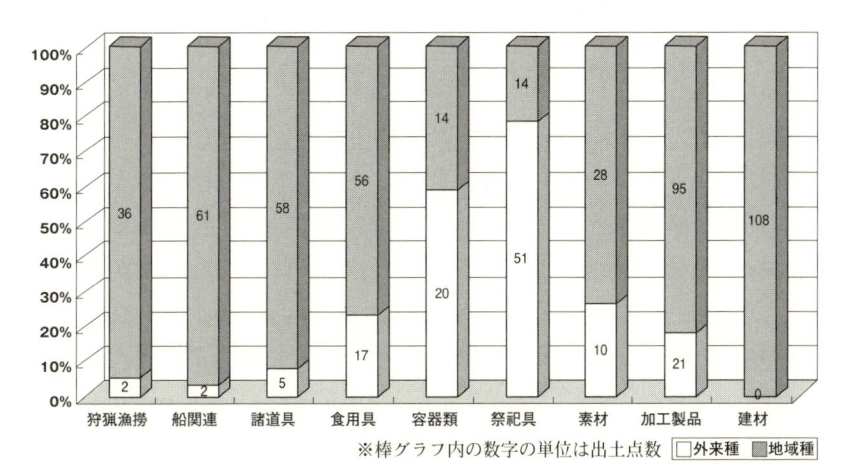

図35 同遺跡IB2層(擦文文化後期〜中世アイヌ文化期)出土木製品の外来・地域種構成比

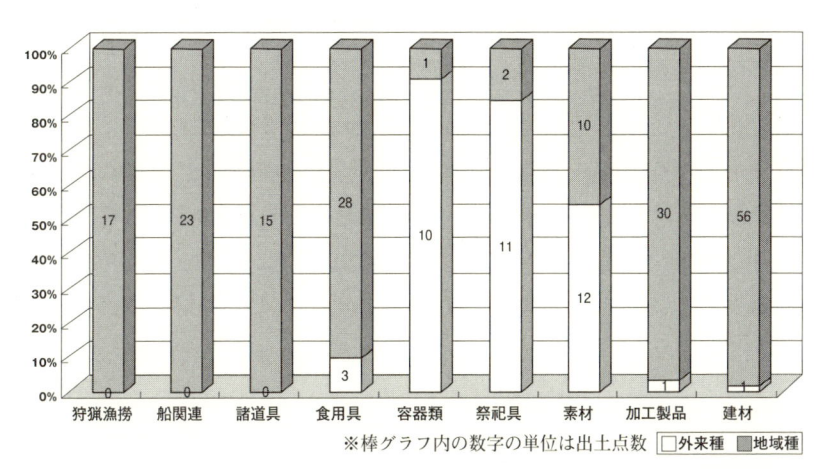

図36 同遺跡IB1層(近世アイヌ文化期:1667年まで)出土木製品の外来・地域種構成比

「祭祀具」の数値が高くなる傾向がうかがえる（図34 〜 36）。

　外来種が地域種に対し高い頻度で出現するこの上位4カテゴリーは擦文文化期〜アイヌ文化期を通じその構成はほぼ同じである。このことは容器類のなかに本州産品（和産物）、特に桶、曲物、箱物、漆椀等が多く含まれ、それらは用途適性の点から本州産の樹種（スギ、ブナ、トチノキ、アスナロ）から製造されることが多いことを示している。本州産の商品を運んだ「容器」などの破

損品や部品、部材がアイヌ文化期のはやい段階から「祭祀具」や「食用具」などの自製品にリサイクルされたり、将来作り替えるためにその部材を一時的に保管していたことを示している（図34）。

　木製遺物の地域／外来種の構成比は、和人とアイヌの交易が次第に発展していくにつれて和人が供給する本州産品を入手できる機会が増え、やがて市場経済に接合されるという展開ではなく、遅くてもアイヌ文化期当初から移入品に依存する構造が完成しており変化していないことを示唆している。

　曲物の製作には、古くからスギ、ヒノキが一般的に利用され、ヒバ、マツ、シラビソ、サワラ、モミなども用いられた（岩井 1994）。桶、樽などの伝統的な木材工芸には、スギ、ヒノキ、マキ、ツガ、モミ、ナラなどの樹種が選択され、中世期にはヒノキ材などの二次利用（別の目的で使用されていた材を転用）もみられるという（石村 1997）。

　これは遺跡出土の曲物、箱物、桶などがスギ科やヒノキ科の樹種で製作されることが多い状況と符合する。また、漆塗椀は本州で製作されたことがさらに確実なものである。遺跡出土の木質が残存した漆塗椀は、おもにブナ属（27.8%）、カツラ（25.0%）、トチノキ（19.4%）の代表的な汎用材の3種で7割以上が製作されており（財団法人北海道埋蔵文化財センター編 2003）、交易品として遺跡に持ち込まれたものであろう。

8. 美々8遺跡の木製遺物

　ユカンボシC15遺跡のIB1層は、IB2層、IB3層に比べ、出土木製遺物が少ないためにこの地方のアイヌの活動を十分反映していない可能性があるかもしれない。そこで周辺の低湿地遺跡として発掘調査された美々8遺跡の例と比較する。

　美々8遺跡は美々川支流の美沢川左岸に位置し、標高2.5〜23mの低湿部と台地上に広がる。美々8遺跡は18世紀後半に「ユウフツ越」、「シコツ越」とよばれ、太平洋と日本海側とを結ぶ交通の要衝に立地し、物資の運送に使用

された道路、船着場が検出され、日常的に使用された縄綴船(準構造船)の部材も多数みつかっている(財団法人北海道埋蔵文化財センター編 1996, 1997)。すでに述べたように、千歳周辺のアイヌは、千歳川で捕獲したサケを陸路でここまで運び、ここから舟に乗り換えてユウフツに出た。交通路の中継点としての役割は 17 世紀の後半にまでさかのぼることができるという(財団法人北海道埋蔵文化財センター編 1996, 1997)。遺物は在地の自製品の他、本州産の漆器、曲物、桶、樽、繊維製品、金属製品、骨角器、ガラス製品、陶磁器などが多数出土している。アイヌ文化期の遺物は出土状況から、ユカンボシ C15 遺跡よりもあたらしい時期のものが主体を占める。

基本土層はユカンボシ C15 遺跡と共通しているが、Ta-b 層:樽前 b 降下火山灰堆積物(1667 年降下)が堆積しているため、その上下の時代区分が容易である。

　　Ta-a 層:樽前 a 降下火山灰堆積物(1739 年降下)

　　OB 層:褐色泥炭層　2 つの火山灰に挟まれる近世アイヌ文化期

　　Ta-b 層:樽前 b 降下火山灰堆積物(1667 年降下)

　　IB-1 層:褐色泥炭層　木製品、鉄製品を多く含む。中世アイヌ文化期〜 17
　　　　　　世紀半ばごろまで。

　　IB-2 層:暗褐色泥炭層　木製品、擦文土器を含む。擦文文化中期

　　B-Tm 層:白頭山—苫小牧火山灰　標高 4.0m 以下から薄層として出現。

　　IB-3 層:暗褐色泥炭層　木製品を含む。

　　IB-4 層:黒色泥炭層

　　IB-5 層:暗褐色泥炭層

　　IB-6 層:暗褐色腐植シルト層

　　IB-7 層:灰褐色シルト層

各文化層の報告書記載出土木製品の数量は次の通りであり、いずれも樹種同定が済んでいる。

OB 層 1,596 点;IB-1 層 759 点;IB-2 層 85 点;IB-3 層 66 点。

これらのうち、遺物の出土量が多い OB 層と IB-1 層を分析の対象とした。

IB-2層以下の木製遺物の出土量は少ないために安定した結論に到達できないと判断した。

　遺物の分類基準については、ユカンボシC15遺跡では9つのカテゴリーで遺物を分類したが、「素材」の代わりに、報告書記載のあたらしい分類基準「各種用具の部品や素材等」にしたがって「各種用具の部品や素材等」(略称：部品素材) を新設することにした。これは素材・製品・未製品・部品等の区別が難しいことによるものと考えられる。したがって、「狩猟魚撈具」、「船とその関連具」、「作業用具および諸道具類」、「食用具」、「容器類」、「祭祀具」、「各種用具の部品や素材等」、「各種加工製品」、「建材」の全9つのカテゴリーに分類する。なお、IB-1層ではこの「各種加工製品」に明確に相当する遺物がなかった[6]ので、8つのカテゴリーを使用している。

　クラムシェル (重機) 調査地区出土の木製遺物は、他時期の遺物の混入の危険があり、「灰集中」遺構出土の木製遺物は遺跡の特殊な性格に規定されるため、分析対象からはずしている。

　美々8遺跡のIB-1層は擦文文化が終わって中世アイヌ文化期〜17世紀半ばまで (Ta-b、1667年) に相当する文化層であると考えられ、ユカンボシC15遺跡の、IB2〜IB1層とほぼ併行するものと考えていいだろう。また、美々8遺跡のOB層はユカンボシC15遺跡が廃棄された後の1667年から1739年までの状況を示す文化層である。

　美々8遺跡のIB-1層もユカンボシC15遺跡と同様、おもに北海道以南で産出する外来種の、北海道でも産出する地域種に対する割合の大きい上位4種は変わらないが、「容器類」が首位の座を占めている。2位は「祭祀具」であり、以下、「食用具」、「作業用具および諸道具類」が続く。この順位の構成はOB層になっても変わらない。これは周辺で生産された産物を太平洋に運ぶ中継地として、美々8遺跡が安定的な存在だったことを示している。外来／地域種構成比の分析結果からは、ユカンボシC15遺跡で確認された傾向は、美々8遺跡でも認めることができる (図37、38)。

　ユカンボシC15遺跡に立ち返って、分析対象とした文化層のうち、古い方

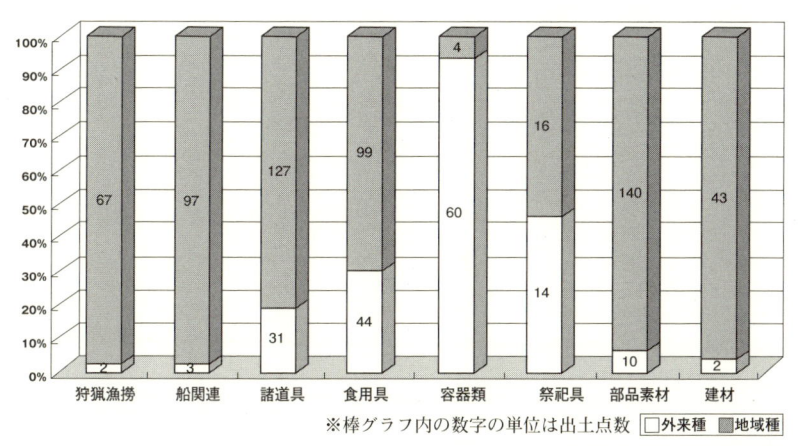

第3章 石狩低地帯におけるアイヌ交易の展開と本州製品の流通　123

図37　美々8遺跡IB-1層（中世アイヌ文化期〜1667年）出土木製品の外来・地域種構成比

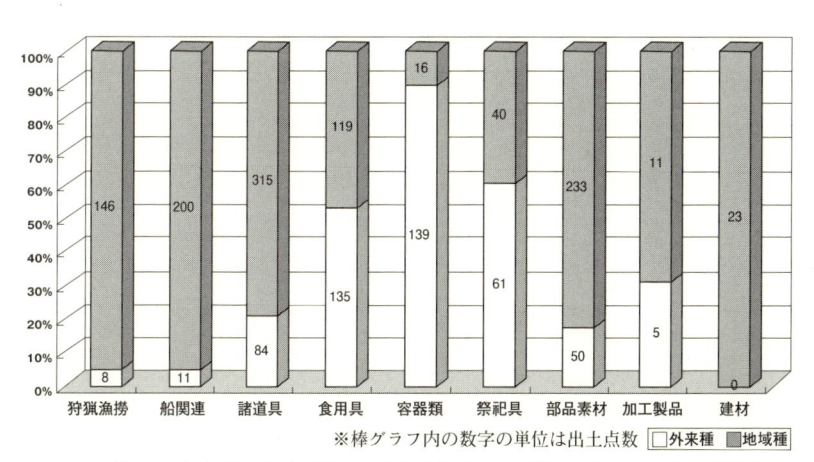

図38　美々8遺跡OB層（1667〜1739年）出土木製品の外来・地域種構成比

から2つの層、すなわちIB3層とIB2層では、「狩猟魚撈具」、「船とその関連具」、「作業用具および諸道具類」などの幅広いカテゴリーに外来種の利用がみられるが、分析対象とした一番あたらしいIB1層（およそ16世紀〜1669年）では、逆に外来種の利用はより限定されたカテゴリーにみられる。城下交易体制下で和産物の選択的な入手が可能となったことが、他の時期とは全く異なり、

「容器類」における外来種の80％を超える高い出現状況を示しているのかもしれない。この時期は「容器」などのパーツを転用した「祭祀具」の製作が3つの時期のなかで最も高い約80％という数値を示している。

このように交易制度の変化が本州産品の入手状況に多少の変化を与えた可能性は残されている。他方で、遅くとも16世紀には開始されていた城下交易段階（長距離交易システム）から商場知行制への変化は17世紀の前半から徐々にはじまるが、このような交易制度の通時的変化が、ユカンボシC15遺跡や美々8遺跡の移入品に依存するという基本的な性格の変化と関係していないことが注目される。特に美々8遺跡のIB-1層（中世アイヌ期～1667年）とOB層（1667～1739年）の遺物のカテゴリーごとの地域産と遠隔地産の樹種構成比率に変化がないことから、交易する地点が、アイヌが交易船で直接おもむいた松前藩の拠点であり、交易港のあった松前なのか、より千歳に近いユウフツ（苫小牧付近）なのかの違いだけで、本州産品を入手できるという状況に大きな相違がないことがその背景にあるのであろう。

和人社会で根強い需要がある商品、たとえばサケ、シカ皮、クマ皮、椎茸のような産物を開発できるような地域では、はやくから和人との交易関係が樹立していたことを想定できる（表2）。石狩低地帯内部の千歳や石狩など、その

表2　シコツ・ユウフツ場所の特産物

年	産物	文献
1739	シナ縄、鹿皮、熊皮、干鮭、塩鮭	蝦夷商賈聞書
1772-89	塩鮭、干鱈、鹿皮、干鮭、シナ縄	松前随商録
1801	干鮭、椎茸	東夷周覧
1807	干鮭、アタツ（開いたサケ）、椎茸	西蝦夷地日記
1808-11	干鮭、塩鮭、鮫、椎茸、魚油	東蝦夷地各場所様子大概書

ような資源に恵まれていた地域では、分析結果に示されているように、従来の歴史研究で考えられていた以上にアイヌ文化のはやい時期から商業交易への参入が急速に進展していた。水戸光圀によって1688年に石狩に派遣された蝦夷地密偵船の記録『快風丸記事』によれば、アイヌが鉄器や多くの物資を他国から手に入れていることを、水戸藩士はすぐに見抜いて次のように指摘している。

> 蝦夷ニテ総体結構ナル道具或ハ刃物其外色々ノ諸道具皆々当時蝦夷ノ細工ニ非ス皆外国或ハ隣国ヨリ来ル道具也。

9. 準構造船の出現と意義

　舟を使った交通に至便な石狩低地帯では、K30遺跡やユカンボシC15遺跡、美々8遺跡などで、実際に縄綴船の部材が出土している。縄綴船は単一の丸木をくりぬいた舟敷に舷側板を並べ、縄や鯨ひげで綴じ合わせて積載量を増大させ、筵帆と車櫂で航行する準構造船の呼称であり、アイヌだけでなく和人によっても利用された(7)(図39)。

　近年の出土品の研究から、船の技術革新のおおよそのステップが推定できる。積載量を増大させた縄綴船は城下交易段階にはすでに存在しており、長距離航行が可能な大型交易船によって交易流通量の拡大が実現できた。

> 蝦夷国の船には釘を使わないで、椰子の繊維のような物で作った綱で縫いあわされているのです。寄せ集めた板に多数の孔を穿って、それを縫いあわせてあるわけで、航海が終ると縫い目を解き、日にあてて乾かし、それから復た縫いあわせます。船の大きさはその一艘に日本の米の俵二百石積める程度であり、その形は日本の船のようなものでございます(『アンジェリスの第二蝦夷報告』チースリク編1962)。

縄綴船の最古の出土例は、札幌市K30遺跡の第6文化層(6g層)(9世紀後半～10世紀初頭)から出土した舟敷舷側部分である。ユカンボシC15遺跡のIB3層からの出土例には舷側板を積み上げるために必要な中棚の舷側板があ

図39 縄綴船（蝦夷船）による航海

り、同じくユカンボシ C15 遺跡の IB2 層から復元幅約 70cm の舟敷が出土したことから、縄綴船は9世紀には登場し、10世紀中葉以降〜中世アイヌ文化期には大型化が確実とみられる（鈴木 2003b: 713）。9世紀の蝦夷支配領域での鉄生産の開始が鉄製利器を普及させ、また板材の加工を容易にし、縄綴船の製作を可能にする条件を整えたといえる（鈴木 2003b: 709）。

　アイヌが利用する縄綴船には、沿岸漁撈用に2〜3人乗りのものと、外洋航海用にもっと大型なものが存在した。城下交易など交易用途には後者のものが使用された。小林は『蝦夷島奇観』の記述から全長 11.3〜13.6m に達する縄綴船の製作が可能であり、アイヌが松前城下だけでなく津軽海峡を自由にわたり、南部や津軽で交易活動を展開していた時代の縄綴船は、商場知行制が成立し、船を漁猟のためにしか使用しなくなってからのものからは推定できないと述べている（小林 1988: 267）。

　次に実際の出土例からその規模を推定してみる。苫小牧市沼の端出土の5艘

の丸木舟は縄綴船の舟敷と考えられ、艇内に樽前b降下火山灰（1667年降下）が堆積しているので、おおよその使用年代が推定できる。そのうち最大の0号艇は長・巾・深がそれぞれ903cm、94cm、30cmとなっており、由良が道内の丸木舟46艘から算出した長・巾・深の平均値620.2cm、49.61cm、27.12cmと比べるとその違いが明瞭である（由良 1995: 58）。由良はアンジェリスの報告にみられるような数10tクラスの船の舟敷は単材の丸木舟ではなく、縦にも横にも複数の材を組み合わせ、長さと巾を広げる高度な技術が必要であるとみている（由良 1995: 71）。

　城下交易段階ではアイヌ側が多数の交易船で持ち寄る鰊、乾鮭、鯨、白鳥、活鶴、鷲の羽、鷹、トドの皮、トドの油、ラッコの皮は、本州の商船が毎年約300艘でもたらす米、酒、麹、小袖、紬や木綿の衣類と交換されており、商品流通がすでに活発になっていたことがわかる（榎森 2007: 174）。交易物資が威信財中心のものから実用的なものにまで拡大したことが積載量を増大させた縄綴船の建造を促し、またその存在によってさらに活発な交易が可能になっていたといえる。さらに縄綴船の長所として、平底で擱座に強く、海浜への引き上げが可能であり、接岸施設のない場所へも行けること、および舷側板をとりはずして船を担いで峠越えできることが指摘されており、実際に石狩低地帯の分水嶺付近ではそうした習慣があったという（鈴木 2005: 48）。こうした優れた特徴をもつ縄綴船は、中世から近世にかけて、飛躍的に商品流通が増大した時代を支える交通手段として、まさにふさわしい乗り物だったといえるであろう。

10. 商業的サケ漁の開始について

　北海道における交易用サケの生産の開始は、文献史学と考古学双方の研究者の間で論争の主題となっている。小林の研究によれば、渡島半島以北のアイヌによって生産されたサケが15世紀段階で、和人向けの交易品となっていたことを疑問視している（小林 1999: 98）。室町時代の『庭訓往来』の記述から「宇賀昆布」と「夷鮭」が著名であるが、交易用のサケの産地は北海道南部が

中心で、全道のアイヌを交易に巻き込んで鉄製利器や具足、刀剣、漆器がわたっていたと考えることはできないとしている（小林 2000: 285）。鈴木は、擦文文化期のサケ生産は、和人との交易が目的ではなく、東北地方が豊かなサケ資源に恵まれており、他地域からのサケの移入は必要ないとの根拠で、食糧備蓄や地域内で流通させる資源であり、鎌倉時代から中部・北部日本海地域への供給が開始されたと主張している（鈴木 2003a: 40）。

一方で瀬川は、商業的なサケ漁は10世紀代の擦文文化期にさかのぼることを、石狩川上流の擦文期の遺跡分布とその技術の点から考察している（瀬川 2005: 107）。このなかで瀬川は、石狩川水系で生産された無塩の干鮭は、須恵器、鉄器、漆塗椀、米などとの対価として東北北部の一般階層向けに移出されていたとする。澤井は、擦文文化後期におけるオホーツク海沿岸から道東にかけてのサケの生産は本州向けであったと推察しており（澤井 1998: 392）、擦文文化の商業生産は、時期による強弱はあっても、本州との経済的関係を前提としていたとする（澤井 2007b: 349）。もっとはやい続縄文文化期から商業生産がはじまるとの見解もある。上野は、専業的なサケ漁とサケの交易は、K136遺跡の第1文化層（4世紀ごろ）を中心に大量のサケ科の焼けた魚骨が出土し、サケ類の薫製加工を行ったと推定される焚火跡が発見されていることから、サケの余剰物を商品としてあつかっていたとする（上野 1992: 454-456）。

このように、本州社会との地域間交易を支持する研究者は考古学者に多いが、それは擦文人が北海道東部へ移動した目的として、本州で製造される鉄器との交換のために必要な海獣皮、鷲羽、サケのような資源を入手したとする見解が多くの考古学者によって公表されているからである（塚本 2003）。

近年の考古学的、および文献史学的研究の成果によれば、北海道において生業・経済・商品流通面での変化が生じたのは10世紀であるという（簑島 2001; 小口 2006; 鈴木 2005）。このころ都へ貢納する北方系産物が整いはじめ、10世紀後半には交易のセンターであった秋田城や胆沢城の政庁機能が廃絶しており、北方系産物をめぐる争いが激化し、防御性集落の構築へとつながって

いくという主張である。

本州社会との交換のための生産開始の正確な時期と生産物の内容はまだ十分解明されていないが、本書で実施した木製品の分析は、16世紀に和人移住者の制度的な交易システムが完成する以前の段階で水産資源や毛皮などの自然資源の開発にアイヌが乗りだしたことを示唆している。

11. 札幌市K39遺跡の木製遺物

ユカンボシC15遺跡のIB2層は擦文文化とアイヌ文化双方の考古学的遺物の構成内容を反映しているために、地域間交易用の資源獲得のための生産がいつはじまったかは不明である。

そこで、札幌市K39遺跡出土の擦文文化期に所属する木製遺物を比較のために分析する。この遺跡は旧琴似川の上流域から中流域に移る地域にあたり、サクシュコトニ川の下流部右岸に位置する。遺跡の周囲一帯には多数の湧泉池が存在し、それを水源とする大小の河川が縦横に走り、サケの遡上に好適な環境を提供していた。この遺跡には続縄文文化期から中・近世にいたる8つの文化層が存在するが、そのうちの5層が擦文文化期のもので、遺物や遺構の多くも擦文文化期に属する。擦文文化が単一の遺跡でこれほど層位的に細分できる例はめずらしく貴重である。擦文文化期の流通や商業生産の変遷を考察するうえで重要な遺跡である。

第6文化層（6g層）からはサケ科を対象とした魚撈遺構とみられる杭列がみつかり、第4文化層（5c層）からは護岸・船着場・作業場などの機能をもつ杭列とそれにともなう付属施設がみつかっている。また第3文化層（5a層）からは多数の屋外炉が検出され、土壌サンプル中から動物遺存体と植物遺存体が高い割合で出土している。

この遺跡で木製遺物が100点以上出土した擦文文化期に所属する文化層は次の3層である（各層の推定実年代については調査報告書（札幌市埋蔵文化財センター編2001）にもとづく）。

・第6文化層（6g層）：擦文文化前期末から中期初頭（9世紀後半～10世紀初頭）
・第4文化層（5c層）：擦文文化後期前半（11世紀後半～12世紀前半）
・第3文化層（5a層）：擦文文化後期後半（12世紀後半～13世紀代）

各文化層の出土木製品の数量は、樹種同定が不明なものも含まれているが次の通りである。

第6文化層（6g層）191点；第4文化層（5c層）263点；第3文化層（5a層）145点。

これら上記の文化層からは多量の樹皮が出土したが、樹種同定はできなかったので分析の対象からは外す。

遺跡各層出土木製遺物のカテゴリーごとに外来・地域種構成比率をまとめた結果、樹種構成の通時的な変化が追える（図40～42）。

図40にみえるように、6g層では、10世紀初頭までに特に「容器類」と「各種加工製品」に外来種の使用が確認できる。数多くの同定が不能だった木製遺物があるとはいえ、図41に示されているように、5c層の外来種の利用は「各種加工製品」に限定されているが、一方で6g層のそれよりも使用の割合が高い。図42から5a層は「食用具」と「容器類」で、非地方種をより多く安定し

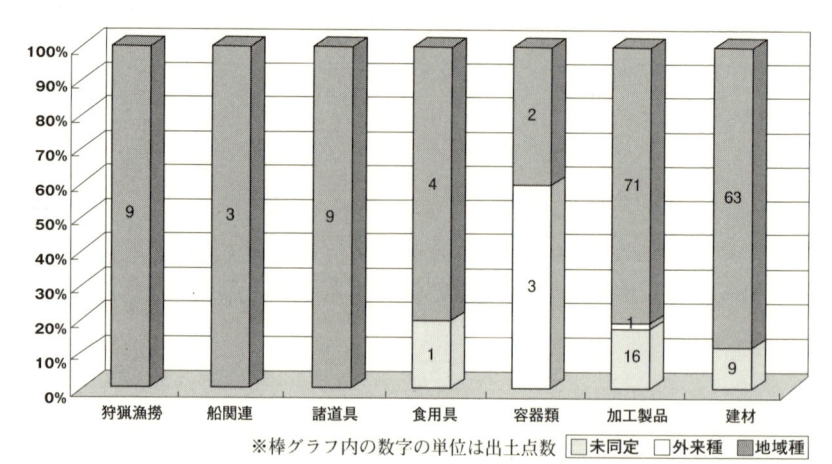

図40　K39遺跡第6文化層（6g層：9世紀後半～10世紀初頭）出土木製品の外来・地域種構成比

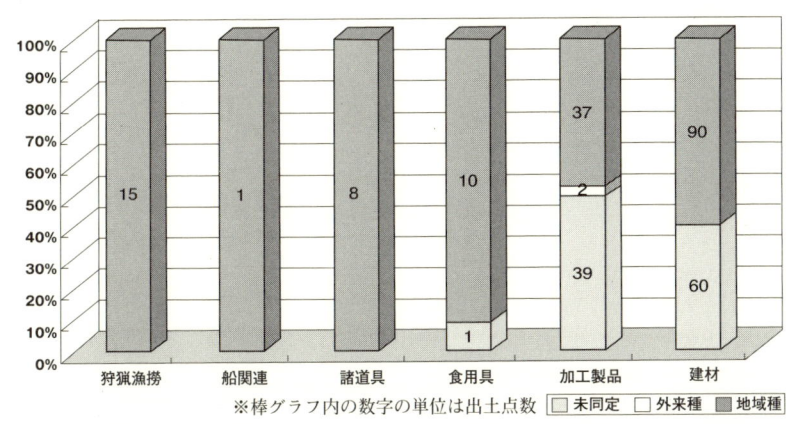

第3章　石狩低地帯におけるアイヌ交易の展開と本州製品の流通　131

図41　同遺跡第4文化層（5c層：11世紀後半～12世紀前半）出土木製品の外来・地域種構成比

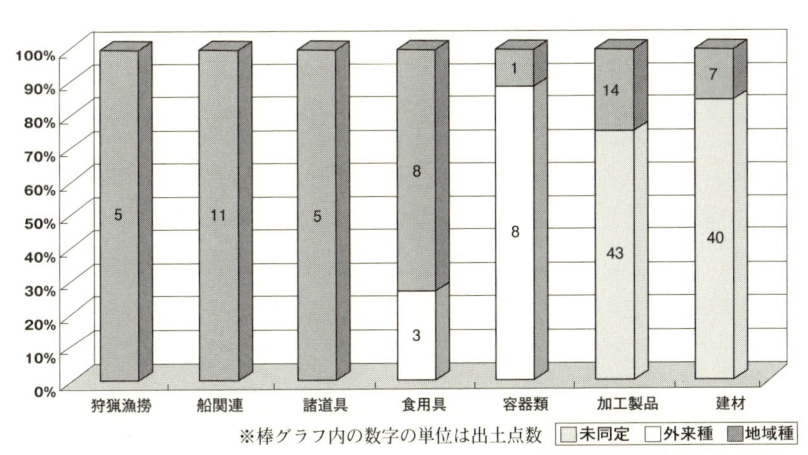

図42　同遺跡第3文化層（5a層：12世紀後半～13世紀代）出土木製品の外来・地域種構成比

て使用している状況をうかがい知ることができる。

　これらの状況を総合すれば、「容器類」では研究対象とした3つの擦文文化層のうちの最も古い段階から、外来種で製造された道具（製品）の利用がはじまっているものの、本州産商品の安定的な供給は12世紀後半になるまで本格化しなかったであろうことが推察できる。

12. 儀礼具の樹種

　アイヌの儀礼活動に欠かせない漆器に加え、ユカンボシC15遺跡や美々8遺跡出土のイクパスイ（捧酒箆）(9)のほとんどは、外来種で製作されている。前者では141点中3分の1を超える105点で持ち込み材のアスナロが再利用されている（財団法人北海道埋蔵文化財センター編 2003: 377）（図43）。後者では全112点中、スギ（41.1%）、ヒノキ（23%）、アスナロ（15%）で全体の5分の4を占める(10)（財団法人北海道埋蔵文化財セン

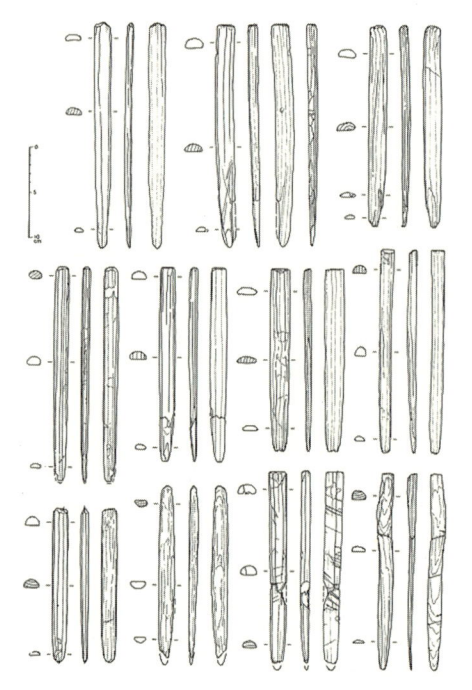

図43　ユカンボシC15遺跡IB3層出土の棒酒箆
　　　　（財団法人北海道埋蔵文化財センター編2001）

ター編 1997: 621）。

　同様に上ノ国町の勝山館跡宮ノ沢右岸遺跡からは、慶長期（16世紀末～17世紀前葉）に比定される包含層からスギ製の捧酒箆が出土している（上ノ国町教育委員会編 2000）。捧酒箆はアイヌが製作し、漆器は本州で職人が製造する。

　多くの民族誌で報告されている情報によれば、捧酒箆はカエデ（*Acer*）、ハシドイ（*Syringa*）、ニシキギ（*Euonymus*）、ヤナギ（*Salix*）、コナラ（*Quercus*）などで製作されることが一般的である（財団法人アイヌ文化振興・研究推進機構編 2005b: 127-128; 北海道教育委員会編 1989: 35; 萱野 1978: 242）（表3、図44）。

　民族誌と出土例との間に著しい差がみられるのは興味深い。曲物、箱物、桶、樽のような本州製品の部材を神聖な祭祀具に転用するような習慣がかなりの期

間存続することが確実だからである。

もしも十分な量の外来種の木製部材がストックされているのならば、捧酒箆のみならず、イナウ（木幣）[11]もそのような外来種で製作されたと予想できよう（図45）。しかし、ユカンボシC15遺跡や美々8遺跡出土の木幣のほとんどは、地場産の樹種で製作されており、そのことは木幣にキハダ、ミズキ、ハンノキ、ヤナギなどが利用される民族誌情報とも矛盾しない（知里1976: 58, 104; 北海道開拓記念館編 1975: 82-88; 犬飼・名取 1939: 265-266）（表4、図46）。儀礼が行われるたびにあたらしい木幣が製作され使用されることになっているのに対し、捧酒箆は何度でも再使用が可能である。製作技法の点からも、移入された和産物を搬送する容器が破損したり、廃棄されたりした場合に、それ

表3 棒酒箆製作木材における遺跡と民族誌間の比較

素材	遺跡出土例	民族誌
外来種	頻出（アスナロ属、モミ属、スギ属）	無
地域種	稀（ハリギリ属、ミツバウツギ属）	頻出（ヤナギ属、カエデ属、ハシドイ属、ニシキギ属、コナラ属）

図44 現代の棒酒箆（北海道開拓記念館所蔵）

図45 現代の木幣（北海道開拓記念館所蔵）

表4 木幣製作木材における遺跡と民族誌間の比較

素材	遺跡出土例	民族誌
外来種	無	無
地域種	頻出 (トネリコ属、ヤナギ属、モクレン属)	頻出 (キハダ属、ミズキ属、ハンノキ属)

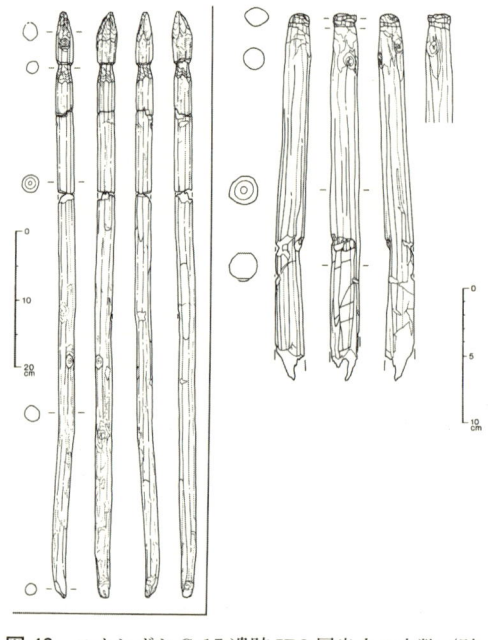

図46 ユカンボシC15遺跡IB3層出土の木幣（財団法人北海道埋蔵文化財センター編2001）

らの部品・部材を利用するうえで、木幣よりは小型で平面的な捧酒箆に再利用する方がはるかに加工しやすく合理的であったろう。

13. 市場経済への編入とアイヌ文化の再編成

上述したように本章では、アイヌ集落への本州産品の流入に関する定量的な分析を試みた。それは、砕片や断片をのぞき、他の資料の一部になっていない4,457点の個別の木製遺物の素材として利用されている外来種と地方（地域）種の構成比を通時的に比較することを目的としたものである。

2つの重要な点を明確にしておきたい。この分析によって、文献史料を欠いている擦文文化からアイヌ文化にかけての時期に関するあたらしい理解が得られたこと。さらに、この2つの集団による外部の需要に対応した専業的生産の開始、いいかえるなら、商業生産活動への関与がこれまで考えられていた以上にはやかったことを示している。

石狩低地帯は和産物の流入地として重要な役割を果たしており、豊富に利用された外来種の量と範囲をみれば、他地域との差別化をはかることは、物質文

化面だけでなく、精神文化面においても比較的容易であったろうと思われる。交易品として代表的な品目だった鉄製品は、遺跡において通常、保存状態が悪く、発掘された鉄製品の多くは再利用されて原型をとどめておらず、交易品の流通を解明するための十分に信頼すべき手段となってはいない。低酸素環境の低湿地遺跡から出土した木製遺物は、原材料の選択、素材の入手状況、木製品の製作技法、過去の環境変動の他にも、生態適応と政治経済的要因のはざまで、生業の質の転換を判断しうる、現状ではほとんど唯一の証拠となっている。

　石狩低地帯に当初、「容器類」と「素材」のカテゴリーで流入した交易品は、「食用具」や「祭祀具」に該当する道具類の自己生産に流用され再利用された。この過程は、その地域の先住民が交易物資として彼らの社会に流入した外来種の再概念化を通じて、石狩低地帯の周囲に居住する他の先住民と自己を区別する社会的アイデンティティや価値観を表明する方法を検討する機会を提供してくれる。そうした文化の動態的プロセスにおいて、「移住者」と「先住民」といった固定化された二分法を超えて、国家に包摂された周辺社会が、あらたな「周辺」を生み出していく過程も考古学的に理論化できるのではないか。

　豊富な交易物資が流入する環境を背景にして、そうした移入材を信仰具などの自製品に取り入れ、あらたな価値を創出することによって、他集団への優越性を顕示し、相違を際だたせるといった戦術が想定できよう。ユカンボシC15遺跡、美々8遺跡、勝山館跡宮ノ沢右岸遺跡は交易品の流入口に面しており、外来品の部材をいずれも捧酒箆に再利用していることは偶然ではない。[12]

14. 境界領域の考古学研究への展望

　これまでの歴史学研究による通説的理解は、アイヌ文化とその社会組織の崩壊は、移住者によって持ち込まれた外部の市場経済システムとの接合によって進行していくとするものであった。実際、市場経済の規模は生業経済のそれよりも大きく、生産と消費を拡大させる。そのシステムはまた、低い互酬性と再分配、専業化と特定の個人にかかわらない非人格性が特徴ともなっている。捧

酒筵は人間の言葉の不足を補い、人間と超自然的存在の仲立ちをする機能を果たすといわれているので、捧酒箸が本州製品の部材で製作されていることは示唆的である。

捧酒箸の例は自然と調和のとれた複合体としての文化の衰退というよりは、圧倒的な勢いで流入する本州産品への柔軟な適応の一例とみなしうる。民族誌に記述されているような近現代における外来種の忌避は、おそらく周辺の生態環境との均衡を重視するアイヌのあらたな信仰体系の再編成と関係しているのであろう。

市場経済システムへの接合という国家秩序の浸透のなかで、先住者側が一方的に包摂されつくす図式を思い描くのではなく、むしろ現地を生きる人びとの種々の局面に対する主体的な反応を見出す努力が、考古学の分野においても今後ますます求められるようになっていくものと思われる。

註
(1) 分類に用いた5つのグループとは、①日常生活・習慣、②生業1（狩猟・魚撈）、③生業2（農耕）、④信仰・祭祀・儀礼、⑤外交・交易（・交通）であり、中世アイヌ文化期には「信仰・祭祀・儀礼」グループ遺物の出現比率が他時期に比べやや高く、「外交・交易」グループ遺物が擦文文化期、中世アイヌ文化期、近世アイヌ文化期を通じ増加傾向にある以外は、木製品の利用には連続性が認められるという（藤井 2008: 41-42）。
(2) この間の歴史的経緯については、第1章を参照のこと。
(3) 干鮭（からさけ）とは乾燥させたサケのことで、中世から近世にかけての主要な交易品であった。近世期に塩が流通すると干鮭に加え、より商品価値の高い塩蔵処理をした秋の塩引きサケの移出も盛んになる。
(4) 外来種という言葉は、在来種の存在をおびやかし、生態系を崩壊させかねない生命力の旺盛な動植物をイメージさせるが、ここでは単に遺跡周辺の環境で調達できない南方系の樹種を指すのであって、特定の価値観は含めてはいない。
(5) 分布については、ウェブサイト（flora of Hokkaido: http://www.hinoma.com）を参考にした。この地域の森林資源が商業用途に開発され、移出されるのは近世期になってからである。
(6) 報告書ではIB-1層から出土した「加工材」を4点掲載しているが、点数が少なく、

(7) 『蝦夷商買聞書』(1739年ごろ成立)によれば、シコツ(千歳)場所の特産品であるシナ皮を撚り合わせて作った綱は、越前、加賀、能登、越中、越後、出羽、津軽、南部の船々が綱に用いるとある。おそらく舷側板を綴じ合わせる丈夫な縄として用いたのであろう。また、北海道開拓記念館の近藤家文書のなかに1703年付の「覚」の写しがあり、「壱艘者利尻江遣申候縄とち手船八百石程積ニ而御座候」とあり、800石積みにおよぶ大型船の存在を示唆している。本章でこうした船を指して板綴船ではなく、縄綴船(なわとじぶね)を使用するのは当時の慣用にしたがっている。
(8) この平均値には苫小牧出土の縄綴船の舟敷4艘分を含んでいる
(9) カムイに祈りを捧げるときに使用される儀式具。杯に酒を注ぎ、それを捧酒箆の先につけながら祈り言葉を唱える。捧酒箆は人間の言葉をカムイに伝えるもので、裏側に舌を表現した刻みがつけられるものもある。
(10) この112点には捧酒箆と捧酒箆状製品が含まれている。樹種のうち、種名については推定を含んでいる。
(11) ヤナギやミズキなどの生木を削って製作する御幣のような形をしたアイヌの祭祀具。用途に応じてさまざまな形態のイナウが使い分けられる。捧酒箆と同様に神と人間との間の仲介者としての機能を果たしている(大林 1991: 270-271)。
(12) 同じ7世紀の石狩低地帯を舞台に、定住型のより狭い領域を重点的に利用する土師器文化伝統の集団がはいり、在地の人口密度が低く、少人数のグループが頻繁に移動を繰り返す遊動的な土地利用を特徴とする続縄文文化伝統の集団としばし共存する例が報告されている。利用資源の存在場所は限定されており、あらたな集団の存在が効率のいい領域内の資源や移動経路をブロックし、これまでの生活様式を維持できなくなる集団が続縄文文化伝統の側にあらわれ、結果として続縄文伝統の解消につながるという(塚本 2007: 180-184)。異なる土地利用の集団間に生じる領域・資源の利用権をめぐる駆け引きの生態適応モデルとして興味深い。本章で分析したケースは、外部の大規模な市場経済システムとの接合に対応するためのイデオロギーの再編を含む文化・社会的な対処の事例として考えることができる。

第 4 章　千島列島における先住民交易ネットワークの形成と変容

1. ラッコ権益と先住民交易ネットワーク

この島々の領有争いの原因は何よりもラッコの権益なのであって、この毛皮獣はこんにち、世界でもっとも高価な毛皮を供給するものとして、いつも大きな需要がある。

　　　　　　　　　　　　　　　　　　――ステン・ベルクマン（1992）

　千島海域に世界で最も品質のよいとされるラッコが豊富だったため（西村 2003: 269）、日露が競合するのは時間の問題であった。両者ともにみずから十分に資源を開発するだけの技術と知識を持ち合わせていなかったため、ラッコ猟に卓越した技術と経験を有する先住民を利用したことでも共通している。

　18世紀にはじまる日露双方の千島列島進出において、華々しい外交の舞台裏で、両者の仲立ちとして行動したり、その実質的な経済活動を支えたりしていた多くの先住民やプロミシュレンニキとよばれる下層階級の猟師や交易人の実態は、断片的にしか知られていない。日露双方の接点であった千島列島中部は、民族間の交易ネットワークの結節点でもあった。ウルップ島の帝政ロシア期集落を中心に、従来十分に活用されることのなかった絵画史料をも駆使しながら、当時の交易活動の一端を考察したい。[1]

2. ロシア人の千島進出と幕府の対応

　1798年（寛政10）の蝦夷地調査隊によってもたらされた情報によって、ウ

ルップ島に逗留するロシア人らの処遇が幕府の間で論議をよんだ。ウルップ島のロシア人に退去を勧告し、従わなければ武力に訴えるという強硬策から、生活必需品を供給するアイヌの往来を絶って、結果的に離島を余儀なくさせるという穏当な策まで議論は紛糾した。

この当時のウルップ島の集落にはロシア人だけでなく、ラッコ猟に使役させられたアリュートやクレオール（ロシア人男性と先住民女性の間に生まれた子やその子孫）とおもに通訳としての千島アイヌの存在が知られていた。

一方で、この当時ウルップ島にはアイヌは定住しておらず、アッケシ、エトロフ、クナシリやラショワなどのアイヌが季節的にラッコ猟におとずれていた（『蝦夷拾遺』）。ウルップ島には彼らの仮住まいがあるだけであった（菊池 1999b: 65）。

1803年（享和3）に上総沖から漂流し、千島列島を経由し、3年後にラショワ島アイヌに送られて帰還した南部慶祥丸乗組員の供述によれば、「蝦夷人ともよりの物語にては、シュムシュ島よりは、ラショア持島之由、チリホイ島よりはエトロフ持島之由承り候」（『通行一覧　巻之三百十九』）とあり、猟場の区分や入り会いの慣習にもつながる情報といえる。

日本では、ラッコは松前藩主の独占品とされ、馬具に仕立てられ、将軍家や本州の諸大名への贈答品として用いられ、一般の売買は禁じられていたが、実際には商人の手を介して大坂の市場に流入したり（『東遊記』）、長崎に持ち運ばれて古くから唐船との交易に使われたりしていた。

また、寺島良安によって編集された日本最古の百科事典『和漢三才図絵』の記述や、最上徳内が記録した（『蝦夷草紙』）に「臘虎は日本の名産にて、古来は肥前長崎に廻し、唐人に交易ありしは久々の古例なりしに、近年は赤人ども臘虎をはじめ名産をとつて、ヲロシヤの産物と称して中華北京に出し、交易して大利を得るといへり」と記述されていることでもわかる。

18世紀後期には、ロシア人がやってきて、エトロフ・クナシリ島のアイヌと競って猟をするためにラッコが年々減少しているとの風聞があったことも指摘されている（『東遊記』）。最上徳内は往古より日本から中国向けに輸出する

長崎交易品としてのラッコが、あらたに進出してきたロシア人によって、「ヲロシヤの産物」として「中華北京」で交易される実態を憂慮している（『蝦夷草紙』）。

当時のラッコの流通に関する具体的な記述は少ないが、近藤、最上らと一緒に1798年（寛政10）にエトロフ島まで調査を実施した木村謙次が残した日誌（『蝦夷日記』）には、1770年代のウルップ島でのラッコ猟をめぐるアイヌとロシア人の争闘の後のウルップ島のできごととして以下のよう記述している。

　　　其後赤人四五拾人乗来　数年ノ内猟虎三千皮　猟送レリト　一枚ニテ木綿五十端ノ価ニ成トイフ。

短期間で多数のラッコを確保し、カムチャツカに搬送している記述だが、ラッコ1枚の商品価値についても具体的な数値を示している。

ロシア人はラショワ島の首長を「惣首長」に任命し、キリスト教を布教し、年々1男1皮の貢物を差し出させ、それ以外の毛皮はロシアからの見廻りの人足を派遣した折に望みの品と交易する体制を確立し、これは延享（1744〜47年）または寛延年間（1748〜50年）のこととされる（『休明光記』巻之六）。こうした貢納品や交易物資を獲得するための見返りとしての毛皮獲得は、周辺だけでなく遠距離にある島へのラッコなどの毛皮獣狩猟を活性化させたであろうことは、「夫れよりラシヨア嶋の者共シムシリ其他の嶋々へ渡リラツコ其外獵業し、年貢の外は交易して經營をなし」（『休明光記』巻之六）と書かれていることからも推測できる。おそらく毛皮需要の高まりと狩猟範囲の拡大、ひいては狩猟対象動物の減少などの要因が、ウルップ島をエトロフアイヌやラショワアイヌの入会地的な性格へと変質させたのではないかと思われる。

アイヌがウルップ島のロシア人からラッコの毛皮や反物を入手する見返りに、酒、タバコ、米、鍋等をわたしていたことが日・露双方の史料から知ることができる（『近藤重蔵蝦夷地関係史料一』[2]）（Tikhmenev 1979: 177）。アイヌとこうしたロシア人や先住民らとの交易は、本国からの補給が途絶えがちだった集落の住民にとって生計を維持するうえで死活問題であった。やがて、幕府は支配勘定格富山元十郎、中間目付深山宇平太の派遣を決める。1801年（享

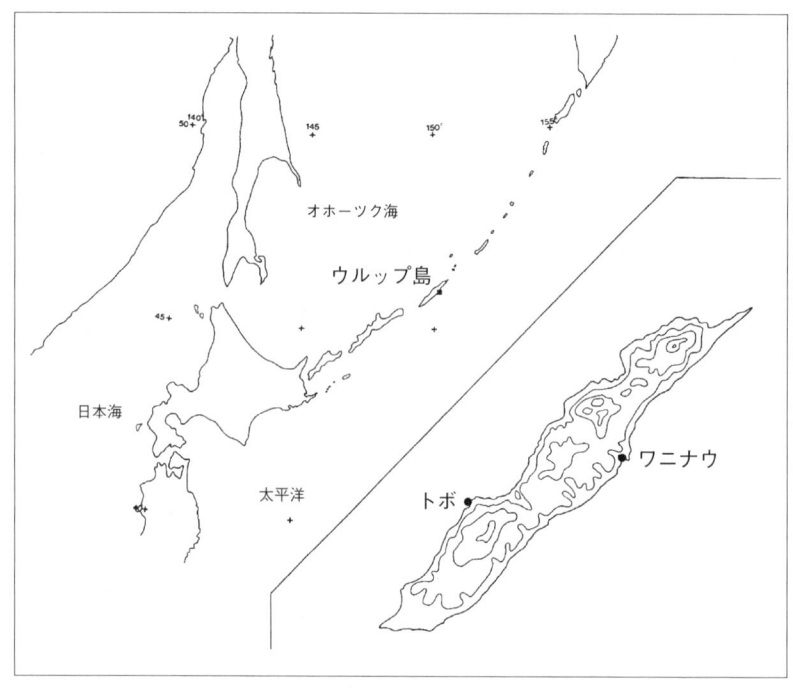

図47　ウルップ島の位置と本章でふれる地名

和1）両人はアイヌの操船する船によってウルップ島にわたり、トボ（トウボ）に居住するロシア人棟梁ケレトフセと面会して正式に退去を勧告する（図47）。

3. 歴史的絵図の検討

　富山らがロシア人に対面したときの情報をもとに、羽太正養が著した『休明光記』に所載されたウルップ島のロシア集落に関する絵図（挿絵）を取り上げることにしたい。また、その後のロシアによるウルップ島のロシア側集落の考古学調査の成果に依拠した復元図、明治期の日本側図面を加えて当時のロシア集落や生活様式の状況を検討する。

　従来、これらの史料をあつかう際に、本文の記述の解釈が主に行われ、絵図

面に関してはほんの挿絵程度にしかあつかってこなかった傾向がある。その背景には、絵図の精度に対する不安がぬぐいきれないなどの理由があろう。しかし、文字資料とは別に、記録者が見聞した事実を記憶がさめないうちに挿絵で記録することも当時の慣例であり、しばしば、表現力豊かな生き生きとした筆致に目をみはることも珍しくはない。そこで、日本史料とロシア史料を対比することによって、この絵図面類の精度を見極めながら、歴史史料として積極的に活用できないかを検討する。

ロシア人によるウルップ島の植民活動は次の4期に区分できる（手塚1993b）。

Ⅰ 露米会社（RAC）以前　1768〜1780（1785）
Ⅱ ズベズドチョトフの植民　1795〜1805
Ⅲ 露米会社千島交易所　1828〜1867
Ⅳ 露米会社以後　1867〜1877

1760年代以降、ロシアは千島でのラッコ猟を積極的に推進するために島伝いに南下をはじめ、コサック百人長イヴァン・チョールヌイやその後、やや遅れてヤクーツク商人イヴァン・プロトジャーコノフらの一行がウルップ島に到来し、ラッコ猟をはじめたため、ウルップ島を季節的な猟場としていたアイヌとの間に緊張状態が高まった。1770年（明和7）と翌1771年には両者の間で多数の死傷者が出る事件に発展した。

ロシア人は千島で遭遇したアイヌに対し、毛皮による税金を課し、1731年にはシベリア庁によって千島アイヌ1人につきラッコ1張がヤサークとして納めさせることが決定された（コラー 2002: 58）。ヤサークはロシア国庫の収入の増大と先住民族のロシア大帝に対する服従を意味していた。その後1779年のロシア政府の勅令によって、千島アイヌからのヤサークの徴収が廃止された（コラー 2002: 72）。

さて、第Ⅰ期では、ロシア人が来島しはじめ、ラッコ猟をめぐってアイヌとの間に争闘が持ち上がったり、アイヌに対する毛皮貢税が試みられるなど、衝

突が相次いだ。レベージェフが派遣したブリガンチン船「ナターリヤ」はオランダ羅紗、びろうど、繻子、琥珀織、麦粉、ひきわり、バター、砂糖、塩漬肉、その他1万8千ルーブル相当の商品を満載し、1778年10月に無事ウルップに入港する（ズナメンスキー 1979: 212）。これらの商品は、日本との交易が拒否されたのち、アイヌから食料を調達するためにも使用され、少なくてもその一部は第Ⅱ期に持ち越されたと考えるのが自然であろう。1780年の大地震とそれに付随して生じた大津波のためにロシア集落は打撃を受ける。ウルップと本国を結ぶ予定だったナターリヤが津波のために約400mも内陸に押し上げられ、再三にわたり船を港湾に引き戻す作業が1785年まで続けられたが失敗に終わり、D. シャバーリンは島を放棄することを決意する。

第Ⅱ期は、ルイリスク商人グレゴーリー・シェレホフの指示でヴァシリー・ズベズドチョトフ（ケレトフセ）を指導者とする31人の狩猟者、4人の入植者、3人の女性、2人のアリュートからなる殖民団がウルップにわたり、居を定め、ラッコ猟を実施した。1806年のレザノフの書簡によれば、上陸時、アイヌが島内3地域に約20のユルト（仮設住居）を作り住んでいた。アッケシのトヨン(4)はエトロフのアイヌの尊敬を集めていた。彼らはロシア人集落をおとずれ、シェレホフのためにラッコ皮1枚とキツネ皮数枚を贈ったにもかかわらず、ズベズドチョトフが横柄な態度で接した（Tikhmenev 1979:178-179）。このときトヨンは300ルーブル相当の綿布と種々の取るに足らない品を入手した。日本側の文献には、アッケシ乙名のイコトイが、1795年（寛政7）にラッコ皮2枚をロシア国王に進上したという記述がある（『近藤重蔵史料一』: 32, 39）。また、アイヌはロシアのリンネル製品、針、サーカシアン（ロシア南部地方）煙草をことのほか入手したがり、鍋や穀類を持参したという（Tikhmenev 1979: 177）。

この時期に関連する日本側史料によれば、1795年（寛政7）60人あまりのロシア人がワニナウにラッコ猟のために上陸した。(5)1798年までに死亡したり、帰国したりなどで集落の構成員は徐々にその数を減らし、17人（うち3人が女性で、1人はシモシリアイヌ）がオホーツク海側のトボ（トウボ）に移り住

第 4 章　千島列島における先住民交易ネットワークの形成と変容　145

んでいることを伝えている（『近藤重蔵史料一』）。たまたまウルップに滞在していたアッケシのアイヌ首長イコトイとそのウタレ（配下、仲間などを指すアイヌ語）らは、これらのロシア人と面会し、交易を行い、ウルップで捕ったラッコの半分はロシア人へ、残り半分は松前へ出していた。ロシア人からイコトイ側へ十徳、その他の反物類がわたっていた（『近藤重蔵史料一』：39）。18世紀末の日本とロシアの間にあって、交易物資のやり取りを中心とする活動の中継者・仲介者として活躍するイコトイの姿を描き出すことはできよう（菊池 1999b: 79）。ただし、当時イコトイは道東やクナシリ島のアイヌと抗争を行い、和人からも「悪党」とさげすまれ孤立していた。ウルップ島に滞在中のロシア人との円滑な交易を望んだのも無理からぬことではあった。

　幕府は蝦夷地近海にヨーロッパの船がしきりに出没するという緊迫した情勢に対応して、たびたび調査隊を蝦夷地に派遣する。ウルップ島にも 1786 年（天明 6）に、最上徳内が調査におとずれて、すでにロシア人の動静を探っている。

　東蝦夷地が幕府の永久上地となり、直轄政策がしかれるようになると、ウルップ島のロシア人を締め出すために、1803 年（享和 3）には生活必需品（米、酒、煙草）がわたらないように、アイヌのウルップ島への出猟を意図的に禁じた。ズベズドチョトフの死もあって植民集落は崩壊し、第 II 期は幕を閉じる。この間の経緯は日本側の文献によれば、ラショワ島のアイヌマキセンケレコウリツが惣長夷ケレコレの指示により、レフンチリホイ島、ウルップ島、エトロフ島の様子を視察しようとした際にあきらかとなる。すなわち 1805 年（文化 2）夏にレフンチリホイ（チルポイ）島に到着したマキセンケレコウリツの一行は、カムチャツカへの帰還の途上にあったウルップ島のロシア人の一行に遭遇した。子細をたずねると、次のような返答があった。

　　「永々ウルップ嶋に住居する處本国より便なく、持参の着類諸道具も追々に損失し、志かのみならず一両年以来はエトロフより蝦夷人渡来する事なく、交易の道も絶たれば所得すべき事なく」（中略）「當春ケレトフセワシリコンネニチの両人彼嶋（ウルップ島：筆者註）にて病死し、其外女子壱

人去年病死し、残り十四人今度ウルツプ嶋を引拂ひ、當しま（チルポイ島：筆者註）に至り風待して居るなり」(『休明光記』巻之六)。

このことから幕府の交易遮断策はアイヌとの交易に依存していたロシア集落の存続を絶つ上で一定の効果をおさめたことを看取できる。第Ⅱ期以後しばらくの間、日露双方のウルップ島の開拓は中断する。

富山と深山がエトロフアイヌのサケロクの案内によって踏査した際の情報にもとづき、羽太正養がまとめた『休明光記』に所載された図には、ロシア人の風俗や住居についての場面が描かれている。検討に用いる図は、原本と目される函館市中央図書館本である。本章で掲載する休明光記の挿絵はすべて函館市中央図書館本である。

ケレトフセ（図48）は、首の周囲にカラー状のえりを回し、紺色の唐桟留を筒袖にして合羽のようにした上衣を着用し、黒天鵞絨の股引に黒革沓をはいている。髪は赤く縮れ3つ組にしている。手には模様のはいった更紗木綿をもっている。従者（図49）は黒革製の笠を捧げ、背中にあわせ目のある黒木綿、あるいは赤革の外套を身に纏っている。紺黒色の木綿股引に黒革沓をはいている。髪は背中に長く垂らしている。女性3人と子どもの図（図50）には、別の着物が描かれている。女性は頭を桃色絹製らしき頭巾で包み、萌黄の唐綾織ショールを背に纏い、絞染めにした羅紗のスカートをはき、黄色木綿の前掛けをしている。子どもは紅染木綿に紅染羅紗のスカートを纏っている。

いずれの人物も黒革の沓をはいている。ワニナウの集落址では、紳士・婦人・子ども用の種々のサイズからなる沓が発掘されている（シュービン1990, Shubin 1990）。

絹や木綿をふんだんに使ったカラフルな風俗は日本側使節に会うための晴れ着であったらしい。ふだんはイヌの皮の服を常用し（『近藤重蔵史料一』：30）、晴着は倉庫に保管しておいたものであろう。このことは、アイヌとの交易品にあてるために保管したことをも示唆している。ただし、1796年（寛政8）にまだワニナウにいた折には「反物類毛織サラシヤランベ其外何ニ而も夥敷有之」状態で、米さえ持参すれば、どんな品とも取り替えてくれた（『近藤重蔵史料

第 4 章　千島列島における先住民交易ネットワークの形成と変容　147

図 48　ケレトフセ図（『休明光記巻之三』函館市中央図書館蔵）

図 49　役者図（『休明光記巻之三』函館市中央図書館蔵）

図 50　女性 3 人と子ども図（『休明光記巻之三』函館市中央図書館蔵）

図51　穴居図（『休明光記巻之三』函館市中央図書館蔵）

一』：35）のが、このときにはのちに述べる「板蔵」のなかに「衣類抔も殊の外手薄なる體」というように手薄な状態だったという（『休明光記』）。また、ロシア集落には鍛冶屋がひとりいて、西方からやってくるアイヌの注文に応じて、刃物を器用にこしらえてわたしていたという（『近藤重蔵史料一』：31）。アイヌがみずからの意志で、この鍛冶屋の製造する鉄製品を求めていたことになり、同時にその見返りに何らかの物資を持参したことが推察できる。

　富山らが確認した建物は、穴居1、板蔵1、食料を貯蔵する萱蔵1の合計3軒である。このうち図があるものは、会見に使った土手に穴をうがって作り、天井に小さな煙抜きのある穴蔵のような住居で、おそらく半地下式の穴居（竪穴住居）と板蔵の2図である。

　穴居には入口が2個所あり、その間は3～4間の廊下状の通路で結ばれている（図51）。戸の窓の1つには雲母が張られた窓がみられ、断熱性を高めるた

めの厚い屋根の構造とともに、この当時のロシアアメリカ植民地の典型的な特徴の1つとみなすことができる（Crowell 1997: 104）。筆者はウルップ島の東隣の小島チルポイ島で、やはり窓として使用されたと思われる多量の雲母を出土する接触期の竪穴住居（暦年較正年代 A.D.1655-1951）を調査した（Fitzhugh et al. 2002）。このように雲母は、窓の部材としてロシアアメリカ植民地内で流通しており、珍しい部材ではなかった。この他、煙出しの穴がみられることは炊事・暖房が可能であったことを物語っている。

　板蔵は、高床式で4本の柱によって持ち上げられており、はしごを使って昇降する（図52）。中段には唐銅の大筒が2門みえる。幕吏がここを退去するとき、この大筒を放ったことが記されている（『休明光記』）。レザノフによれば、この大砲は真ちゅう製の3ポンド砲が2門で、この集落がたやすく攻略されることはないという自信の根拠ともなっていた武器のひとつである（Tikhmenev 1979: 177）。18世紀後期に製造されたほぼ同規模のロシア製2フント砲の図面（図53）と比較して、銃身のつなぎ目、尾部などの構造は、ほぼ正確に描かれているようである。2門の大筒の寸法は、『近藤重蔵史料一』によれば1尺5寸、廻り長さが3尺ばかりとあるので、口径が30数cmで、全長がおよそ90cmとすれば、全長が図と比べてやや短すぎるものの、ロシア史料とも矛盾がない。宮城県図書館蔵の写本図を検討した佐藤は、形状からみて、この大砲の武器としての効果を疑問視している（佐藤 1999:4）。しかし、この写本では大砲の形状はかなり簡略化されて描かれており、また、はしごの位置や柱の描き方も図52と大きく異なるので、この写本から即断することは避けるべきであろう。なお、この板蔵には網、その他の漁労具、鉄砲、古着を入れ置く蔵がある。実際、大型の引網を使った漁労活動と捕った魚を干魚に加工することはロシア人らの重要な生業活動であったという（『近藤重蔵史料一』）。

　第Ⅲ期は、北太平洋における植民地の独占的な経営活動（毛皮獣捕獲、鉱物資源の利用と販売）を認められた国策会社としての露米会社（Russian American Company: RAC）が、1828年にP.E.チスチャコフの指示によりA.K.エトリンを指導者とする殖民グループを派遣し、ワニナウにおいて集落

図 52　板蔵図（『休明光記巻之三』函館市中央図書館蔵）

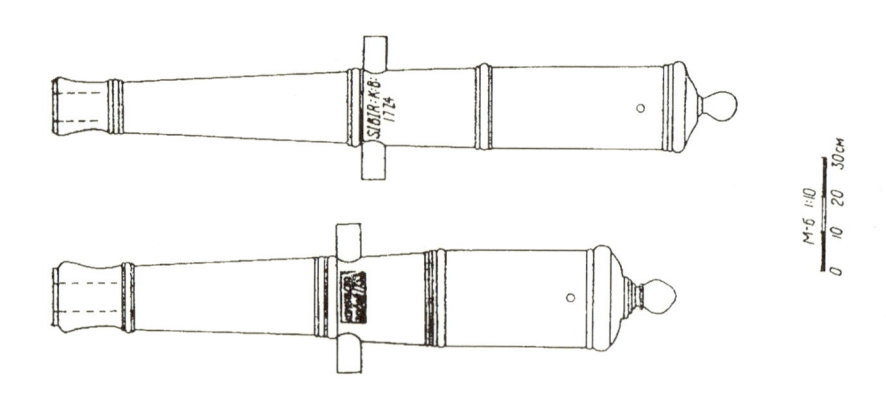

図 53　18 世紀後半のロシア帆船『ピョートル』に積載された大砲図（Леньков et al. 1986）

の復興を図った (Fedorova 1973: 145)。狩猟を効率よく実施するためにコディアック島の先住民を約50人移住させた。冬期間に狩猟者はラッコ猟に携わり、1829年にかけて80万ルーブル相当の毛皮を獲得し、会社に大きな期待を抱かせた (手塚1993b: 301) (表5)。1830年にはシムシル島のブロートン湾にも集落が築かれ、露米会社の千島事務所が設置された。

表5 ウルップ島 (ワニナウ) の居住時期と集落構成人員

ステージ	年代	人口構成
RAC以前	1768～1780	不明
ズベズドチョトフのコロニー	1795～1805	31 狩猟者、4 入植者 (農民) 3 女、2 アリュート
RAC毛皮交易所	1828～1867	50 男、20～30 女
RAC以後	1867～1877 1876	70 33 (戸数12)
～20世紀	1877～1945	不明

1867年のアラスカ売却にともなう露米会社の存続以降もアリュートカ湾のロシアアメリカ集落は存続していた。この第Ⅳ期の具体的な集落の人口構成の変遷は不明であるが、千島・樺太交換条約の締結直後に開拓使が実施した調査によって1876年 (明治9) には33人の先住民だけが居住していたことが判明している。

4. 現代の調査からみた帝政ロシア期集落と住民の生活

1984年以来、ウルップ島の拠点的集落が形成されていた太平洋岸中部におけるサハリン州郷土博物館を主体とするチームの調査、あるいは1991年と2000年に行われた露米加日の研究者による国際的な学術調査によって、第Ⅲ期以降に相当する集落の全容が解明されている (Шубин・Шубина 1986; 右代・手塚1992; Fitzhugh et al. 2002)。遺跡は2本の河川に挟まれた海抜5m程度で、全長200mの海岸段丘上に約4000㎡以上の範囲で広がっている。これまでに上記の時期に相当する多数の竪穴住居や平地式の木造家屋などの住居跡が発掘調査されている (図54)。

図54 アリュートカ湾（小舩港）の全景（1991年著者撮影）

　ウルップ島におけるラッコ猟は、樺太・千島交換条約の締結にともない1876年（明治9）に千島の視察を行った開拓使役人のレポートによれば、ウルップ島の小舩港では、11軒の竪穴住居に33人のいわゆるアリュート[6]が居住していることが確認された（長谷部・時任 1969（1876））。竪穴は地面に約150～180cm程度の深さの穴を掘り、柱は流木で築き、屋根は草葉で葺き、そのうえを土で覆うもので、表面からはその存在をなかなか察知できなかったという（図55）。福士成豊と飯田信良によって1876年8月に作製された「北海道千島州得撫郡得撫嶋東海邊小舩港図」には、湾奥の海岸砂丘上に人家穴居としか注記がないが14軒の家の所在を確認できる（図56）。前年に実施された1875年（明治8）の調査時に開拓使測量課官吏福士成豊によって残された見取図やスケッチには、海岸線の情景の他、これらの複数の住居と露商ヘリピュースの地表式倉庫の位置関係や状態を確認できる（図57）。この調査当時、露商の姿はなく、いわゆるアリュートがこの集落に居住していた。
　露商ヘリピュースの地表式倉庫は、1980年代にロシア人研究者がこの湾で

図55 アリュートカ湾岸遺跡で調査された帝政ロシア時代の先住民の竪穴住居址

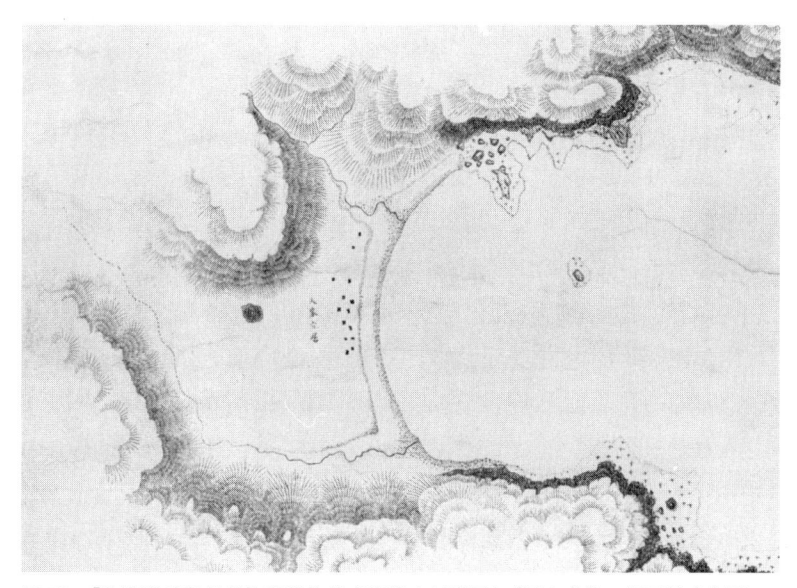

図56 『北海道千島州得撫郡得撫嶋東海邊小舩港図』(福士成豊・飯田信良作図、北海道立文書館蔵)

図 57 クリル諸島海線見取図から『ウルップ島土室之図』(福士成豊作図、北海道大学付属図書館蔵)

　発掘をはじめたときには、すでに朽ち果てその姿はみとめられなかった。考古学調査の結果、保存状態の良好な地表式住居の基礎を確認することができ、その成果にもとづいて復元された家屋は3つの部屋に仕切られた小屋である（図58）。周囲には第Ⅲ期に相当する住民のものとされる数軒の竪穴住居が発見されている。福士のスケッチの左手に位置する住居が、露商ヘリピュースの地表式倉庫であり、他の地面を掘削した竪穴住居と構築方法が異なり、それらのほとんどと長軸がずれているなどの点から、ロシア研究者の復元図に描かれた家屋と同一のものとみるのが自然であろう。その場合、露米会社解散以後も、本国からの補給が先細っていくなかにあって集落にとどまっていた先住民たちが居住していた竪穴と同様、第Ⅳ期に相当する建物である。
　開拓使はさらにウルップ島の東北隣のシムシル島で13軒に57人のアリュートがいることを記録し、集落の位置を見取図におさめている（図59）。湾奥左手に部落が図示されフエルペーヤ手代住家、飲喰家禄備庫、アレウト人穴居と

第 4 章　千島列島における先住民交易ネットワークの形成と変容　155

図 58　アリュートカ湾岸遺跡で調査された帝政ロシア期家屋復元想定図（Shubin1990）

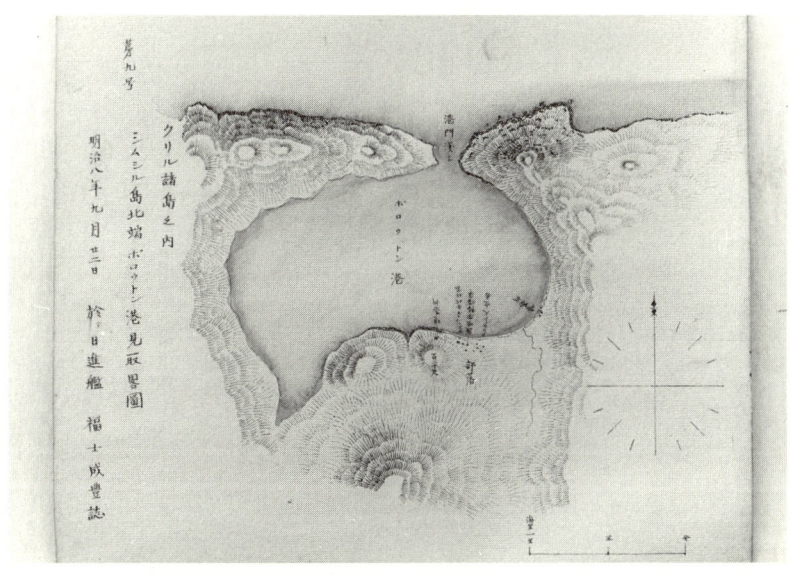

図 59　クリル諸島海線見取図から『シムシル島北端ボロウトン港見取畧図』（福士成豊作図、北海道大学付属図書館蔵）

いう表記がみえる。なお、集落から少し離れた場所に墳墓所が2箇所存在する。

第Ⅳ期の集落構成人員については、露米会社史料によって1860年当時のデータが存在する。ロシアアメリカの千島（クリル）部のシムシル島とウルップ島をひとまとめにしたものであるが、総人口は253人である。その内訳は、ロシア人が男1人、クレオールは男4人、女6人、その他、区別はできないが、アリュート、アラスカ先住民、千島先住民合わせて、男120人、女122人となっている（Fedorova 1973: 205）。

また、開拓使は3人乗りのバイダルカ（革舟）をシュムシュ島で収集している。このようなアリューシャンやアラスカ海域で先住民に使用されていたのと同じタイプの機動性のある皮舟が、ラッコ猟にも威力を発揮したであろうことは想像に難くない（図60）。明治初年に千島のラッコが貴重な産物として認識され、その狩猟が特殊な皮舟で実施されていたことに、当時すでに世間の注目

図60　アリュートの皮舟によるラッコ猟（大日本物産図会『千島国海獺採之図』歌川広重、北海道開拓記念館蔵）

が集っている。交換条約で日本領になった千島のラッコに関心を抱いている様子がうかがえる。開拓使の調査からまだ間もないことと、実際に3人乗りのバイダルカが収集されていることから、それらの見聞に影響されているらしく、あまり一般的でないアリュートの3人乗りのバイダルカになっている点は興味深い。

5. 帝政ロシア期集落のインパクト

　菊池による種々のロシア文献（ロシア人がウルップ島に恒久的集落を構築する直前の時期までのもの）の詳細な分析の結果、次のようなアイヌ間の長距離交易ネットワークが機能していたことが判明した（菊池 1995b: 337-354）。
　北海道のアイヌは、松前から日本製の加工品である絹織物、綿織物、刀、鍋、漆器などを入手していた。これらの製品は北海道のアイヌからクナシリ島のアイヌの手にわたり、ついでクナシリ島のアイヌからエトロフ・ウルップ両島のアイヌの手にわたり、そこからシャシコタン島経由でオンネコタン・パラムシル・シュムシュ島のアイヌの手にわたった。それらの日本製品と引き換えに、シュムシュ・パラムシル・オンネコタン島のアイヌからは、ラッコ、キツネ、鷲の羽などがウルップ・エトロフ両島のアイヌの手にわたり、そこからクナシリ島アイヌの手を経てそれらの品々は北海道のアイヌの手にわたったのである。北海道のアイヌは松前の住民と交易をなし、魚、鯨油、獣皮をもたらしている。また、オンネコタン島のアイヌは、カムチャツカ半島の先住民であるカムチャダールとの通婚も知られていた。
　千島列島の全域のアイヌに注目すると、ホロムシリ・パラムシル島を拠点とした集団、ラショア・シムシル島の集団、そしてエトロフ島の集団に区分できる。
　このような日本製品（商品）の流れや、見返りの一次産品の逆流をみると、18世紀の前半まで千島アイヌが北海道とカムチャツカ間の物資流通の仲介役として機能していたことがわかる。ウルップ島にはこの当時、住人が住んでい

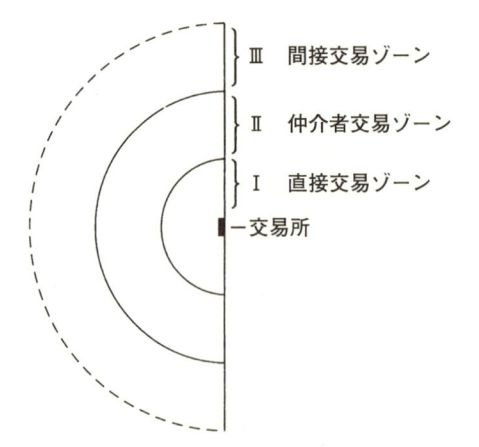

図61 毛皮交易の空間構造モデル（Ray 1978, Fig.1 (b)を改変）

たようだが、18世紀後半にはすでに季節的な狩猟の土地として誰も住まなくなっており、エトロフ・ラショア両島を代表とする南北両千島アイヌによる重要なラッコ猟の猟場として共同で利用されており、入会地としての性格さえ備えているように見受けられる（『休明光記遺稿』）。

ロシア人の到来、そしてウルップ島の集落形成は、幕府の対外政策に変換をせまる材料となったわけだが、こうした交易ネットワークの一翼を構成していた先住民にはどのような影響をおよぼしたのか、この部分を中心に考察してみたい。

かつて、レイは北米東部の毛皮交易を詳細に検討し、毛皮交易の空間構造が3つの異なる同心円状のゾーンで構成されるモデルを提唱した（Ray 1978）。これによれば、ヨーロッパ人との最初の接触直後に、先住民（インディアン）は毛皮交易の内部で交易品などの調達者、交易者、罠猟師として特定の役割を帯びはじめる。その結果、交易システムは交易所を中心に、交易所に近い方から直接交易（ローカル）ゾーン、仲介者交易（ミドルマン）ゾーン、間接交易ゾーンに区分される地域構造を生み出すのである（図61）。

直接交易ゾーンは3つの空間のなかで最も交易所に近いので、このゾーンに住む住人は1年のうちにたびたびそこをおとずれることができ、また交易所にもたらす資源をみずから獲得しようとする傾向がある。したがって資源の枯渇を招きやすく、交易所が供給するヨーロッパ製品に依存する生活にいちはやく移行する。

ヨーロッパ製品の分配と毛皮を交易所へ供給する仕事が、仲介者交易ゾーン

の住民によって担われる。みずから毛皮獣を狩猟するより、むしろ交易所から離れた内陸の他の先住民グループと交渉して交易に必要な毛皮を調達する。一般的にこのゾーンに住む交易仲介者らは、1年に1度安全に交易所へおもむくことが可能な範囲に居住している。

　間接交易ゾーンに住む先住民は移動に時間がかかりすぎることと、仲介者がその直接的な交渉を妨げるために、交易所への行き来は制約され、交易所との直接的な毛皮交易から除外される。

　この構造を千島列島にあてはめたとき、道東・クナシリ島のアイヌ、それにエトロフ島のアイヌは、夏は交易の他に季節的狩猟も行っていたが、和産物や鷲羽・毛皮の供給を通じ、より内陸よりの北海道アイヌと北千島アイヌとの仲介的役割を担っていることから、仲介者地帯で活動する先住民と位置づけることができる。エトロフ島のアイヌは交易所との直接的な取引が地理的な距離の制約の点からはるかに限定され、間接交易ゾーン的な性格が強まる。和人の道東やクナシリ島への浸透とともに、このアイヌの仲介活動や間接交易ゾーン的な役割は、直接交易ゾーンのそれに変化していく。定期的に交易船が派遣される松前藩の商場の前線は、18世紀の初頭までに「アツケシ」から「キイタツフ」に延び、クナシリ島に達したのが宝暦年中（1751～63）といわれている（『蝦夷地一件』）。すでに道東地域やクナシリ島の一部にまで和人が進出しており、和人が築いた拠点でアイヌと和人が交易関係にはいっていた。道東の多くのアイヌは〆粕による場所請負労働へと組み込まれる途上にあり、毛皮交易の自由な相互関係が脅かされているときでもあった。エトロフ島のアイヌは運上屋や会所など、和人の拠点から比較的離れていたために道東のアイヌやクナシリ島のアイヌよりも、さらに仲介者交易ゾーン的な性格が強かったと考えられる。これと似た性格を有するのは、ラショワ島アイヌであろう。ラショア島のアイヌは、エトロフアイヌを媒介として、松前藩が希望する千島列島産の軽物類を松前船が道東にもたらす日本製品と交換していたからである（菊池 1995a: 161, 163）。

　イコトイはアッケシの乙名であるが、エトロフアイヌと親族関係にあり、和

人の支配から離れて従来通りの自分稼的な交易主体の仲介交易に利点を見出していていた可能性がある。まさにそんな状況のもとで、ロシア人がこの仲介者交易ゾーンの中央に位置するウルップ島にやってきて集落を形成する。この集落は先住民との交易を目的として形成されたわけではないが、3節であつかったように、結果として周囲のアイヌはこの集落が供給する物質への依存を深めていく。

　一方、ロシア側の史料からは、家畜、家禽の持ち込みと酪農への試みがみえる。シェリホフの指令によれば、農業と牧畜が安定するまで、猟業は差し控えることが求められていた（Gibson 1976: 95）。さらに千島アイヌをウルップ島に居住させ、農耕をさせるように仕向けようと画策した（Tikhmenev 1978: 37）。1770年代のカムチャツカにおける農業生産は安定せず、食糧供給の安定化を探るなかで、南千島における農業の可能性が注目されていた（コラー 2004: 413）。日本側の史料でもロシア集落には、植民団によって持ち込まれた羊、野牛らしき動物の記述がみえる（『近藤重蔵史料一』: 32）。しかし、日照時間の少なさから1796年に植えた小麦、ライ麦、からす麦、エン麦、亜麻はことごとく稔らず、ズベズドチョトフはすっかり農業をあきらめていた（Gibson 1976: 100）。他方アルコール飲料の不足に対処するため、貴重な穀類を蒸留しようとしている（Tikhmenev 1979: 179）。そのような食料が不足しがちな状況を反映し、彼らはアイヌが持参する物資のなかでは、特に米を望み、アイヌをみかけると米を要求したという（『近藤重蔵史料一』: 35）。アイヌが持ち寄る米は欠乏しがちな穀類を補完するうえで、重要な意義を有していたことが想定できる。後年、シェレホフが開かせたこのロシア集落はカムチャツカからの必要物資の供給不足に悩み、住人は逃げ去るか病気にかかり、ズベズドチョトフもついにウルップ島でその生涯を閉じることとなった（Berkh 1974: 79）。

　したがって、両者の交易を求める姿勢は一致し、和産物の供給地から隔たったアイヌにとっては、ロシア集落の形成が交易所の開設と同じ意味を有していたことになる（図62）。イコトイはみずからもウルップ島でラッコ猟や鷲羽の

採取に従事するが、和産物を千島にもたらし、クナシリ島、エトロフ島およびそれ以東の千島アイヌの生産物を和人に持ち帰る仲介者的交易者の立場を占有する。しかし、ウルップ島にロシア集落が形成されてからは、エトロフ島のアイヌが交易所としてのロシア集落に最も近接するアイ

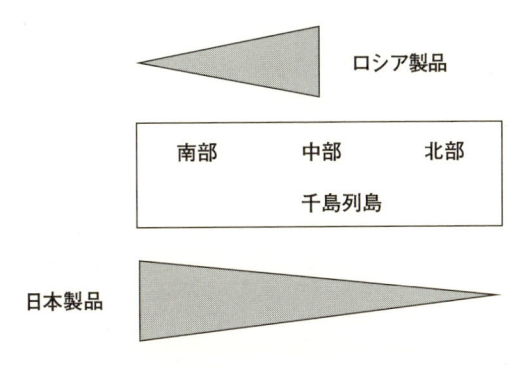

図62 ロシア集落設置後の千島列島先住民社会における移入品獲得レベルをあらわすモデル

ヌとなってしまい、イコトイが和産物を容易に入手できるアッケシの地の利を生かしての仲介者的立場を維持することが困難になったとみられる状況が出現する。それは1796年（寛政8）からイコトイがエトロフ島に数年間逗留し、エトロフアイヌを実効支配し、「エトロフ惣乙名と相成可申」と記述される事実（『近藤重蔵史料一』：24）と何らかの関係がありそうである。さらにそれまでエトロフアイヌは定期的にクナシリアイヌと交易していたが、交易船をだすことをイコトイに止められていたために、クナシリ惣乙名がエトロフ島に出向き、イコトイに直談判したことによって交易が再開する。その理由として近藤重蔵は、イコトイの認可の他に「赤人江注文之品も有之故」（『近藤重蔵史料一』：24）と推察している。つまり、ロシア集落に特別に注文して作らせた交易品の存在がクナシリアイヌとエトロフアイヌの交易のインセンティブになったというのである。

短期間に過ぎなかったが、アイヌはこの集落から絹、木綿、羅紗、金属製品、煙草など、道東の運上屋や会所で入手できたものとほぼ同じ内容の物資を入手できたのである。このことは、いわゆる辺境地域に居住し、外来物資にアクセスする機会が限定されている先住民が、難破船の積載物資や舟の部材（鉄製品）を再利用するために意図的に利用する状況、たとえば1783年（天明3）にウルップ島にたまたま漂着したロシアの大船の積荷を猟業に来ていたアイヌが多

勢で分配し、船を焼き捨てた事実（『蝦夷拾遺』、『蝦夷草紙』）と構造は類似している。しかしロシア集落の場合は、はるかに長期間交易拠点として機能し、さらには双方向的な取引が行われた点で、交易所に近い性格を考えることができる。

6. 交易品の分配と社会階層の関係

　以上日露双方の文献を対照することによって、千島列島中部～南部地域において、ロシア集落が交易所と同等の機能を果たしていた様子を確認することができた。それまで和産物を入手するうえで和人交易拠点から最も遠隔地にあり、クナシリ島やアッケシのアイヌの手を通じて、和人物資を入手する機会が多かったと思われるエトロフアイヌも、ウルップ島のロシア交易拠点ができてからは、その拠点への接近が頻繁にできるようになった。ロシア製品を入手し、それを近隣のアイヌへ自主的に流通させる立場に転換できたことを想定できる。ロシア集落との関係は、幕府による交易遮断政策が効を奏し、終末を迎えるが、明確な証拠はないものの、あらたに第Ⅲ期以降もロシア集落とアイヌ間で何らかの交流が続いていた可能性は残されている。

　ところで、これらのロシア・日本製品への依存や入手のプロセスは、先住者の側の社会的な地位や身分（乙名など長老層とウタレなど平民層）によっても異なり、一定の社会階層の成立によって、外来物資へのアクセスのしやすさがあきらかに変化している。近世の場所請負制下で職掌や階層の分化が生じ、経済格差が顕在化すると、豊かになった一握りの首長層（乙名）が自己の経済的権威を誇示するために、クマ送り儀礼などの儀礼を盛大化させたことが指摘されている（秋野 2006: 212）。身分階層化がアイヌ文化内部で種々の影響を果たしていたことが推察できる。

　1712年（正徳2）にエトロフ島に漂着した大隅国の船員が、島でアイヌが船員から奪い取った着物を、位の高い者（「おつてな」原文によれば「老人又は頭立重ンじ候人」、「おつかいほう」など）から順番に分配し、下々にはまれ

にしか行きわたらないと述べている（高倉編 1969: 8）ことがつぎの記録からあきらかとなる。

　　一、剝取候衣類は位のよき者共着仕候。下々にてもまれに一つは着申候。米も位よき者食給申候。

着物だけでなく、米など
の穀類の配分も身分階層と密接にかかわっていることは注目に値する。そうした移入品への入手と階層の関係をモデル化するとこのようになるであろう（図63）。

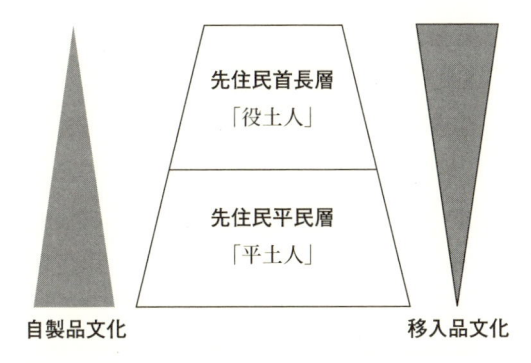

図63　物質文化の量的入手状況におよぼす社会階層化の影響をあらわすモデル

　松前藩によってエトロフ島にまだ場所が開設されていない段階でも、「ゑとろふ惣頭おとな共」と呼称される首長格のアイヌが存在したことが、1756年（宝暦6）の漂流船乗組員の見聞からあきらかである（川上 2006: 14-15）。この一定の社会階層化の成立や配分のルールの確立が、いつごろまでさかのぼるのかは判然としないが、交易品を獲得するために特化した狩猟活動の開始、交易品の需要拡大、交易の進展による難破船の漂着回数の増加、交易所の開設による和産物やロシア製品へのアクセスの改善、猟場の使用を異なる集団間や集団内で管理する必要性の増大、などの要素とおそらくは密接に関連していることを指摘しておきたい。

註
(1) 本章は2003年3月の北海道開拓記念館研究報告第18号のなかに「ウルップ島の帝政ロシア期集落」と題して発表した論文に、発表後いささか歳月が経過したことに鑑み、それをいわば底本とし、あらたな知見と社会階層制の評価、および交易フロントとしてのロシア集落の機能が長距離ネットワークに与えた影響を要約したダイアグラム等を加味して再検討したものである。

(2) 東京大学史料編纂所編纂『大日本近世史料近藤重蔵蝦夷地関係史料一』1984年。以下、本文では『近藤重蔵史料一』と表記。

(3) ケレトフセは、ロシア語のペレドフシチクのことで、先導者の意味である。このロシア人の正式な名はヴァシリー・コレニオヴィチ・ズヴェズドチョトフである（木崎1991: 84）。またトボ（トウボ）の正確な位置は不明であるが、最上徳内の『蝦夷風俗人情之沙汰付図』によれば、オホーツク海岸の中部にその名がみえる。

(4) このトヨン（Toion）とは、カムチャダール語に由来する首長という意味である。帝政ロシア期の植民地経営文献に頻出する用語だが、ロシアが現地に住む先住民の表立った者に役職を与え、植民地経営の足がかりとしていた。日本史料にもシレイタがロシア人からトヤンという役職を与えられていることが出ている（東京大学史料編纂所編 1984: 29）。

(5) ワニナウは現在、アリュートカ（Aleutka）湾と呼称されている。明治期の日本側による調査では小舩港とある。

(6) このアリュートとは、アリューシャン列島に居住するアリュート民族だけを指すのではなく、アラスカのコディアック島民やクレオール（先住民とロシア人との婚姻によって生まれた人びと）も含まれる。

(7) この皮舟は収集後、開拓使東京仮博物場におさめられていたが、函館仮博物場へ移管となり、その後函館県博物場、第二博物場で道内初公開されたあと、市立函館博物館内に展示された（長谷部 2003: 161）。3人乗りはロシア人到来とともに登場し、真ん中のハッチはロシア行政官が中央に乗るために設けられている（長谷部 2003: 161）。

(8) 船を焼く行為は、略奪の証拠を隠滅しようとするねらいの他、舟釘などの鉄製品を入手しやすくする目的もあった可能性がある。事実、ロシア側でも、津波で内陸深くに打ち上げられた自船の引き戻しに失敗したのち、舟釘を回収するために船を焼き、その釘の一部がエトロフアイヌの手にわたったことが記録されている（東京大学史料編纂所編 1984: 29）。

第5章　千島列島への移住と適応
―― 島嶼生物地理学という視点 ――

1. 海洋環境への進出

　柳田国男は三河の伊良湖崎の浜辺に漂着した椰子の実に着想を得て、はるか南方から日本人の祖先が稲の種を携え、南から北へ、小さな低い平たい島から、大きな高い島の方へ徐々に進み寄ったという、南方からの壮大な渡来説を「海上の道」で展開した。このなかで、漂流者や漂流物はランダムに到来するのではなく、古来から、潮流と季節風の関係で、ものの流れ寄りやすい区域が限られていることも指摘している。

　海は終着駅（障壁）ではなく、外部の世界との交渉の架け橋（接点）となっているという視点は重要である。もちろん海を制するための生態的知識（情報）、および航海や食糧獲得のための技術の習得は、海洋に面した生活を支える不可欠な要素であることはいうまでもない。

　島嶼への人の移動がはじまった時代は人類史のうえでそう遠い過去のことではない。ことに千島列島のような 1,000 キロを超える列島地域に人が居住できるようになるためには、克服すべき課題が数多く存在した。航海術に加え、大陸に比べ安定した食糧基盤の確保も難しい。移住開始時点での人口も小規模で、安定人口に到達する前に自然災害などの影響を被りがちであり、さらには故地との連絡もままならないなどの特性がある（手塚・添田 2008）。

　すぐれた航海術や交易ネットワークが確立し、他地域からの物資の調達が可能なレベルに達していた北千島のアイヌでさえ、19 世紀の人口が数百人程度だったと推定されることからも、島への適応がいかに困難なことかがわかる。島の生態系は微妙なバランスのうえに成り立っており、ひとたび島の資源を枯

渇させると、その回復は容易ではない。この意味で、イースター島のモアイ像を建造するために多数の木材を消費し、森林を荒廃させた島民が、外洋航海カヌーの建造を断念させられ、主要食糧だったイルカの捕獲ができず、結局は人口を激減させてしまった話はよく知られている。800年前にニュージーランドに達した狩猟採集民が、わずか100年足らずでモア（空を飛べない大型鳥）を絶滅に追い込んだ事実もある。

　千島列島は冷温帯の北海道から亜寒帯のカムチャツカ半島の間に南北1,200キロにわたって位置し、大小さまざまな面積の島から構成されている。活火山や海底火山が多数分布し、大型の島にも人類の居住好適地は限られている。気象条件とエコシステムにおける相互作用を検討するうえで、千島列島は外部との連絡が制限され、孤立性が高くパラメータの少ない実験場としての好適な条件を備えている。歴史を通じて千島列島は多様な文化や人間集団が境を接する地域であり、相互交流のネットワークと文化多様性が維持されてきた。類似した環境や景観史を有してきた他地域との文化システム相互の比較にも重要である（手塚 1993b, 2003c, 2007; Tezuka 1998）。沖縄、カリブ海、ポリネシア、地中海などの先史時代を参照すると、大きな島、大陸、あるいは大きな島から近距離に位置する島、あるいは海産資源、ことに大型の海獣がコンスタントに利用できる立地であれば狩猟採集で生活できるが、その他の場合には農耕が必要だったとされる（高宮 2002）。海洋狩猟採集民は適応のあらゆるバリエーションのなかで最も複雑なものであり（フィッツヒュー 2002）、人間の海洋環境への適応過程を地球規模で比較する必要性があろう。島嶼はこの種の研究を推進していくうえで多くの知見を提供してくれる。

　本章では、これまで実施した千島列島の学術調査の成果を踏まえ、千島列島という、大海原に周囲を囲まれ、外界との接点が限られる特殊な環境のもとでの人の適応の特性と今後の島嶼人類学研究の展開についてその見通しを述べることとする。

2. 千島列島調査計画——IKIP から KBP へ——

筆者は1991年の夏、中部千島列島のウルップ島での考古学調査を経験し、千島列島への先史時代から歴史期までの人びとの移住や人類学の重要なトピックとしての海洋適応の問題を考えるきっかけをもった。その後2000年には、2つの全米科学財団（National Science Foundation）の助成による国際千島調査（IKIP International Kuril Islands Project 1994-2000 Pietsch, P.L.: DEB-9910410; Fitzhugh, B.:DEB-9910410）に参加し、千島列島のほぼ全域で先史時代の遺跡の考古学調査を行った（図64）。また、2006年には同じくフィッツヒュー（Fitzhugh, 米ワシントン大学）を代表とする国際調査団（KBP Kuril Biodiversity Project）に加わり、多量の年代測定試料を採取するとともに、生態系のシミュレーションに必要な気象・地球系のデータを収集した。2010年まで日米露の国際的な組織での継続調査が計画されているが、2008年

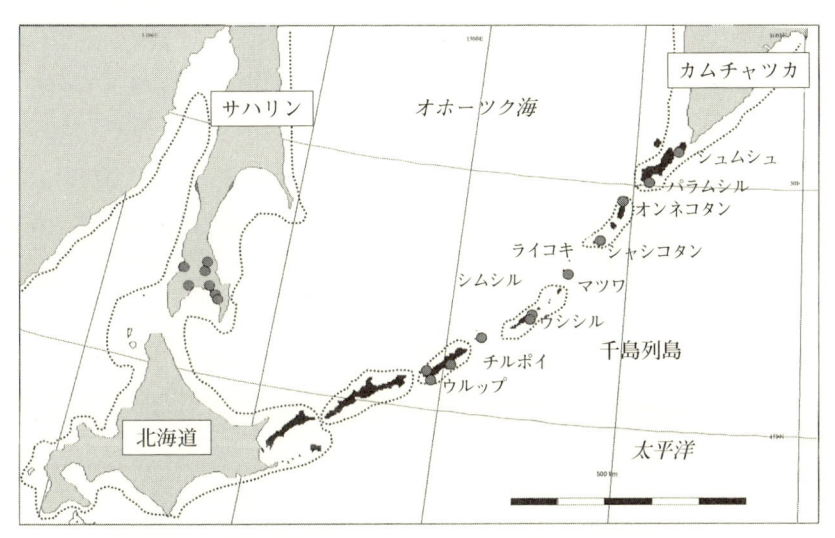

図64 IKIP2000 調査地点（Fitzhugh *et al.* 2002, Fig.1 を改変）
破線は最終氷期のおおよその海岸線を示す。

の発掘調査で得られた情報やデータの分析を現在実施中である。

　島ごとに異なる気象・生態・地理的条件を有し、有用資源や居住好適地が偏在する島嶼環境に適応した人類の集約的な資源・土地利用にかかわる戦略を検討するためには、考古・人類学的手法に加え、古生物、古環境などの専門家の関与が重要となる。学際領域を広げた調査活動によって、カタストロフィックな、あるいは漸次な環境変化のデータを測定し、それに対する人類の脆弱性や耐性を究明することができる。その枠組みのなかで、考古学、動物考古学、古生態学、海洋学、地質学、古気象学のデータによって検証可能な人類―環境の相互作用の性格、規模、存続期間を考察することができるようになる。そのためには考古学者が単独に発掘を進めるのではなく、自然科学データの分析も加味して、島嶼における長期間の人類―環境の相互作用を観察しうる文化システムのモデルを構築する必要が不可欠である。こうした統合的文化システムモデルの内部では、気象系、陸地系、海洋系、地球系の構成要素が密接に絡み合って、人間集団の経済的選択、および技術的能力を決定づけている。このうち、陸地系、海洋系の現世種のデータベースは国際千島調査(IKIP)ではっきりし、公表されている（Takahashi and Ohara eds. 2004, 2006）が、実際に人類が利用した動植物の同定と当時の環境については、動・植物考古学の手法で明確にする他はない。また、居住に影響をおよぼす噴火の規模・頻度・履歴については、火山学者の地質調査によって解明をはかる必要がある。津波の直接的な影響や海水面変動については珪藻等の分析によってあきらかにし、遺跡内の津波被害などの実態に迫ることができるものと予想される。事実、珪藻の分析によってオホーツク海の古環境の復元の努力がはじまっている（嶋田他 2000; 手塚・添田 2008）。

　また、集落・生業形態に関し、バイオマス豊富な北洋の海洋資源に依拠し、拠点集落を軸に定住性の高い生活を送っていたか、微妙な生態系に属する食資源を枯渇させず、頻繁に集落移動を繰り返す生存戦略を採用していたかは、遺跡立地や海岸線の位置から推測する手がかりを入手することが必要となろう。

　これまでの千島列島各地域における調査研究によって、過去5,000年間にお

ける人類の居住、定着、断絶、放棄のサイクルは、種々の社会的・経済的・技術的な制度のもとで繰り返されてきた証拠が提示された。それらは縄文・続縄文・オホーツク・アイヌ文化の4期に区分することが可能である。

3. 千島列島の考古学的研究

考古学上の文化編年を導入して人類の千島移住の過程の一端を分析することは、一定の成果をおさめた（右代・手塚 1992; 山田・手塚 1992; 手塚 1993b, 2001, 2003c, 2003d; Fitzhugh *et al.* 2002; Tezuka and Fitzhugh 2004）。また KBP の発掘調査で得られた成果については、土器・石器などの考古遺物だけでなく、それらが出土した層位から一緒に採取された多数の年代測定試料や動・植物遺存体とともに現在分析中である。正式な成果はいずれ公刊される予定の報告に譲ることにして、1999 年と 2000 年に実施された IKIP の成果を中心に 2006 年の KBP による成果の一部も盛り込みながら、従来の考古学者たちの見解とともに千島列島の先史文化の概況をまとめることとする。IKIP の考古学調査の詳細についてはすでに刊行した論文等を参照されたい。

ベーリング陸橋以外の最古の北米移住ルートの存在は、古くから議論の対象となってきた。その可能性の1つとして、千島列島からカムチャツカにいたり、チュクチ半島に向かうというルートの存在がある。これに関し、近年、人骨の頭顔形態（craniofacial data）の比較研究から、旧大陸の最北部、極東部、および新大陸への移住が 15,000 年前に行われたことが指摘され（Brace *et al.* 2001）、反響をよんでいる。この更新世後期における新大陸の移住は2つの経路をとり、一方はシベリアからチュクチ半島方面に向かい、他方は北海道から千島列島沿いに北上し、カムチャツカを縦断して先の経路と合流し、ベーリング陸橋を目指すというものである。この仮説は、北米のカナダ・アメリカ国境に居住する先住民が、アジアのどのグループとも類縁を示さず、ヨーロッパ人や北海道アイヌ、縄文人、オセアニアのポリネシア人に近いという結果を示したことに依拠しているという。

考古学的には、クナシリ島、エトロフ島、シュムシュ島で旧石器が出土している(野村・杉浦 1995)。旧石器に相当する遺跡が存在する場合、クナシリ島、エトロフ島、シュムシュ島やパラムシル島など先史人の生活がしやすい大きな島に限定されるように思われる。

縄文文化の遺跡はウルップ島以北では確認されておらず、その分布は南千島中心とみていいようである（野村・杉浦 1995）。南千島では少なくても縄文中期後半（北筒式）の土器が出土している。続縄文時代にはクナシリ・エトロフ両島では、縄文より数多くの遺跡が発見されており、興津式、下田ノ沢Ⅰ・Ⅱ式、宇津内Ⅱa式、後北C2・D式などの土器群が出土している。

杉浦によれば、続縄文前期では宇津内系の土器は稀少で、釧路・根室地方の在地の土器である下田ノ沢系の土器が大部分を占めているという（杉浦 1999）。続縄文の前半にはウルップ島の南端のオホーツク海に面したアイヌクリーク遺跡やウルップ島のすぐ東隣りの小島チルポイ島のペスチャナヤベイ遺跡等大集落遺跡が存在する（図65）。前者では海岸段丘上の広い範囲にわたっ

図65　チルポイ島ペスチャナヤベイ1遺跡
平野部のくぼみは竪穴住居址群。右はオホーツク海、左は太平洋。2000年著者撮影。

て住居が形成され、文化層が複数存在し、炭化物、石器、土器、骨角器、木器が豊富に出土する。海をわたって土器を持ち込んだものの短期間しか居住しなかったというような土地利用のあり方ではない。後者も海岸砂丘上に竪穴が密集し、多量の土器、石器が崖面から出土する。あくまで、少なくても季節的に定住し、周囲の豊富な海産資源を繰り返し利用してきた状況を反映している。海洋適応がある意味で完成していたことを想起できる。その背景には交易や気候の温暖化などが考慮されているようだが、ミクロなレベルでの気候の変動についての知見はまだ十分に得られていない。しかも遺跡の範囲は北に拡大し、その北限はマツワ島まで確実に延びている。ここでは明確に層位のなかから続縄文系の土器片が検出された (Fitzhugh *et al.* 2002; Tezuka and Fitzhugh 2004)。

さらに KBP の 2006 年の調査では、さらに北方のシャシコタン島のドローブニー遺跡からもテストトレンチ中の堆積層位のなかから続縄文系土器の破片が出土している (天野他 2007) (図 66)。

このように続縄文期前半には縄文文化では限定的だった北海道と生態環境の異なる亜寒帯地域への本格的な進出が認められ、それがこの時期を特徴づけている。続縄文期後半の北海道では、前半期までの海岸部に基盤をおく生業形態から内陸河川漁にシフトすることが指摘されている (藤本 1982)。この時期は文化の斉一性が高まり、本州への南下がはじまるころとされるが、その背景には鉄器への依存強化にともなう本州指向、気候の不安定化、交易の強化による遊動性の高まりがあげられている (熊木 2003)。

従来の研究では、オホーツク文化前期の土器 (おおよそ 5～8 世紀：刻文・沈線文系の土器) は道北に分布の中心があり、知床半島周辺域や北海道東部ではわずかに分布するとしている (右代 1995)。一方で中部千島を飛び越えた北千島にも分布がみられる (馬場 1979; 五十嵐 1989)。北千島のオホーツク文化の存在は興味深いが、菊池が説くように、北海道のオホーツク文化との直接的な関係よりもむしろ、環オホーツク海の類似した文化との密接な関係にあるとみることもできる (菊池 1995b)。あるいは、戦前に民間人の立ち入りが制限

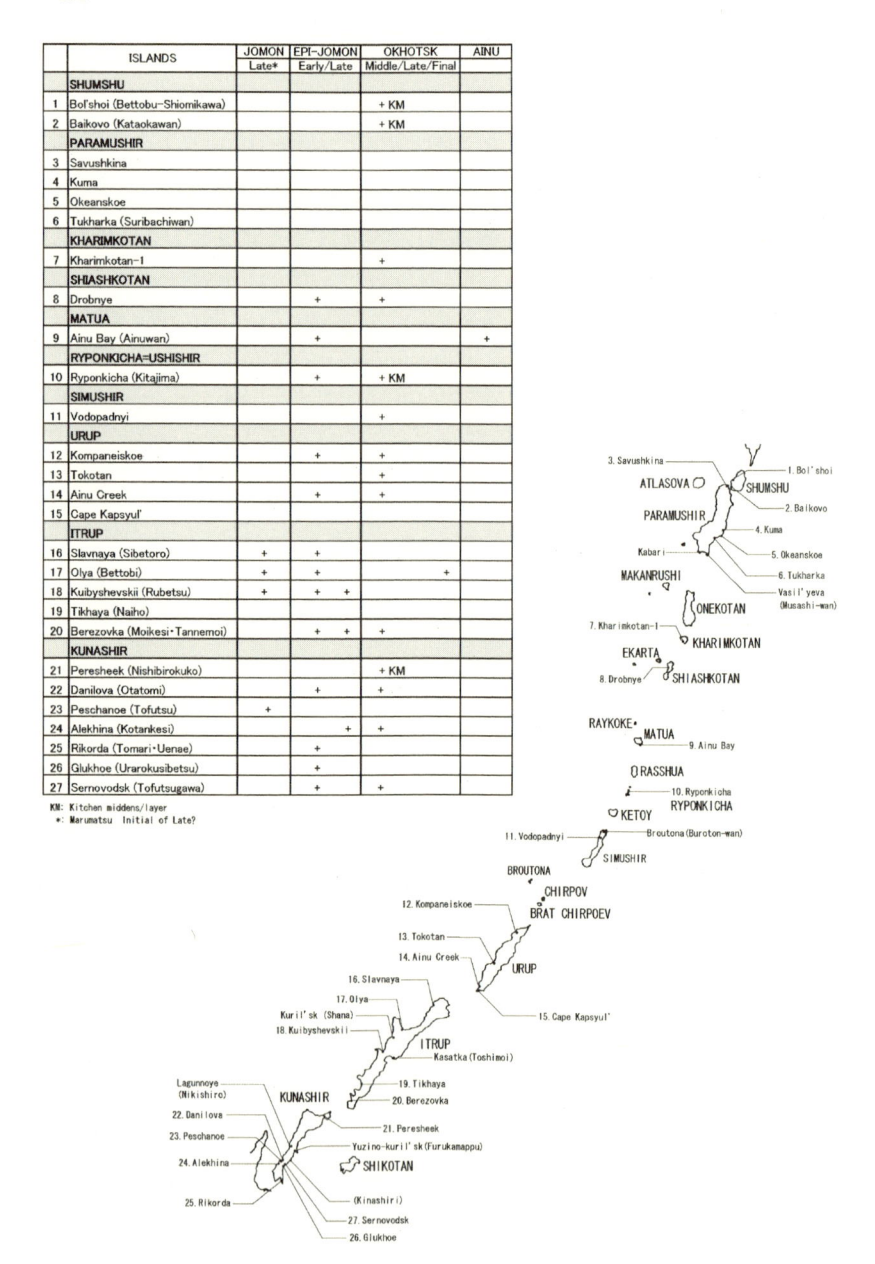

	ISLANDS	JOMON Late*	EPI-JOMON Early/Late	OKHOTSK Middle/Late/Final	AINU
	SHUMSHU				
1	Bol'shoi (Bettobu-Shiomikawa)			+ KM	
2	Baikovo (Kataokawan)			+ KM	
	PARAMUSHIR				
3	Savushkina				
4	Kuma				
5	Okeanskoe				
6	Tukharka (Suribachiwan)				
	KHARIMKOTAN				
7	Kharimkotan-1			+	
	SHIASHKOTAN				
8	Drobnye		+	+	
	MATUA				
9	Ainu Bay (Ainuwan)		+		+
	RYPONKICHA=USHISHIR				
10	Ryponkicha (Kitajima)		+	+ KM	
	SIMUSHIR				
11	Vodopadnyi			+	
	URUP				
12	Kompaneiskoe		+	+	
13	Tokotan			+	
14	Ainu Creek		+	+	
15	Cape Kapsyul'				
	ITRUP				
16	Slavnaya (Sibetoro)	+	+		
17	Olya (Bettobi)	+	+	+	
18	Kuibyshevskii (Rubetsu)	+	+ +		
19	Tikhaya (Naiho)				
20	Berezovka (Moikesi・Tannemoi)		+ +	+	
	KUNASHIR				
21	Peresheek (Nishibirokuko)			+ KM	
22	Danilova (Otatomi)		+	+	
23	Peschanoe (Tofutsu)	+			
24	Alekhina (Kotankesi)		+	+	
25	Rikorda (Tomari-Uense)		+		
26	Glukhoe (Urarokusibetsu)		+		
27	Sernovodsk (Tofutsugawa)		+	+	

KM: Kitchen middens/layer
*: Marumatsu Initial of Late?

図 66　KBP2006 による調査で確認された土器の分布（天野他 2007，図 5-1 より）

され、考古学調査もほとんど行われなかった千島列島中部では、シムシル島ブロートン湾出土の刻文土器がわずかに知られている程度で、オホーツク文化の分布状況を正しく判断できないだけなのかもしれない（五十嵐 1989）。IKIPの調査では、やはりシムシル島ブロートン湾の段丘面から同じ刻文土器が1点出土しており、中部千島での調査が制約されてきた事実を裏づけている。しかしIKIPやKBPでは、中部千島でもオホーツク文化後期に相当すると思われる沈線文と押圧文を組み合わせた土器や無文土器が多く出土しており、それに比べれば、前期の存在は希薄である。オホーツク文化後期（おおよそ7～9世紀：短刻文・無文系の土器、道東では貼付文系の土器）には道東から千島列島の全域にこの土器が分布する。オホーツク文化終末期のトビニタイ期（おおよそ10～12世紀）には、道東と南千島に分布域が縮小する。

このように続縄文期になって本格的な千島列島への拡大がはじまり、定住集落の存在もみられるようになる。また、オホーツク文化の遺跡は、拡大収縮がめまぐるしいが、基本的にその居住の痕跡は列島各所で認めることができる。貝層も充実し、比較的安定的な生活基盤を築いている。これに対し、アイヌ文化期には、IKIPでもKBPでも大きな定住集落はほとんど確認できず、物質文化のうえでも遺物の出土量は限定的であり、ノマディックで短期的な居住形態を示唆している。アイヌ文化期をそれまでの先史文化、特にオホーツク文化期や続縄文文化期と比較し、その居住の特徴をひとことで表せば、「広く浅く」あるいは「遊動性が高い」ということに要約できるだろう。この著しい相違は何に起因しているのだろうか。

4．断絶とカタストロフィー

先史時代に、アラスカ半島からカムチャツカにかけて2,000キロ近い長さを誇るアリューシャン列島では、東から西に向かって人が移住した。発見された最古の遺跡は8,000年以上前の東端のアナングラ島にあるが、列島西部のニア島に人が居住できるようになったのは、たかだか2,500年前のことに過ぎない。

最西端のベーリング島には結局、18世紀以前に人が居住することはできなかった。

一方で、北海道の根室半島からカムチャツカ南端のロパトカ岬まで1,200キロ超の千島列島でも、先史時代の人の移住は容易ではなかったらしい。2000年に筆者が参加したIKIPでは、列島各地で収集された年代測定試料によって、[3] 人の移住のおおまかなプロセスが判明した。西の大きい島から東の小さい島へ向かって先史時代人は徐々に北上を続けたようだ。当然、カムチャツカから南下する動きも予想されるが、これまでのところ、明確な年代の証拠は提示されていない。

さらに、人の居住に関するIKIP年代試料を暦年に較正した年代結果は、興味深い事実を示している。千島列島北部から中央部にかけて居住の断絶期が2回確認されたのである（図67）(Fitzhugh et al. 2002)。これは最近、地質・地震学者によってにわかに注目されている500年周期の大津波や火山噴火などの自然災害との関連を示唆している。

ある地域の地震特性（地震頻度・強度・分布や津波の歴史）の理解は、その地域のミクロな地理的条件によって大きく変化する。千島ではパラムシル島パドゴールナヤ村が1952年に津波で壊滅した。同じくパラムシル島のセヴェロクリリスクには津波被害の記念碑がある。南千島でもマグニチュード8クラスの地震は、最近だけでも1958年と1963年の択捉沖地震と1994年北海道東方沖地震の計3回生じている。海溝周辺のゆっくりとした断層運動によって生じる「津波地震」は、通常に比べて異常に大きな津波を発生させるが、それをはるかにうわまわる巨大津波は、プレート間地震の連動による地震によってのみ発生することがシミュレーションによってあきらかにされている（Nanayama et al. 2003）。この研究によれば、地質学的研究手法によって千島海溝の南では、過去7,000年間に平均500年間隔で繰り返し発生したことが判明した。また、根室地域に到達する大型津波の間隔はもっと狭く、300〜350年間隔であった可能性も指摘されている（添田他 2006）。

図67にみえる2度目の断絶はおおよそ500年近くにおよび、北海道では中

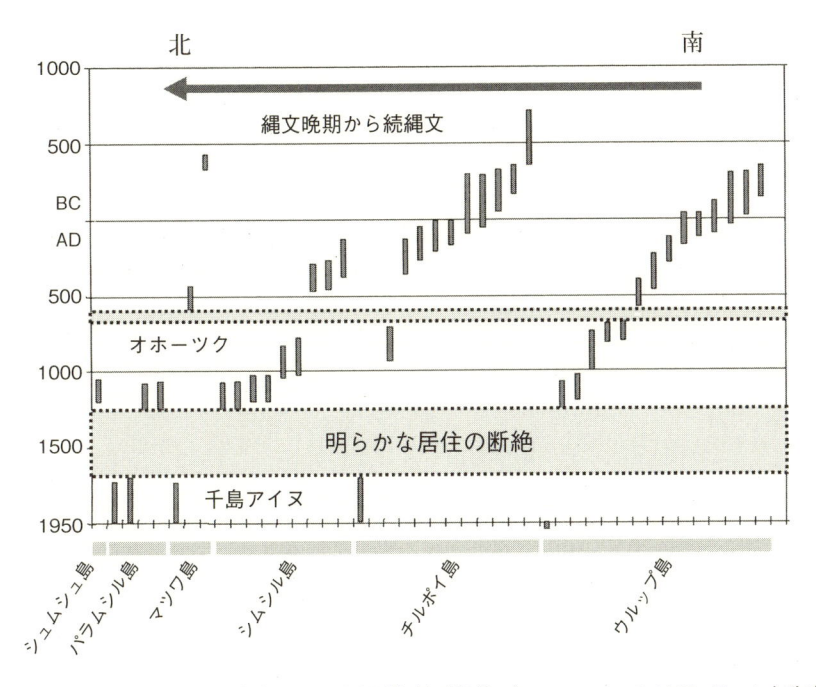

図67 IKIP 年代測定試料にもとづく暦年較正年代（Fitzhugh *et al.* 2002, Fig.1 を改変）

世アイヌ期として知られる時代に相当する。すなわち竪穴住居が廃絶され、土器が用いられなくなったことにより、北海道・東北では遺物・遺構の考古学的な検出が難しいとされる時期である。近年、この断絶は小氷期の最盛期とよく一致していることが指摘され、何らかの影響を評価しようとする試みが始まっている（添田 2008; 手塚・添田 2008）。

断絶の解釈として次の3つが考えられる。
① 人はいるが痕跡を残していない。
② 断絶期には他の時期と遺跡の立地が違う。
③ 人はいないか少ない→カタストロフィーの影響など。

ただし、①については、北海道・東北のように土器や竪穴住居が廃絶される

わけではない。また、②については、居住好適地は特に小島では限定されるので、島内の他の場所に居住していた可能性は低い。おそらく、少人数が遊動性の高い（ノマドな）生活形態を採用していたと考えるのが、いまのところ最も蓋然性が高い解釈であろう。

特に千島アイヌに関しては、移住が15世紀初期とされ、物質文化のうえでも内耳土器が使われ、竪穴住居や弓矢が近世や近代まで使用されたとみられている（川上 2006; コラー 2002; 鳥居 1976a）。実際のフィールドワーク（KBP, IKIP）時にも、オホーツク文化期や、とりわけ続縄文文化期の遺跡数や出土遺物に比べても量的に少ない印象を受けた。もし遺跡数や出土遺物の量が人間活動の活発さや居住時期の相対的な長さを示すとしたら、アイヌ文化期の人びとの生活はよりノマドな状況になったことを示している。これは1つの遺跡に定住する期間が短く、資源の枯渇を避けて頻繁に移住を繰り返す、北方地域ではまれな「フォーレジャータイプ」[(4)]の生業集落システムに類似しているような印象を受ける。津波や火山噴火などの自然災害の影響を被りやすいのは、おそらく千島列島中部のような小さな島が点在する地域であろう。直接自然災害の影響を被らなくても、一時的に生態系へのダメージや居住環境の悪化が島での生存条件を損なう方向に働いたことも考えられる。上記2回の断絶期には島を離れたり、人口が激減するような状況が起きた可能性を指摘できる。それほどまでではないとしても、自然災害のリスクを避けるためのノマドな居住形態を採用した可能性もある。

次に感染症などの疾病によるリスクについても検討しておきたい。一般に疾病の研究史において、人口密度と免疫の概念が重要とされている。すなわち複数の感染症に対する免疫を有している個人もしくは共同体が、それらを有しない個人や共同体に遭遇した場合、後者は感染症による被害が甚大となる（マクニール 1985）。また感染症のうち、一定の人口密度に達しないと存在しえないものがある。そして農業社会における感染症の数は狩猟・採集社会に比べて多いことが知られている（ダイアモンド 2000）。開発行為によって人とものの移動量が増大すると感染症の罹患率も増大する（齋藤 2000）。

千島列島のような島嶼部では、狩猟・採集社会を支える集団の人口密度も少なく、開発にともなう疾病環境の悪化も想定しにくい。ところが疾病リスクを高める条件が整う場合もあることを、次の事例によって再確認しておきたい。

近世中期の奄美諸島では、人口規模が小さく、感染症の流行間隔が長くなると、以前の流行期から時間が経過しているため、子どもだけでなく、成人も天然痘に罹患し患者の看病や保護を含む各種社会活動が停滞し、社会の大きな負担となる例が確認されている（小林 2001）。罹患率が高くなると致死率も高まる傾向があり、影響はさらに深刻化する。したがって、千島列島のような少人数の集団も集団特有の感染症から除外されているわけではなく、天然痘などの特定の集団感染症に罹患するリスクも考慮に入れた場合、集団の絶滅というような危機を経験した可能性は否定できない。18世紀後半のことではあるが、1768年にカムチャツカではオホーツクから持ち込まれた疱瘡が流行し、人口が激減した事実がある（コラー 2004: 402）。千島でアイヌと遭遇する機会の多かったヤサーク収税吏と毛皮猟師がこうした疫病をもたらした場合、島嶼部に居住する免疫のない小規模集団におよぼす深刻な影響を考慮に入れることも必要であろう。

5. 島への植民と適応

島嶼部生物地理学研究の進展から、生物の島への移住とその後に続く絶滅はそれまで想定されていた以上に頻繁に繰り返されてきたことが証明されている（MacArthur and Wilson 1967）。陸上の資源に依存する度合いの高い狩猟採集民にとって、海中の動物（魚介類や海獣）を利用できる技術を確立した海洋漁撈民より、はるかに島での生存のハードルは高かった。多くの海洋資源は回遊性で余裕があり、捕獲圧に耐性がある。大陸に近い大きな島は、遠くの小さな島より陸上の生物種が豊富であり、それを捕食する生物にとって有利でもある。

生物地理学研究の進展にともない、次の原則が導き出されている。

A　大陸から近くて大きい島：特定時点での種の数は最大。

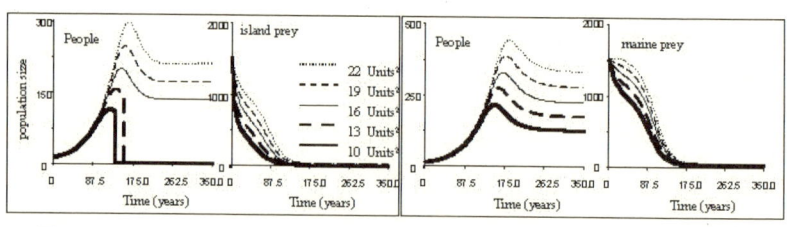

図68　ステラ・シュミレーションモデル（KBP代表のB.Fitzhugh氏の提供）

B　大陸から遠くて小さい島：特定時点での種の数は最小。

したがって、遠くて小さい島は住みにくいようにみえるが、海洋生物に着目すれば生存の機会は増大する。この重要な原則にもとづき、ワシントン大学の研究者ホルマン（Holman）らの研究チームは最近、人間の島への適応の正否を握るシミュレーションを実施し、興味深い結果を提示している（図68）。これはステラ・シミュレーション・モデルとよばれ、任意の5種のサイズの異なる島に10人の植民者が大陸からわたったと仮定した場合、もし、狩猟対象動物が陸獣の場合、面積が13単位以下の比較的小型の島では、島に移住して175年経過するまえに植民者が絶滅することをあきらかにした。しかし、16単位以上の島では、一時的に人口は減少するものの絶滅は回避できる。

他方、海獣を主要食料とした場合は、島サイズにかかわらず、いずれも絶滅レベルに到達することはなかった。これは主要食料としての獲物が陸獣か海獣かで、資源の持続可能性に大きな開きが生じることを示している。

18世紀なかごろ（1756年）の漂流民関係の史料には、千島列島中2番目に大きいエトロフ島にシカが生息し、アイヌはこれを弓矢で捕獲することが記録されている（川上2006）。

このように大きな島では陸獣だけでなく、海の資源にも依存することができ、より安定した食料基盤を保持しやすいといえる。しかし、ウルップ島以北にはシカが自然分布せず、いたとしても早期の絶滅を免れにくいことから、中部千島のように比較的小規模な島の場合には、海獣や季節的に飛来しうる鳥類の利用が生存の鍵を握っている。島では海産資源の利用ができるとしても、入り江

ごとにめまぐるしく異なる生態環境が出現する。千島でのフィールドワークの経験から、たとえ大きな島でも、ごろた（丸石）や砂浜の地形では、海獣がほとんどみられない特徴がある。逆に岩礁性で海草が多くみられる浜では、海獣類が豊富な傾向にある。海流や地形の特性から、寄りクジラや流木など漂着物が多い入り江も存在する。

このことから、たとえ小さい島でも生存に有利な条件がある場合があろう。したがって次の2点は今後の島嶼地域の研究には重要なポイントとなりうる。

① マクロな気温、海水温だけでは人の適応の理解は不十分。
② 特殊な環境のもとでの資源を利用できる技術の確立。

人に島の生物地理学の原則があてはまるといっても、人の場合はさらに複雑な、生存に影響をおよぼす社会的な適応条件を考える必要がある。たとえば、アイスランドとグリーンランドのノース（バイキング）居住地域は類似した環境におかれているが、前者は脱牧畜の生業として魚を利用し、後者は海獣や魚を周囲のポーラーエスキモーのように利用することをせず、本国との交易も生存に不可欠な食料品や利器を求めるのではなく、奢侈品に拘泥し、やがて崩壊に向かう（Diamond 2005）。

アリューシャン列島は千島列島と類似した自然・地理的環境を有するが、両地域の接触期以前の推定人口や人口密度には大きな相違がある。ロシア人が到来する以前のアリュートの人口統計は存在しないが、おそらく12,000～15,000人の間におさまると推定されている（Lantis 1970）。その人口が1790年までに3分の1に激減する。

一方で千島アイヌの人口統計は、ロシア側の18世紀半ばの記録によれば、千島列島の18島中に、男性のみで270人（全人口で500人以上）が居住していたという（タクサミ・コーサレフ 1998）。18世紀半ばにはロシア側が千島列島に派遣したヤサーク収税吏や猟師の略奪により、北方の千島アイヌがしばしば南方に逃亡したことが知られており（コラー 2004: 398-400）、このような人口動態の流動性が、正確な島民の数の記録を難しくしていることは否めない。18世紀の日本側の資料には、クナシリ・エトロフ両島に1,500人程度の

アイヌ人口があったことが記されている。ロシア人は通常洗礼を受け貢税している人びとを登録し、日本ではクナシリ・エトロフ両島のアイヌを掌握するに過ぎなかったので、千島全域のアイヌ人口について、必ずしも正確な数値を知ることはできない。それでも千島列島全域で 2,000 人を大きくうわまわる人口を設定することはできない。

　その相違を生み出した背景の理解には、長期の資源・土地利用の実態解明が有効であろう。人類と環境の種々の要素との相互作用の規模は、食料生産しない先史時代の狩猟採集民にとっては些少なレベルであり、共同体がより大きな社会ネットワークや政治・経済機構に包摂される時代になって急激に増大すると考えられてきた。鳥居によって復原された千島アイヌの生業・集落形態は、島から島への長期間長距離移動を繰り返す民族誌として知られるが（鳥居 1976a, b）、千島という特殊な生態環境に規定される地域的な適応であったのか、それとも東アジア経済圏に接合した後の商品資源の開発に特化した特異な事例なのかの判断を下すことが次の段階の重要な議論となろう。

　鳥居は、北千島アイヌによる古くからの習性となっていた、1873 年にシュムシュ島を出帆し、1883 年に同島に帰着するまでの長期間の「移転」または「年間移住」についての記録を残している。これは比較的大型の島に存在した「住居場」（永住的な拠点集落）と小型の島に選定された「漁猟のための滞在地」（冬季を過す一時的な狩猟・漁撈キャンプ地）の間で定期的に行われていたと推測される移動についての貴重な記録である。拠点集落はコタン＝バ（Kotan ba）とよばれ、竪穴住居と「高台」（高床の倉庫）が所在し、以前はパラムシル島やラショワ島にもこの拠点集落が存在したようである。一方、出猟先のやや小型の島々（オンネコタン島、ハリムコタン島、シャシコタン島、マツワ島、ウシシル島）には、オンルフスシ（Onrouhousoushi）とよばれる漁場が設けられ、そこには拠点集落におけるよりやや小型の竪穴住居が造られた。冬季になると、コタン＝バでもオンルフスシのある島においても、それぞれの集落から離れた島内の他の地域にある猟場で「仮小屋」または「猟小舎」（さらに簡単な竪穴住居）が造られ、キツネ・トド猟や鳥猟が行われた（図 69）。

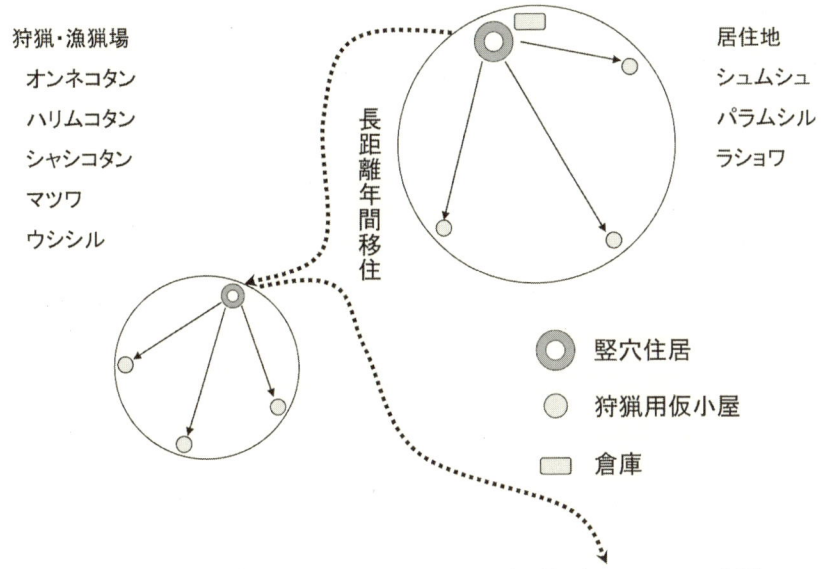

第 5 章　千島列島への移住と適応　181

狩猟・漁猟場
　オンネコタン
　ハリムコタン
　シャシコタン
　マツワ
　ウシシル

長距離年間移住

居住地
　シュムシュ
　パラムシル
　ラショワ

◎　竪穴住居
○　狩猟用仮小屋
□　倉庫

図 69　千島アイヌの集落居住形態 1873 〜 1883 年（鳥居 1976a, b から作製）

　当時の北千島のアイヌは約 130 人ほどであった。1873 年に 10 人が 1 艘の船でシュムシュ島を離れ、オンルフスシのある島をめぐっていた 1876 年に、第 2 陣 38 人がシュムシュ島から猟犬とともに 2 艘の船に乗りこみ、先発グループを追いかけ、両者はパラムシル島で合流する。一行は 76 年シャシコタン島（越冬）、77 年マツワ島（越冬）、78 年ラショワ島（越冬）と南下を続け、79 年マツワ島（一同はシュムシュ島に帰ろうとするも天候悪化に阻まれ同所にとどまり越冬）、80 年ラショワ島（6 人は米国帆船でシュムシュ島に帰還）、81 年ウシシル・ラショワ島（越冬）、82 年シャシコタン島（越冬）と行き来しながら、最終的に 1883 年にシュムシュ島に帰着した。一方シュムシュ島には長期間の移動に適さない老人と子どもが残され、出猟した仲間の帰りを待っていた。この長期間の遠征を分析した小杉は、北千島のアイヌの集落形態は、生業活動の舞台と居住場所とを季節的にかえるというよりは、ライフサイクルそのものが生業活動のなかに埋め込まれている点に特徴があり、「優れた船と航海術に支えられた長期出漁（猟）型海洋適応」であると総括している（小杉

1996)。

　次に述べる2つの点から、この生業集落システムは閉じられた系のなかで完結する自給自足的なものではなく、少なくても、東アジア文化圏の政治経済システムに接合される以前の先史時代のシステムにまでさかのぼれるものではなさそうである。

　第1に島嶼資源が豊富で、拠点集落がおかれ、人口も最大だったパラムシル島から、国境確定以降、南千島よりもむしろロシア側拠点のあるカムチャツカとの経済的な結びつき(交易)を深め、ペトロパブロフスクとの交通の便のよいシュムシュ島にその中心が移ったこと。

　第2に冬の仮小屋を拠点として行われる狩猟は、自己の食料確保のためというよりは、交易品の対価となるキツネや鳥を対象としており、しかも季節的に最も良質な毛皮や羽を入手できる時期に設定されていること。鳥居の調査時点より100年ほど前の19世紀初頭の記録に、猟犬としてのイヌの利用に関しては、ラショワ島とウシシル島（ここにはキツネが生息していない）の住人が他の島々でのキツネ狩りのためにイヌを飼育していたという証言がある（ゴロウニン 1984）。

　さらに物質文化についても、オズワルトによる技術単位による労働手段の複合度を測る手法によれば、水中の野生動物を食料としている先住民の方（平均4.6）が、陸上の野生動物を対象とする先住民（平均3.3）よりも技術単位の平均値が高い（オズワルト 1983）。現存する千島アイヌに由来する狩猟具はきわめて少なく、海獣狩猟具などを検討に入れることができなかったが、筆者が算定した国内に所在する千島アイヌの狩猟具5種の分析値は3.0となり、水中動物よりも陸上野生動物を食料とするタイプの先住民の技術複合に近い結果となった。そのため従来いわれているように、千島アイヌが海洋に適応的であったかどうかは即断できない。

6. 商品流通経済との接合

　北千島に進出していたオホーツク文化の、内耳土器の特徴をもつアイヌ文化への交替は14世紀、遅くとも15～16世紀には開始されていたとしている（菊池1995b）。千島列島が主産地とされるラッコ皮は室町時代に明への輸出産品として記録されており、アイヌの狩猟活動の一端を反映していると考えられる（児島2003c）。

　シャバリンらによる1778年（安永7）のエトロフ島での情報収集にもとづいた報告によれば、クナシリ場所の開設直後の段階で、すでにエトロフ島のアイヌ首長は、斧、槍、刀等のような鉄製品や綿製の外套は日本から入手し、自製の服としてはヤナギから織った内皮のものがあると述べた。さらに弓と槍があり、槍にはキンポウゲを塗ること、食料としては魚があり、日本から毎年船が作物を運ぶこともあきらかにしている（コラー 2002: 61）。この段階ではすでに鉄製品だけでなく、自給自足的な食料調達以外に外部からの食料に依存する体制ができあがっていたことになる。

　大陸との密接な関係を維持していた当初のオホーツク文化も、その終末期（トビニタイ期）には、擦文文化経由で本州産の貴重な鉄製利器を入手するなど、南方の日本社会に深く依存していた（大西2001）。その文化はやがて擦文文化に接触・融合し、吸収あるいは駆逐される形で姿を消す。その擦文文化は南の日本との交易に依存し、やがてアイヌ文化へと変容を遂げる。

　13世紀から15世紀の北海道は、日本列島最後の土器文化である擦文文化が終焉を迎え、アイヌ文化の成立がみられるとともに、アイヌの居住圏の拡大がはじまり、サハリンや千島への進出が起きるとされる（中村1997）。13世紀の日本海ルートでの商業活動の急速な拡大は、擦文文化の解体を促し、交易を前提とした干鮭、毛皮、鷲羽などを生産する生業活動へ転換したことが指摘されている。先住民族が参画する古代から近代にかけての交易ネットワークを検討する場合にも、このように周辺地域の強力な経済社会組織（たとえば伝統国

表6 世界システムへの接合段階 (Hudson 2004)

	コンタクト ペリフェリー 〈弱い統合〉	マージナル ペリフェリー 〈中程度の統合〉	ディペンデント ペリフェリー 〈強い統合〉
生業	地域的	主要産品の導入開始	輸入商品主体
商品・原料の生産	地域的	生産活動の分業拡大	交易のための生産中心
日常用具	様式的な影響	組成レベルでの影響	輸入品全体
長距離交易	散発的	威信財中心	ほぼすべての物品
中心による集落形成	探査的	孤立群落	包領の拡大→移住
言語	語彙の借用	二言語併用かピジョン化	言語交代
健康	感染症	代謝ストレス（主に女性？）	両性に代謝ストレスの増加
集落形態	変動しやすい (突発的な変化多し)	交易や生産と関連	集中

家や近代国家）との包摂・接触を前提に論じられる傾向が近年の歴史研究の主流になりつつある（簑島 2001; 高倉 2006）。具体的にどのような基準を用いて先史集団と周辺国家などとのかかわりを評価することが適切であろうか。

ホールは、「中心・周縁」理論の構築に向け、先住民社会が周囲のより大規模な経済社会（世界）システムに統合される状況は、その度合いに応じていくつかに分類できることを、それまでの研究史も踏まえ考察している（Hall 2000）。ハドソンはその分類にもとづき、あらたな視点も盛り込みながら複雑な概念を、先史時代の文脈にも適合可能なコンタクトペリフェリー、マージナルペリフェリー、ディペンデントペリフェリーという3つのパターンに巧みに要約している（Hudson 2004）（表6）。

ホールが考察しているように、実際にはその3種の境界は截然と区分できるものではなく、暫時に推移する連続体として捉えられるべきものである。

この理論を北海道の先史から歴史期に応用するとすれば、擦文文化が本州との交易で入手する鉄器に見合うだけのサケやワシの羽などの物資獲得のために道東方面へ大挙して拡散したという見解が多くの研究者に支持されていること[6]

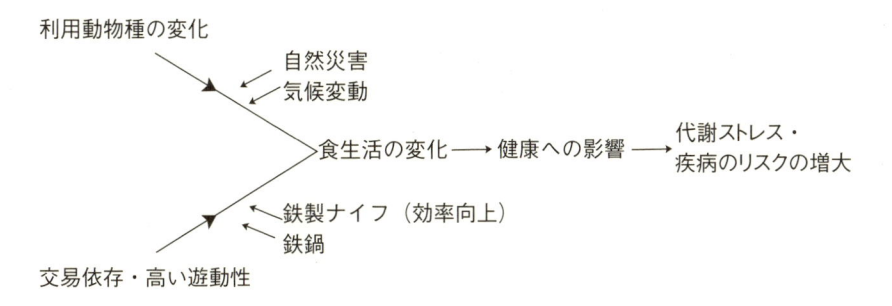

```
利用動物種の変化
            ↘  自然災害
               気候変動
               ↘
                食生活の変化 → 健康への影響 → 代謝ストレス・
               ↗                              疾病のリスクの増大
            ↗  鉄製ナイフ（効率向上）
               鉄鍋
交易依存・高い遊動性
```

図70　千島アイヌの健康への影響に関する概念図

(塚本 2003) から、続縄文文化期以降、弱い統合状況におかれ、近世アイヌ文化期にかけて接合の状況は次第に強まるとみても大過はないであろう。そしてアイヌ文化期には、世帯あたりの鉄器保有量が擦文文化期の約3倍に達し、擦文文化期にもまして代価物資＝売れ筋商品の生産の必要に迫られた（天野 2006）ことを考慮すると、千島列島におけるアイヌ文化の適応も大筋で、周辺の国家システムとの経済社会的な依存関係を深めていった過程を想定できる。生業や商品生産の点では交易に特化した生産であり、日常的な物資文化でも、米、タバコ、木綿、金属器など、輸入品主体の生活と位置づけることができる。そして数年におよぶ長距離移動は交易や特産物の獲得に適応した千島アイヌの特徴だったとする証拠を見出せる。食料として日常的に利用する生物種は自然災害や気候変動の他、人為的にも交易の特化に対応した特定商品の生産などの影響を被ることが予想される。

　これに加え、集落生業形態では遊動性が高まり、また外部社会（交易所）から供給される鉄鍋や刃物、穀類等に依存するライフスタイルの確立によっても食生活の変化が生じ、アイヌ社会における健康への影響を推し量ることができる[7]（図70）。

　かつて菊池は内耳土器の隆盛が、定住的というよりはむしろ移動を繰り返すライフスタイルと密接な関係があることを指摘しているが（菊池 1984）、千島アイヌが多用した日本製（内耳）鉄鍋の場合も、こうした遊動性の高い行動様

式に見合った適応の1例とみなしうることができる。

7. 島嶼研究の今後の展望

以上述べたとおり、千島列島の先史文化期からアイヌ文化期にわたる、外部との接触が限定され、陸上資源に乏しい島嶼環境に対する捕食者としての人類の移住と適応の特徴を把握することは、まだその緒に就いたばかりである。さらに人類が島嶼地域の生物相におよぼした影響や、それらの資源が人類におよぼした影響の相互作用、いわばエコシステムの履歴を検討することも今後ねばり強く追求していかなくてはならない課題であろう。

アイヌ文化に関する研究や言説は、資料や民族誌の充実した北海道地方の類型をもとになされてきた。千島列島における調査の成果にもとづき、千島アイヌを含む狩猟採集民の適応形態をあきらかにすることは、アイヌ文化の多様性を理解し、現代の文化継承の偏りを矯正するうえでも重要である。亜寒帯環境の島嶼地域で確立した資源・土地利用モデルは、非島嶼地域へ直接応用できるわけではないが、改良を加え、より複雑な"開放系"である大陸や現在の地球規模での温暖化によって生活様式の再編を余儀なくされている、特に北太平洋の小規模集団が有する文化システムの検討にも有用であると思われる。

註
(1) オホーツク海でのアイヌによるアザラシ猟の際に、一度に大勢の人員が犠牲になる事例としては、「去る亥（1791年）の春宗谷領の内サロヽ、エノベツ、トウベツ、トコロ右四ケ所蝦夷三百人程水豹取にいで、難風に逢、一度に氷杙に打れ、壹人も残りなく死せしよし」（『夷諺俗話』）がある。またウルップ島出猟中の海難事故としては、「其翌年（1772年）蝦夷人猟虎猟にウルツフ島え参居候節、赤人多勢相催し来候由の風聞有之、島の側に相潜み猟業いたし罷在候処、赤人大船に多勢乗来候付、蝦夷人共恐れ周章、順風をも不待出帆致逃出候海路にて遭難風、拾四艘一時に及破船に、百余人溺死いたし、船を出し遅れ無是非ウルツフ島に相残候蝦夷弐拾人計致存命候由」（『蝦夷地一件』）がある。
(2) シュービンとの個人的なコミュニケーションによる。シュムシュ島の片岡地区で第

二次大戦中の米軍の爆撃で生じたクレーター跡を発掘して旧石器遺物を掘り出したという。
(3) 年代測定試料の採取は次のような手順で実施した。
①集落の探索→②任意の竪穴周囲で発掘区の設定と発掘→③土層断面で遺物を含む文化層を確認→④各文化層から年代測定用炭化物を採取→⑤キーとなる火山灰層からも炭化物採取→⑥分析結果にもとづいた相互の年代の上下関係で居住時期を特定。
(4) ビンフォード（Binford 1980）の定義による。
(5) 多種多様な人間集団が有している食料獲得用具などのテクノロジーの発達度を数値化するためにオズワルトが考案した手法である。技術単位とは、1つの加工物を作り上げているあらゆる異なった種類の部分を指し、技術単位の数値が高くなればそれだけ道具の複合度が増すことになる。
(6) 擦文文化後期に北海道北東部に多数の遺跡が形成される背景を、遺跡分布の詳細な分析によってあきらかにした澤井は、遺跡分布を次の4つの地域に分けて考察している（澤井 2007b）。まず稚内からオホーツク海沿岸部では、海に面した立地にもかかわらず、漁撈・海獣狩猟活動を示す遺物が少ないことから、矢羽根用の鳥猟、毛皮用のヒグマ・クロテン猟を実施し、それらの産物を沿岸部に運び、海上から運び込まれた生活物資と交換するシステムが成立していたとする。オホーツク海沿岸中南部では、陸上資源とサケ・マスを湖と河口から外部に移出していたと考えている。つまり、天然の湖と河口が交易活動の拠点として機能していたという。そして根室海峡付近では、河口部付近からサケの産卵床まで遺跡が分布することから、前者を移出拠点として、後者をサケ資源の獲得・加工の拠点として機能していたとみなしている。釧路川流域では、湿原・丘陵・河川など異なる環境に遺跡を形成していることから各種資源を獲得していたとみている。
(7) 1768年（明和 5）にラショワ島の住民が「鍋交易」をしにエトロフ島に来島した事実があり、『休明光記遺稿』に記載されている（北海道編 1991: 1289）。また、漂流民の記録から、19世紀初頭のハラマコタン島の住民や18世紀後半のエトロフ島の住民が鉄製刃物を所持し、松前（北海道）からわたった鍋を用いて日常的に調理しており、また、エトロフ島では松前などから運ばれた米などの穀類も食されていたことがわかる（木崎 1982: 73; 高倉編 1969: 8）。シムシル島の住民は19世紀初期にはウルップ島に、「鷲羽・ラッコ」を持参し、「古手・米・煙草」と交易し、「日本物不寄何甚相好申候」という状況であった（東京大学史料編纂所編 1984）。
このように鉄器の流通は北千島にまでおよんでいたことがわかる。また、民族誌における鉄製刃物の効率性とそれが居住様式の大幅な変化を促す原動力となった事例についての詳細な比較研究は（渡辺 1984）を参照されたい。

終章　移動する文化境界

1. 境界の意義

　日本列島には共通して縄文文化が存在しており、その後、弥生期に東北地方平野部にまで水田稲作農耕が伝播した。中国大陸の初期農耕社会の出現と九州・近畿のはやい段階における水田農耕の受容に対し、水田稲作が後世まで波及しなかった北海道と沖縄は、農耕や農耕社会の周縁における文化の動態を観察するうえで特異な位置を占め、それをどう評価するかが全体を通底するテーマとなっている。

　本書では境界に2つの意味をもたせている。1つは農耕と狩猟採集など、主たる生業様式が相違しており、その境目という意味において、2つ目は社会組織・政治形態の異なる集団、国家と非国家、また中心と周辺が隣接し、常にせめぎ合うコンタクトゾーンという意味においてである。政治・経済・文化的な凝集力が強力で、より普遍化された権力や権威をもつ国家的中心と階層未分化な周縁との境界ともなっている。

　とりわけ生業の境界については、世界中の先史時代以降の初期農耕の拡散をあつかったベルウッドにより、熱帯性または温帯性の農耕好適地帯と、主に寒冷な理由によって農耕が困難な非農耕地帯との境目が、北海道の南端部に定位しているとされた（Bellwood 2005: 30）。こうした農耕と狩猟採集の境界領域では、生態条件の異なる地域に由来する技術・知識の移動にとどまらずに、諸資源やサービス、労働力、遺伝子などの活発な交流がみられ、相互に依存する関係を構築したり、人的交流が長期間継続すれば、生業経済の変化にいたるユニークな事例が多数報告されている。

　本書の目的は、狩猟採集文化研究につきまといがちだった、ステレオタイプ

化されたイメージの払拭にあり、その多様性・柔軟性をあきらかにするために世界中の他の境界領域にある文化との通文化研究を指向している。「周辺」地域に居住した人びとは、周囲の農耕を基盤とする国家組織によって支配された大きな社会経済システムのなかで辺境に追いやられ、文化的にも支配と抑圧にさらされてきた。周辺地域の文化の独自性や世界経済的特質の側面を強調し、いたずらに周辺と中心の二項対立的構造にとらわれることなく、異なる生業や異なる文化間のコンタクトゾーンにおいて人間集団がいかに対処し、あらたな自己創造の実践を果たしたかを丁寧に掘りさげる必要がある。

　したがってアイヌ文化を単独で論じるのではなく、他の狩猟採集・農耕・牧畜文化との比較を通じ、より狩猟採集文化の特徴を鮮明にできると考えている。

　狩猟採集文化は孤立した社会などではなく、外部社会との接触を通じた商品経済や政策のもとで農耕を含めたアイヌの生業複合（狩猟・採集・魚撈）の特質を把握し、その変化にまず焦点をあてた。アイヌの生産活動が本州以南の商品開発に力点をおいたものに対応するなど、市場経済への接合が進展する過程を検討し、商品経済と生業経済の関係を理解するために、市場経済が浸透するなかでの川筋に基盤をおく集団によって維持された生業経済の反応・変化に着目した。

2. 狩猟採集文化の再構成

　アイヌの狩猟採集文化の再構成については、人類学者が 50 年代以降に提示した静的・普遍的なアイヌの狩猟採集文化としての「IWOR」モデル、「エコシステム」モデルがある。「IWOR」モデルのなかで、iwor とは同一河川の流域に住む人びとが己をその河川の名称でよび、河川流域を中心に分水嶺、山稜、海浜によって区画された領域のことであり、川筋に基盤をおく集団が iwor を特定の社会制度・組織のもとで排他的に利用する構造である（泉 1952）。そしてこの民族誌 iwor モデルは、現代においても効力を失わず、自然素材を活用

した知識、技術の伝承・体験活動を骨子とするアイヌの伝統的生活空間（イオル）の再生構想の実現に向けて、あたらしい価値を吹き込まれつつあるようにみえる。

エコシステムモデルは同一の父系親族集団に属する成員が同一河川の流域に複数の集落に分かれて居住し、異なる生態領域に属する諸資源を利用していたとするものである（Watanabe 1968, 1972）。河川を中心とする一定の領域をスケジュールにもとづいて利用するという、漁撈・狩猟・採集中心の生業形態が提示されている。

さらに「クマ祭文化複合」モデルでは、アイヌ文化の構造的中心にクマ送り儀礼とそれをめぐる関連要素群を据え、それらが経済・社会・宗教的に不可分に結びついているフレームワークが示された（渡辺 1972）。外来の交易物資を入手するための組織的定期的クマ猟とそれを保証する各種動物儀礼中最大のクマ送り儀礼が、サケ漁によって定住的な集落に居住することを保証された血縁集団によって実施される構想である。

上記モデルはこれまで分野を超えて引用を繰り返され、現代にいたるまで大きな影響を与えている。その一方で、こうした過去の民族誌モデルは、歴史性を捨象した民族誌現在的、静態的、無変化的な一側面を捉えているに過ぎず、またアイヌの人びとの視点を無視し、一方的な他者表象であるとして批判にさらされる対象ともなった。アイヌは実際に常に豊かな自然環境のもとでエコロジカルに生きた狩猟採集民であったわけではなく、幕藩体制や中国歴代王朝や帝政ロシアなど周辺国家の影響を受けていた。アイヌを取り巻く政治経済体制の変化がアイヌの狩猟採集文化に大きな影響を与えている。この意味では北東アジアやシベリアの諸民族と中国・欧州など「中心」経済との関係に近いものがあり、商品流通経済への統合以降、北東アジアの民族集団が使用する罠に著しい共通性がみられる現象もそのような歴史的文脈に規定されている部分が大きい。つまり、庶民にまで浸透しつつあった商品価値の高い獣皮に対する需要が、斉一性が高く効率的で毛皮の商品価値を損ねない自動的に機能する罠を飛躍的に発展させたのである。

言語学者による排他的領域概念の批判や歴史学者らによる政治史・制度史などの変化に着目した歴史研究が進展し、不変的な狩猟採集文化とみられることの多かったアイヌ文化の通時的変化が注目されている。

3. 歴史的視点とアイヌの経済活動

アイヌの経済活動と政治・経済史との関連については、本州以南からの移住者が道南に和人地を形成してからの政治・経済史が歴史学者によって次のように要約されている。

① 城下交易段階：本州からの商船が松前に寄港し関税を支払う一方で、蝦夷地の東西各地からアイヌの交易船が和人地の松前に航海して交易を実施する段階。

② 商場知行制：蝦夷地の海辺を藩主直轄の場所と家臣の場所に区分、それぞれが設定した「商場」で周辺のアイヌと雑物替（物々交換）し、入手した蝦夷地産物を松前で売却する形態。和人が蝦夷地へ直接出向く段階。

③ 場所請負制：夏に交易船が一艘やってきてアイヌと交易を行う場であった「商場」が水産資源開発の場としての広がりをもった場所に変質。あらたに場所の経営を請け負った商人は土地の所有者である藩主や藩士に高い運上金を払っており、それに見合うだけの利益をあげようと、あたらしい漁業や漁法をアイヌに指導し生産を拡大する段階。

①では、単に交易の行われる港としての役割だけでなく、前近代の異文化間交易にみられるような制度的慣行全体としての意義がある。北米の毛皮交易でよく知られているように、物資の交換など商業的意義が重要な場合であっても、儀礼的意義が重要な贈り物の交換も併行して行われていた（カーティン 2002: 303）。もっとも儀礼的な意義と経済的な意義は別個に存在しているというよりは、相互に織りなしているとみた方がより適切かもしれない。

③では、商人資本が蝦夷地に広く展開しアイヌを雇用下におさめ、水産資源の生産に従事させる収奪モデルが長らく支持されてきた。

その過程でヒエ・アワなどかつて盛んだったアイヌの雑穀農耕が制限されるという禁農モデルが提出された。これはアイヌがもともと雑穀民であるとの想定で、人為・政策行為によって農耕が阻害されたとの主張である。しかし、松前藩政期でも幕領期でもアイヌ農耕の存在自体は数多く記録されているので政策とアイヌ農耕の有意な相関があるとはいえない。農耕ができなかったのではなく、商品生産とその後の雇用労働の展開により、むしろ生計のほとんどを依存するまでに農耕を行う必然性を有していなかったという方が正しいのではないか。アイヌが広範な地域で農耕を実施していた証拠は多数あるが、物質文化の面で農耕具が貧弱というよりは狩猟魚撈具が充実していること、また炭素・窒素同位体比分析の結果から全獲得食料の多くの部分を農耕でまかなっていたわけではなく、あくまで補足的であり、しかもこの比重は時期的にも大きく変化しなかったということが判明している。その一方で、米など交易で得られる食品の重要性も無視すべきではない。近世段階には文献史料からアイヌ社会に大量の米が流入していたことがわかるからである。穀類を食べたり、穀類から儀礼行為に欠かせない酒を作る文化が培われていたことは確実である。穀類の生産に特化した農耕戦略を採用しなかった理由として、商業需要の高い生産品としての毛皮や水産資源などを獲る年間スケジュールにすでに対応しており、常畑の管理などに関わる労働投資や調整など、農耕や家畜などの経営に見合うように社会組織を変化させるまでに食料生産経済に価値を見出すことはできなかったのではないか。飼いグマ送り儀礼も食肉や金と同じ交換価値を有したというクマの胆を供給するための家畜飼育が目的だったというよりは、資財を蓄積しつつあった首長層による威信の獲得、共食や資源の再分配、余興にみられるように、集団の帰属意識や紐帯を強める文化社会的な意義が重要だった。

　近年の文献史学の若い世代の研究者からは、幕府や藩は近代国家に該当せず、封建的伝統国家であり、その支配力はアイヌを拘束するほどのものではなかったとする見解が提出され、アイヌ搾取の元凶とされた場所請負の見直し論議に発展し、「自分稼」、「自分商売」などに代表されるアイヌ社会の自立性に着目しようとする傾向がみられる。アイヌの狩猟採集文化が解体していく過程は明

治以降に鮮明になるが、近代国家の直接的な資源管理や土地制度に関わる統治政策によるところが大きい。

4. アイヌ文化期に関する考古学的研究

　自給自足的な漁狩猟から商業生産を前提とした生業への転換が進展していく状況は、アイヌ文化期の動物遺存体などの考古学的研究成果の蓄積によって次第にあきらかになりつつある。アワビやホタテガイ、アザラシ類の動物遺体が多量に出土する貝塚が中・近世アイヌ期の特徴である。しかもアワビやホタテの貝殻に鉄製刺突具によってあけられた痕跡が多数みられ、ヤス漁によって積極的に捕獲されたと解釈されている。多量の、しかも大型の魚骨（特にニシン、サケ、カレイ）が出土している状況は、漁網を用いた組織的な漁獲が行われていたことを示唆している。一方でアイヌ文化に先行する擦文文化期には貝塚がそれほど多くは形成されない。交易の盛行にともない上記の産物に対する需要が高まり、自己消費用ではない生産が開始された証左と捉えることができる。和人との接触が拡大し、外部社会向けの生産量が次第に増大したとする見通しが成り立つであろう。それまでのミクロな地域間の物資の交換に、あらたな遠隔地が参入することによってそれらが1つの市場と化し、モノの流通や価値形成が連動化し、生産形態の変化にまで波及するようになる。そして自製品に対する移入品の割合は、遺跡近辺に交易所が開設されて以降飛躍的に増大することが仮定できる。交易制度の改変により、商場が設置され、交易拠点がアイヌの居住する地域の近辺に立地し、和人商人や和産物への接近が容易になると、アイヌはますます市場への結びつきを強め、結果的にアイヌの文化変容が生じるという構図である。

　しかし、政治制度の変革がアイヌの社会経済に段階的に影響を増していき、本州産品への依存が徐々に深まっていくだろうとの予測に反し、木製遺物の分析結果からは、交易物資が流入し、それらの移入品を、リサイクルなどを通じて自文化内部で消化する状況はすでに擦文文化期の段階で確立しており、その

後のアイヌ文化期を通じ、一貫して移入品への強い依存状況をあらわしている。必ずしも漸次に依存が深まっているわけではない。擦文文化およびアイヌ文化集団による外部の需要に対応した専業的生産の開始、いいかえるなら、商業生産活動への関与がこれまで考えられていた以上にはやかったことを示している。大型の縄綴船や車輛などがアイヌ文化期のはやい段階にすでに存在しており、接触期当初から交易物資を搬送する手段が整っていたことがこの結果をさらに強固なものにしている。ただしこの分析には、交通や交易の要衝にある石狩低地帯の特色が出ている可能性はあろう。交易依存度については、陶磁器や鉄器等、他の物質文化の流入状況を総合して評価する必要が今後も必要である。現段階では、いちはやく本州産などの移入木材をリサイクルによって多用した儀礼具を物質文化のなかに定着させ、独特の精神文化を確立した石狩低地帯と交易を通じた移入木材のはいりにくい地域との差異が顕在化し、あらたな周辺の形成など、いわゆる周辺地域内部における構造変化の状況を想定している。

5. アイヌ文化における社会的変化

交易産品となる蝦夷地の資源が特定の商品価値を有するようになった結果、和人も入り乱れての生産の場での乱獲が進行し、資源の枯渇が生じる危険性が高まった。このことはアイヌ集団内部での資源のアクセスをめぐる紛争が恒常化する契機となったばかりでなく、従来にはみられなかった排他的な領域使用の慣習を生み出した。また、日常的な交易の拡大はその主要な担い手である首長層とその他の成員との格差を押し広げ、ある程度の階層分化をもたらし、儀礼活動の実施頻度にも影響した。

千島列島と北海道をつなぐ長距離先住民交易ネットワークが東アジア経済圏に接合し、帝政ロシアが進出するようになると、外来物質へのアクセスに変化がもたらされ、優勢な交易拠点が先住民交易システムを変容させた。日露双方の文献を対照することによって、千島列島中部〜南部地域において、ロシア集落が交易所と同等の機能を果たしていた状況を確認することができた。それま

で和産物を入手するうえで和人交易拠点から最も遠隔地にあり、クナシリやアッケシのアイヌの手を通じて、和人物資を入手する機会が多かったと思われるエトロフアイヌも、ウルップ島にロシア交易拠点が形成されてからは、その拠点への接近が頻繁にできるようになった。ロシア製品を入手し、それを近隣のアイヌへ自主的に流通させる立場に転換できたことはアイヌ社会内部で交易に関する役割や立場の変化にもつながっている。ロシア・日本製品への依存や入手のプロセスは、先住者の側の社会的な地位や身分によっても異なり、一定の社会階層の成立によって、外来物資の利用状況に差が生じる。近世の場所請負制下で職掌や階層の分化が生じ、経済格差が顕在化すると、豊かになった少数の首長層が自己の経済的権威を誇示するために、クマ送り儀礼などを華美に演出した。身分階層化がアイヌ文化内部で種々の影響を果たしていたことを推察できる。

この一定の社会階層化の成立や配分のルールは外部社会との接触によってはじまったと思われ、交易品を獲得するために特化した狩猟活動、交易品の需要拡大、交易の進展による難破船の漂着回数の増加、交易所の開設による和産物やロシア製品へのアクセスの改善、猟場の使用を異なる集団間や集団内で管理する必要性の増大などの諸要素と密接に関連している。

6. 島嶼地域における歴史生態的研究の可能性

アイヌの居住域では地域差も存在し、千島列島のように北海道より過酷な自然環境の支配を受ける地域がある。ここでは島嶼生物地理学理論が応用でき、複眼的なアイヌ文化像の構築の可能性を秘めている。千島列島は冷温帯の北海道から亜寒帯のカムチャツカ半島の間に南北1,200キロにわたって位置し、大小様々な面積の島から構成されている。活火山や海底火山が多数分布し、大型の島にも人類の居住好適地は限られている。気象条件とエコシステムにおける相互作用を検討するうえで、外部との連絡が制限され、孤立性が高くパラメータの少ない実験場としての好適な条件を備えている。

2000年以降実施された国際調査（IKIP, KBP）によって、列島各地で収集された年代測定試料を暦年に較正した結果、千島列島北部から中央部にかけて居住の断絶期が少なくても2回確認された。千島列島でこのような事態を引き起こした原因としては、自然環境の悪化（火山噴火、津波、寒冷化など広範囲で起きた自然災害等）などの要因を、まず検討すべきであろう。島嶼地域の場合は、資源の連続性のある大陸部と違い、高度の航海技術が要求され、低いキャリングキャパシティに加え、資源の不連続性が特徴的であり、大陸の母集団で培った知識が通用しないなど、その環境に適応するのは至難である。また、一般に陸上動物に適応した狩猟採集民にとって、海洋生物を利用できる技術を確立した海洋魚撈民よりはるかに島での生存のハードルは高い。海洋生物の方が捕獲圧に耐性があり、回復率も高い。大陸に近い大きい島は遠い小さな島より陸上の生物種が豊富であり、それを捕食する生物にとって有利でもある。食料選択における遺跡間の変動は、サハリンのように大陸に匹敵するような大きな島では最大で、逆に中部千島のチルポイ島のような陸地から離れた小規模な島では経済的な選択肢が限られており最小になる。

　また、このような事態は周辺国家との交易活動のような社会的ネットワークにも支障をきたし、各島での安定的な居住をさらに難しくさせた。千島列島北部から中央部において確認された13世紀末から17世紀初頭までの居住断絶期は、北海道やエトロフ島をはじめ北半球で確認されている小氷期の時期と一致する。小氷期において、日本では最大で現在より－5℃も寒冷であったとされる。当時の北海道や千島列島でも、アイヌ民族の生存に何らかの影響を与えていたと推定される。千島列島のどこでどのような気温低下があったか詳細に究明していくことが必要であるが、オホーツク海の海氷勢力は平均気温変動と密接に対応しており、海氷分布はウルップ島のオホーツク海側にも達することから、冬から春の魚撈活動にも大きな影響がおよんでいたと推測される。

　文字記録のない先史時代の場合には、単に気候変動と人の居住変動の間に相関関係が認められる場合にも、因果関係の特定に到達できる場合はまれである。火山噴火、地震、津波が、一見人の文化社会的な事象（たとえば戦乱）などの

原因に相当するようにみえる場合にも、両者の間をつなぐ長く複雑なプロセスの解明が不可欠であることはいうまでもない。生態環境への適応を改善するために環境に働きかけた側へ、生態環境からのフィードバックがあり、それに対しさらに行動を変えて対処するといったような人の主体性を忘れてはならないだろう。人の植民以降に現地の生態系に与えた影響をも加味しながら、人文現象を自然環境という要因だけで単純に説明しようとする環境決定論に陥らないように、人為的な作用が相互に連携して多方面に波及するシステム連関を視野に入れて検討することが肝要であろう。

　アイヌ文化の研究や言説は、資料や民族誌の充実した北海道地域の類型をもとに構築されてきた。千島列島のデータを蓄積することで千島アイヌを含む狩猟採集の適応形態をあきらかにすることは、アイヌ文化の多様性を理解し、現代の文化継承の偏りを矯正するうえで重要である。鳥居によって復原された島から島へ長距離移住を繰り返す生業・集落モデルは（鳥居　1976a, b）、東アジア経済圏に包摂された後の商品開発に見合った形態であると同時に、千島列島という特殊な生態環境に規定される地域的な適応でもあったことがわかる。また、アリューシャン列島は千島列島と類似した自然・地理的環境を有するが、両地域の接触期以前の推定人口や人口密度には大きな相違がある。その相違を生み出した背景の理解には長期の資源・土地利用の分析が有効である。そして、狩猟採集民が環境から常に一方的な影響を与えられてきたと思いこむのではなく、長期にわたって相互に影響をおよぼし合ってきた歴史生態的事例を提示することこそが、いま最も必要とされている。

引用参考文献

〔和文〕
(財) アイヌ文化振興・研究推進機構 (編)
    2005a 『イオル再生等アイヌ文化伝承方策基礎調査報告書』札幌：(財) アイヌ文化振興・研究推進機構。
    2005b 『ロシア民族学博物館アイヌ資料展——ロシアが見た島国の人びと——』札幌：(財) アイヌ文化振興・研究推進機構。

アイヌ文化保存対策協議会 (編)
    1969 『アイヌ民族誌』東京：第一法規出版。

(財) アイヌ民族博物館 (編)
    1999 『川上まつ子の伝承——植物編1——』伝承記録4。

秋野茂樹
    2006 「アイヌの霊送り儀礼と場所請負制」菊池勇夫・真栄平房昭 (編) 『列島史のみ南と北』pp.190-215、東京：吉川弘文館。

天野哲也
    1975 「オホーツク文化における動物儀礼の問題」『北大史学』15、87-62。
    1990 「クマの胆考——クマ送りとの関連で——」『古代文化』42(10)、26-35。
    2002 「クマ送りとクマ贈り (ギフト)」佐伯有清 (編) 『日本古代中世の政治と宗教』pp.202-216、東京：吉川弘文館。
    2006 「アイヌ文化形成の諸問題——歴史教育におけるアイヌ文化の意味——」天野哲也・臼杵勲・菊池俊彦 (編) 『北方世界の交流と変容』pp.122-133、東京：山川出版社。

天野哲也・B. フィッツヒュー・V. シュービン
    2007 「千島列島にオホーツク文化の北限を求めて」高橋英樹・加藤ゆき恵・松田由香 (編) 『北大千島研究の系譜——千島列島の過去・現在・未来——』pp.60-66、札幌：北海道大学総合博物館。

五十嵐国宏
    1989 「千島列島出土のオホーツク式土器」『根室市博物館開設準備室紀要』3、9-37。

池上二良 (編)
    1967 「サンタンことば集」『北方文化研究』2、27-87。
    1997 『ウイルタ語辞典』札幌：北海道大学図書刊行会。

池田貴夫
    2000 「アイヌ民族のクマ送り形成像」北海道開拓記念館（編）『北の文化交流史研究事業研究報告』pp.197-214、札幌：北海道開拓記念館。
    2003 「『北海記』にみるクマ送り」『北海道開拓記念館紀要』31、71-76。

池谷和信
    1999 「狩猟民と毛皮交易――世界経済システムの周辺からの視点――」『民族学研究』64 (2)、199-222。
    2002 『国家のなかでの狩猟採集民――カラハリ・サンにおける生業活動の歴史民族誌――』（国立民族学博物館研究叢書 4）大阪：国立民族学博物館。

石川直章
    1988 「物質資料からみたアイヌ文化の様相――アイヌ文化成立についての覚書――」『根室市博物館開設準備室紀要』2、14-21。

石村真一
    1997 『桶・樽 3』（ものと人間の文化史 82）東京：法政大学出版局。

泉 靖一
    1952 「沙流アイヌの地縁集団における IWOR」『民族学研究』16 (3-4)、213-229。

犬飼哲夫・名取武光
    1939 「イオマンテ（アイヌの熊祭）の文化的意義とその形式 1」『北方文化研究報告』2、237-271。

犬飼哲夫・森樊須
    1956 「北海道アイヌのアザラシ及びオットセイ狩り」『北方文化研究報告』11、35-47。

煎本 孝
    1987 「沙流川流域アイヌに関する歴史的資料の文化人類学的分析 C. 1300-1867 年」『北方文化研究』18、1-218。

岩井宏實
    1994 『曲物』（ものと人間の文化史 75）東京：法政大学出版局。

岩﨑奈緒子
    1998 『日本近世のアイヌ社会』東京：校倉書房。
    2003 「〈歴史〉とアイヌ」『日本はどこへ行くのか』pp.193-232、東京：講談社。

ヴァシーリエフ, V. N.
    2004 「エゾおよびサハリン島アイヌ紀行」荻原眞子（訳）『北海道立アイヌ民族文化研究センター研究紀要』10、153-177。

上野秀一
    1992 「本州文化の受容と農耕文化の成立」須藤隆・今泉隆雄・坪井清足（編）『古代の日本 9 東北・北海道』pp.451-472、東京：角川書店。

ウォーラーステイン、I.
 1993 『近代世界システム 1600〜1750』名古屋：名古屋大学出版会。
右代啓視
 1995 「オホーツク文化にかかわる編年的対比」北海道開拓記念館（編）『北の歴史・文化交流研究事業研究報告』pp.45-64、札幌：北海道開拓記念館。
右代啓視・手塚薫
 1992 「ウルップ島アリュートカ湾岸遺跡出土の遺物」北海道開拓記念館（編）『1991年度北の歴史・文化交流研究事業中間報告』pp.79-90、札幌：北海道開拓記念館。
宇田川洋
 1980 『アイヌ考古学』東京：教育社。
 1989 『イオマンテの考古学』東京：東京大学出版会。
 1996 「アイヌ自製品の研究」『東京大学文学部考古学研究室紀要』14、27-73。
 2001 『アイヌ考古学研究・序論』札幌：北海道出版企画センター。
内田祐一
 2004 「アイヌの狩猟」榎森進（編）『アイヌの歴史と文化2』pp.134-143、仙台：創童舎。
宇野隆夫
 2000 「世界システム論」安斎正人（編）『現代考古学の方法と理論2』pp.159-163、東京：同成社。
江嶋壽雄
 1999 『明代清初の女直史研究』福岡：中国書店。
榎森　進
 1990 「13〜16世紀の東アジアとアイヌ民族」『北日本中世史の研究』pp.223-269、東京：吉川弘文館。
 1992 「蝦夷地をめぐる北方の交流」丸山雍成（編）『日本の近世6 情報と交通』pp.371-412、東京：中央公論社。
 1995 「アイヌ民族と安藤氏」小口雅史（編）『津軽安藤氏と北方世界』pp.214-254、河出書房新社。
 2007 『アイヌ民族の歴史』浦安：草風館。
遠藤　巌
 1988 「応永初期の蝦夷反乱」『北からの日本史』pp.163-181、東京：三省堂。
遠藤匡俊
 1997 『アイヌと狩猟採集社会——集団の流動性に関する地理学的研究——』東京：大明堂。
 2000 「近世アイヌの集落と家族構成」『白い国の詩』526、4-13。

大井晴男
　　1997「『熊祭りの起源』をめぐって」『考古学雑誌』83 (1)、82-111。
大井晴男・大泰司紀之・西本豊弘
　　1980「礼文島香深井A遺跡出土ヒグマの年齢・死亡時期・性別の査定について」『北方文化研究』13、43-74。
大石直正
　　1992「北からの日本中世」『歴史と地理』445、1-15。
大塚和義
　　1977「アイヌの動物飼育」『季刊どるめん』14、43-48。
　　1987「梟送り、コタンコルカムイ・イオマンテ」『季刊民俗学』42、81-84。
大友喜作（編）
　　1972『北門叢書』（第1冊）東京：国書刊行会。
大西秀之
　　2001「トビニタイ文化なる現象の追求」『物質文化』17、22-56。
大貫静夫・佐藤宏之（編）
　　2005『ロシア極東の民族考古学――温帯森林猟漁民の居住と生業――』東京：六一書房。
大林太良
　　1991『北方の民族と文化』東京：山川出版。
小川英文
　　2000「狩猟採集社会と農耕社会の交流――相互関係の視覚――」小川英文（編）『現代の考古学5 交流の考古学』pp.266-295、東京：朝倉書店。
小川正人
　　1997「イオマンテの近代史」札幌学院大学人文学部（編）『アイヌ文化の現在』pp.241-304、札幌：札幌学院大学生活協同組合。
奥田統己
　　1998「アイヌ史研究とアイヌ語――とくに「イオル」をめぐって」北海道・東北史研究会（編）『場所請負制とアイヌ――近世蝦夷地史の構築をめざして――』札幌：北海道出版企画センター。
小口雅史
　　2006「防御性集落の時代背景――文献史学の立場から――」三浦圭介・小口雅史・齋藤利男（編）『北の防御性集落と激動の時代』pp.173-196、東京：同成社。
尾崎房郎
　　1987「蝦夷地第一次幕領政策の論理」『北大史学』27、37-51。
オズワルト、W. H.
　　1983『食料獲得の技術誌』加藤晋平・秃仁志（訳）、東京：法政大学出版局。

海保嶺夫
    1984 『近世蝦夷地成立史の研究』東京：三一書房。
    1991 「「北蝦夷地御引渡目録」について」北海道開拓記念館（編）『1990年度北の歴史・文化交流研究事業中間報告』pp.1-66、札幌：北海道開拓記念館。
    1993 「中国と日本列島北部の動向」北海道開拓記念館（編）『1992年度北の歴史・文化交流研究事業中間報告』pp.101-114、札幌：北海道開拓記念館。
    1996 『エゾの歴史――北の人びとと「日本」――』東京：講談社。
    1998 『北方史料集成4』海保嶺夫（翻刻・解説）、札幌：北海道出版企画センター。
    2000 「アイヌ民族の交易形態と貂の役割――1696年、蝦夷地に漂着した朝鮮人の史料より――」北海道開拓記念館（編）『北の文化交流史研究事業研究報告』pp.255-268、札幌：北海道開拓記念館。
風間伸次郎（採録・訳注）
    1996a 『ウルチャ口承文芸原文集1』（ツングース言語文化論集9）風間伸次郎（採録・訳注）、鳥取：鳥取大学教育学部。
    1996b 『ナーナイの民話と伝説2』（ツングース言語文化論集8）風間伸次郎（採録・訳注）、鳥取：鳥取大学教育学部。
カーティン、P.D.
    2002 『異文化間交易の世界史』田村愛理・中堂幸政・山影進（訳）、東京：NTT出版。
加藤九祚
    1986 『北東アジア民族学史の研究』東京：恒文社。
上ノ国町教育委員会（編）
    2000 『史跡上之国勝山館跡21――平成11年度発掘調査環境整備事業概要――』上ノ国町：上ノ国町教育委員会。
萱野　茂
    1978 『アイヌの民具』東京：すずさわ書店。
川上　淳
    2006 「宝暦6（1756）年紀州船エトロフ島漂流記について」『比較文化論叢』17、5-29。
河内良弘
    1971 「明代女真の貂皮交易」『東洋史研究』30 (1)、62-120。
菊池勇夫
    1991 『北方史のなかの近世日本』東京：校倉書房。
    1995a 「文化年間のラショア人渡来――千島アイヌと蝦夷地内国化――」田中健夫（編）『前近代の日本と東アジア』pp.153-168、東京：吉川弘文館。
    1999a 「書評 岩﨑奈緒子著『日本近世のアイヌ社会』」『日本史研究』442、43-49。

1999b 『エトロフ島』東京：吉川弘文館。
2003 「蝦夷島の開発と環境」菊池勇夫（編）『蝦夷島と北方世界』pp.232-259、東京：吉川弘文館。

菊池徹夫
1984 『北方考古学の研究』東京：六興出版。

菊池俊彦
1995 『北東アジア古代文化の研究』札幌：北海道大学図書刊行会。

木崎良平
1982 『永寿丸魯西亜漂流紀』東京：明玄書房。
1991 『漂流民とロシア』東京：中央公論社。

岸上伸啓
1997 「アイヌの『飼い型』の送り儀礼と北方交易」『民博通信』76、109-115。
2001 「北米北方地域における先住民による諸資源の交易について──毛皮交易とその諸影響を中心に──」『国立民族学博物館研究報告』25 (3)、293-354。

木村和男
2004 『毛皮交易が創る世界──ハドソン湾からユーラシアへ──』東京：岩波書店。

熊木俊朗
2003 「道東北部の続縄文文化」野村崇・宇田川洋（編）『新北海道の古代2　続縄文・オホーツク文化』pp.50-69、札幌：北海道新聞社。

クルーゼンシュテルン、I. F.
1979 (1840)『奉使日本紀行』（北方未公開古文書集成第5巻）青地盈（訳）・高橋影保（校）、東京：叢文社。

クロスビー、A.W.
1998 『ヨーロッパ帝国主義の謎──エコロジーから見た10～20世紀──』佐々木昭夫（訳）、東京：岩波書店。

黒田信一郎
1991 「強制された狩猟──ツングース系諸族のコスモロジーとの関連──」北海道立北方民族博物館（編）『北方の狩猟儀礼』pp.52-62、網走：（財）北方文化振興協会。

越田賢一郎
2005 「中世の北海道島をめぐる北東日本海交易」矢田俊文・工藤清泰（編）『日本海域歴史体系第3巻中世篇』pp.219-251、大阪：清文堂出版。

児島恭子
1989 「18、19世紀におけるカラフトの住民──「サンタン」をめぐって──」北方言語・文化研究会（編）『民族接触』pp.31-47、東京：六興出版。
2003a 『アイヌ民族史の研究──蝦夷・アイヌ観の歴史的変遷──』東京：吉川弘文

　　　　館。
　　2003b「アイヌ女性の生活」菊池勇夫（編）『蝦夷島と北方世界』pp.167-198、東京：
　　　　吉川弘文館。
　　2003c「日本史のなかのラッコ皮交易」大塚和義（編）『北太平洋の先住民交易と工
　　　　芸』pp.32-35、京都：思文閣出版。
小杉　康
　　1996「物質文化からの民族文化誌的再構成の試み―クリールアイヌを例として―」
　　　　『国立民族学博物館研究報告』21(3)、391-502。
古原敏弘・ガーボル、W.（編）
　　1999『バラートシ バログ調査報告書』札幌：北海道立アイヌ民族文化研究セン
　　　　ター・ブダペスト民族学博物館。
小林　茂
　　2001「琉球王府の対天然痘戦略と漂流民」琉球中国関係国際学術会議（編）『第八
　　　　回琉中歴史関係国際学術会議論文集』pp.141-158、西原：琉球大学。
小林真人
　　1988「蝦夷船について」北海道・東北史研究会（編）『函館シンポジウム　北から
　　　　の日本史』pp.260-268、東京：三省堂。
　　1993「場所請負制下の余市アイヌの生活と社会―文政から幕末期を中心にして―」
　　　　『北海道開拓記念館研究報告』13、17-30。
　　1995「松前藩による山丹交易品の独占とその流通」北海道開拓記念館（編）『北の
　　　　歴史・文化交流研究事業研究報告』pp.245-267、札幌：北海道開拓記念館。
　　1998「成立期場所請負制の制度的考察」北海道・東北史研究会（編）『場所請負制
　　　　とアイヌ――近世蝦夷地史の構築をめざして――』pp. 42-111、札幌：北海道
　　　　出版企画センター。
　　1999「北海道の戦国時代と中世アイヌ民族の社会と文化」入間田宣夫・小林真人・
　　　　斉藤利男（編）『北の内界世界――北奥羽・蝦夷ヶ島と地域諸集団――』
　　　　pp.83-112、東京：山川出版社。
　　2000「中世アイヌ民族の社会と文化についての試論――文献史料からのアプローチ」
　　　　北海道開拓記念館（編）『北の文化交流史研究事業研究報告』pp.269-288、札
　　　　幌：北海道開拓記念館。
児山紀成
　　1985（1808）「蝦夷日記」阿部正己（編）『アイヌ叢誌3』、札幌：北海道出版企画セ
　　　　ンター。
コラー、S.
　　2002「安永年間の蝦夷地における日露交渉と千島アイヌ」『北大史学』42、56-79。
　　2004「安永年間のロシア人蝦夷地渡来の歴史的背景」『スラブ研究』51、391-413。

ゴロウニン、W. M.
   1984 『日本俘虜実記 上』徳力真太郎（訳）、東京：講談社。

齋藤 脩
   2000 「開発と疾病」見市雅俊・齋藤修・脇村孝平・飯島渉（編）『疾病・開発・帝国医療――アジアにおける病気と医療の歴史学――』pp.45-74、東京：東京大学出版会。

斉藤晨二
   1987 『ツンドラとタイガの世界』京都：地人書房。

斉藤晨二（編）
   2000 『シベリアへのまなざし2』（文部省科学研究費補助金基盤研究（A）(2)「シベリア狩猟・牧畜民の生き残り戦略の研究」研究成果報告書）名古屋：名古屋市立大学人文社会学部。

齋藤玲子
   1994 「北方民族文化研究における観光人類学的視点（1）――江戸～大正期におけるアイヌの場合――」『北海道立北方民族博物館研究紀要』3、139-160。

佐々木史郎
   1989 「アムール川下流域諸民族の社会・文化における清朝支配の影響について」『国立民族学博物館研究報告』14 (3)、671-771。
   1991 「レニングラードの人類学民族学博物館所蔵の満州文書」畑中幸子・原山煌（編）『東北アジアの歴史と社会』pp.195-216、名古屋：名古屋大学出版会。
   1994 「北海の交易」『岩波講座日本通史10』319-339、東京：岩波書店。
   1996 『北方から来た交易民』東京：日本放送出版協会。
   2000a 「クストゥール村周辺での狩猟活動の歴史と現状」斉藤晨二（編）『シベリアへのまなざし2』（文部省科学研究費補助金基盤研究（A）(2)「シベリア狩猟・牧畜民の生き残り戦略の研究」研究成果報告書）pp.99-120。
   2000b 「アイヌとその隣人たちの毛皮獣狩猟――ロシア極東先住民族のクロテン用の罠を中心として――」『アジア遊学』17、42-55。
   2002 「東アジア・北太平洋地域の狩猟採集文化研究の新しい視野を求めて」佐々木史郎（編）『先史狩猟採集文化研究の新しい視野』国立民族学博物館調査報告 33、5-20。
   2004 「毛皮交易による狩猟採集社会の世界システムへの参入」佐藤宏之（編）『シカ・イノシシ資源の持続的利用に関する歴史動態論的研』（文部科学研究費補助金国際学術・基盤研究 (B) (2) 研究成果報告書）pp.93-97。

佐々木史郎（編）
   2002a 『先史狩猟採集文化研究の新しい視野』国立民族学博物館調査報告 33。
   2002b 『開かれた系としての狩猟採集社会』国立民族学博物館調査報告 34。

佐々木利和
- 1978「強制コタンの変遷と構造について――とくにアブタ・コタンを中心に」『法政史学――』30、78-89。
- 1990「イオマンテ考――シャモによるアイヌ文化理解の考察――」『歴史学研究』613、111-120。
- 1998「アイヌ文化再発見」帯広百年記念館（編）『平成9年度帯広百年記念館アイヌ文化シンポジウム「アイヌ民族の文化と歴史を再考する」報告書』pp.1-17、帯広：帯広百年記念館。

札幌市埋蔵文化財センター（編）
- 2001『K36遺跡第6次調査環状通整備事業に伴う発掘調査』（札幌市文化財調査報告書65）、札幌：札幌市教育委員会。

佐藤宏一
- 1999「エトロフ島大変」『白い国の詩』520、4-13。

佐藤　俊
- 1984「東アフリカ牧畜民の生態と社会」『アフリカ研究』24、54-79。

佐藤孝雄
- 1993「『クマ送り』の系統――羅臼町オタフク岩洞窟におけるヒグマ儀礼の検討――」『国立歴史民俗博物館研究報告』48、107-127。
- 1997「中・近世における北海道アイヌの狩猟と漁撈――貝塚出土動物遺体の検討から――」『月刊考古学ジャーナル』425、13-18。
- 2000「クマ送りの起源をめぐって――その動物考古学的研究――」『環オホーツク』7、15-34、紋別：北の文化シンポジウム実行委員会。
- 2001「梟送りの考古学」『東北学』4、112-130。
- 2002「熊送りの成立過程――考古学的研究の現状と課題――」『東北学』7、150-169。
- 2004a「オホーツク文化の動物儀礼――その地域的・時期的特徴――」宇田川洋先生華甲記念論文集刊行実行委員会（編）『アイヌ文化の成立』pp.245-262、札幌：北海道出版企画センター。
- 2004b「送られた動物」宇田川洋（編）『クマとフクロウのイオマンテ』pp.73-89、東京：同成社。
- 2006『シラッチセの民族考古学――漁川源流域におけるヒグマ猟と"送り"儀礼に関する調査・研究――』東京：六一書房。
- 2010「報告『アイヌ考古学』の歩みとこれから」北海道大学アイヌ・先住民研究センター（編）『アイヌ研究の現在と未来』pp.72-93。

佐藤宏之
- 1989「陥し穴猟と縄文時代の狩猟社会」渡辺仁教授古希記念論文集刊行会（編）『考古学と民族誌』pp.37-59、東京：六興出版。

1990「縄紋時代狩猟の民族考古学」『現代思想』18 (12)、178-191。
　　　1998「罠猟のエスノアーケオロジー――過去と現在の架橋――」民族考古学研究会（編）『民族考古学序説』pp.160-176、東京：同成社。
　　　2000a「ビキン・ウデヘに見る狩猟の領域と居住形態」藤本強（編）『ロシア極東少数民族の自然集落に関する国際共同研究』pp.122-132。
　　　2000b『北方狩猟採集民の民族考古学』札幌：北海道出版企画センター。
佐藤宏之（編）
　　　1998『ロシア狩猟文化誌』東京：慶友社。
　　　2005『食糧獲得社会の考古学』東京：朝倉書店。
更科源蔵（編著）
　　　1969『千歳市史』千歳：千歳市。
更科源蔵・更科光
　　　1976『コタン生物記2』東京：法政大学出版局。
澤井 玄
　　　1998「北海道北東部における擦文文化の拡散と終末について」野村崇先生還暦記念論集編集委員会（編）『北方の考古学』pp.383-393、富良野：野村崇先生還暦記念論集刊行会。
　　　2007a「十一～十二世紀の擦文人は何をめざしたか――擦文文化の分布域拡大の要因について――」澤登寛聡・小口雅史（編）『アイヌ文化の成立と変容――交易と交流を中心として――』（法政大学国際日本学研究所「日本学の総合的研究」研究プロジェクトテーマプロジェクト⑤「日本の中の異文化」研究成果報告書）pp.241-269、東京：法政大学国際日本学研究所。
　　　2007b「土器と竪穴の分布から読み取る擦文文化の動態」天野哲也・小野裕子（編）『古代蝦夷からアイヌへ』pp.324-351、東京：吉川弘文館。
嶋田智恵子・村山雅史・青木かおり・中村俊夫・長谷川四郎・大場忠道
　　　2000「珪藻分析に基づく南西オホーツク海の完新世古環境復元」『第四紀研究』39 (5)、439-449。
シューピン、V. O.
　　　1990「千島列島における18～19世紀のロシア人集落」『北海道考古学』26、91-112。
シランチェフ、A. A.
　　　1924「狩猟」南満州鉄道株式会社庶務部調査課（編）『亜細亜露西亜の国土と産業 下巻 産業編』pp.223-248、大連：南満州鉄道株式会社庶務部調査課。
市立函館図書館（編）
　　　1969『東夷周覧』（郷土資料複製叢書6）勝知文（著）、函館：図書裡会。
末松保和

1928 『近世における北方問題の進展』東京：至文堂。

杉浦重信
1999 「千島・カムチャツカの様相」『シンポジウム海峡と北の考古学――文化の接点を探る――』pp.183-208、釧路：日本考古学協会1999年度釧路大会実行委員会。

鈴木琢也
2006 「北日本における古代末期の北方交易―北方交易からみた平泉前史―」『歴史評論』678、60-69。

鈴木　信
2003a 「続縄文〜擦文文化期の渡海交易品」『北海道考古学』39、9-47。
2003b 「擦文〜アイヌ文化期の準構造船と渡海交易」『考古学に学ぶ2』（同志社大学考古学シリーズ8）、709-720。
2005 「北海道の古代交易と海上交通手段――続縄文〜擦文文化期の交易路と準構造船――」『石川県埋蔵文化財情報』13、46-48。

スタルツェフ、A. F.
1998 「ウデへの狩猟活動と狩猟習俗」森本和男（訳）・佐藤宏之（編）『ロシア狩猟文化誌』pp.209-259、東京：慶友社。

スチュアート、H.
1990 「伝統ネツリック・イヌイットのイヌクシュクによるカリブー猟」『民族学研究』55 (1)、75-85。
1996 『採集狩猟民の現在』東京：言叢社。

スチュアート、H.・手塚薫・熊崎保
1994 「北極の民族考古学――カナダ北西準州ペリーベイ村周辺の遺構――」『北海道開拓記念館研究年報』22、35-64。

ズナメンスキー、S.
1979 (1929)『ロシア人の日本発見――北太平洋における航海と地図の歴史――』秋月俊幸（訳）、札幌：北海道大学図書刊行会。

瀬川拓郎
2003a 「神の魚を追いかけて――石狩川をめぐるアイヌのエコシステム――」『エコソフィア』11、23-29。
2003b 「擦文時代の交易体制」『歴史評論』639、2-14。
2005 『アイヌエコシステムの考古学――異文化交流と自然利用からみたアイヌ社会成立史――』札幌：北海道出版企画センター。

関　秀志
1980 「幕末における庄内藩の留萌地方経営をめぐる諸問題 (5)」『北海道史研究』21、1-20。

  2004「幕末の開拓地（8）」『北の青嵐』136、4-7。
関根達人
  2003「アイヌ墓の副葬品」『物質文化』76、38-54。
添田雄二
  2008「アイヌ文化期～近現代の北方資源と小氷期とのかかわりⅠ」北海道開拓記念館（編）『「北方の資源をめぐる先住者と移住者の近現代史」2005-07年度調査報告』pp.7-16、札幌：北海道開拓記念館。
添田雄二・青野友哉・菅野修広・山田悟郎・池田陽香・鈴木明彦・都郷義寛・渡邊剛・早田勉・赤松守雄
  2010「伊達市ポンマ遺跡における地質学的・考古学的発掘調査──速報──」『北海道開拓記念館調査報告』49、75-86。
添田雄二・七山太・重野聖之・石井正之・古川竜太・猪熊樹人・中川充・長友恒人・山田悟郎
  2006「根室海岸地域において発掘された15層の巨大津波痕跡──速報──」『月刊地球』28（8）、532-538。
ダイアモンド、J.
  2000『銃・病原菌・鉄』（上）倉骨彰（訳）、東京：草思社。
高倉新一郎
  1939「近世に於ける樺太を中心とした日満交易」『北方文化研究報告』1、163-194。
  1966「アイヌ部落の変遷」北大生協高倉記念出版委員会（編）『アイヌ研究』pp.129-162、札幌：北海道大学生活協同組合。
  1972（1939）『アイヌ政策史』東京：三一書房。
高倉新一郎（編）
  1969『日本庶民生活史料集成　第4巻　探検・紀行・地誌　北辺篇』東京：三一書房。
高倉浩樹
  2006「18～19世紀の北太平洋世界における樺太先住民交易とアイヌ」菊池勲・真栄平房昭（編）『列島史の南と北』pp.164～189、東京：吉川弘文館。
高橋美貴
  2007『「資源繁殖の時代」と日本の漁業』東京：山川出版社。
高宮広土
  2002「狩猟採集から農耕へ──沖縄でのケース──」佐々木史郎（編）『先史狩猟採集文化研究の新しい視野』国立民族学博物館調査報告33、257-273。
瀧川政次郎
  1941「清朝文官の服制」『国立中央博物館時報』11、1-8。
タクサミ、Ch. M.・コーサレフ、V. D.

1998 『アイヌ民族の歴史と文化』中川裕・熊野谷葉子（訳）、東京：明石書店。
田口　尚
　　1994 「アイヌの木器とその源流」『季刊考古学』47、66-70。
　　1999 「低湿地から出土したアイヌ文化期の木製品——千歳市美々8遺跡低湿部から」『シンポジウム海峡と北の考古学——文化の接点を探る——』pp. 343-362、釧路：日本考古学協会1999年度釧路大会実行委員会。
田口洋美
　　1998 「ロシア沿海州少数民族ウデヘの狩猟と暮らし」佐藤宏之（編）『ロシア狩猟文化誌』pp.81-156、東京：慶友社。
　　2000a 「シベリア先住民族における環境に対する狩猟の技術的適応」斉藤晨二（編）『シベリアへのまなざし2』（文部省科学研究費補助金基盤研究(A)(2)「シベリア狩猟・牧畜民の生き残り戦略の研究」研究成果報告書）pp.124-177。
　　2000b 「アムール川流域における少数民族の狩猟魚撈活動」藤本強（編）『ロシア極東少数民族の自然集落に関する国際共同研究』pp.9-27。
竹中　豊
　　1984 「ヌーベルフランス時代」大原祐子・馬場伸也（編）『概説カナダ史』pp.15-48、東京：有斐閣。
田島佳也
　　1995 「場所請負制後期のアイヌの漁業とその特質——西蝦夷地余市場所の場合——」田中健夫（編）『前近代の日本と東アジア』pp.271-295、東京：吉川弘文館。
　　1998 「場所請負制の研究について——形成しつつある『場所請負共同体』の把握に関連して——」北海道・東北史研究会（編）『場所請負制とアイヌ——近世蝦夷地史の構築をめざして——』pp.174-194、札幌：北海道出版企画センター。
　　2003 「場所請負の歴史的課題」『歴史評論』639、39-50。
谷本晃久
　　1998 「近世アイヌの出稼サイクルとその成立過程——西蝦夷地『北海岸』地域を事例として——」『学習院大学文学部研究年報』45、39-108。
　　2001 「近世蝦夷地「場所」共同体をめぐって」『学習院史学』39、4-18。
　　2002 「宗教からみる近世蝦夷地在地社会」『歴史評論』629、48-59、72。
　　2003 「アイヌの「自分稼」」菊池勇夫（編）『蝦夷島と北方世界』pp.199-231、東京：吉川弘文館。
谷本一之
　　2000 『アイヌ絵を聴く——変容の民族音楽誌——』札幌：北海道大学図書刊行会。
田端　宏
　　1999 「近世アイヌの生活」『白い国の詩』519、4-13。
田端　宏（編）

2000 『蝦夷地から北海道へ　街道の日本史 2』東京：吉川弘文館。

玉蟲左太夫
1992 『入北記——蝦夷地・樺太巡検日誌——』稲葉一郎（解読）、札幌：北海道出版企画センター。

丹治輝一
1995 「明清代中国東北部の交易経済の発達と貂皮」北海道開拓記念館（編）『北の歴史・文化交流研究事業研究報告』pp.219-244、札幌：北海道開拓記念館。

チースリク、H.（編）
1962 『北方探検記——元和年間に於ける外国人の蝦夷報告書——』アンジェリス、カルワーリュ（原著）、岡本良知（訳）、東京：吉川弘文館。

千歳市史編さん委員会（編）
1983 『増補千歳市史』千歳：千歳市。

千葉徳爾
1975 『狩猟伝承』（ものと人間の文化史 14）、東京：法政大学出版局。

知里真志保
1976 『知里真志保著作集　別巻 1』東京：平凡社。

知里真志保・山本祐弘
1979 「コタンの生活」山本祐弘（編）『樺太自然民族の生活』pp.14-94、東京：相模書房。

塚本浩司
2003 「擦文時代の遺跡分布の変遷について」『東京大学考古学研究室研究紀要』18、1-34。
2007 「石狩低地帯における擦文文化の成立過程について」天野哲也・小野裕子（編）『古代蝦夷からアイヌへ』pp. 167-189、東京：吉川弘文館。

手塚　薫
1993a 「アムール川下流域のウリチを中心とする民族調査」北海道開拓記念館（編）『北の歴史・文化交流研究事業研究報告』pp.21-28、札幌：北海道開拓記念館。
1993b 「ウルップ島アリュートカ湾の日ソ共同調査について」櫻井清彦先生古稀記念会（編）『二十一世紀への考古学』pp.299-308、東京：雄山閣。
1995 「アムール川流域におけるナナイとウリチの象徴表現」北海道開拓記念館（編）『北の歴史・文化交流研究事業研究報告』pp.333-346、札幌：北海道開拓記念館。
1996 「絵画史料にみるアイヌ盛装風俗の変遷とその特徴」『北海道開拓記念館調査報告』35、33-40。
1997 「アイヌ民族の食習」北の生活文庫企画編集会議（編）『北海道の衣食と住ま

い」pp.64-74、札幌：北海道。
2000 「北東アジアにおける毛皮獣狩猟活動の意義——毛皮の獲得と毛皮交易の視点から——」北海道開拓記念館（編）『北の文化交流史研究事業研究報告』pp.215-233、札幌：北海道開拓記念館。
2001 「千島列島北部オンネコタン島ネモ湾に所在する周堤をもつ特殊な遺構について——2000年度 IKIP 国際千島調査）の成果から——」北海道開拓記念館研究紀要 29、81-92。
2003a 「千島列島におけるラッコ猟とグローバル経済」北海道立北方民族博物館（編）『第17回北方民族文化シンポジウム報告』pp.33-37、網走：北方文化振興協会。
2003b 「北米大平原のバイソン利用形態の変化」北海道開拓記念館（編）『「北方文化共同研究事業」2000-2002 調査報告』pp.183-196、札幌：北海道開拓記念館。
2003c 「ウルップ島のラッコ猟」大塚和義（編）『北太平洋の先住民交易と工芸』pp.144-149、京都：思文閣出版。
2003d 「ウルップ島の帝政ロシア期集落——千島列島における交易ネットワークの視点から——」『北海道開拓記念館研究報告』18:25-38。
2007 「先史時代から接触期までの千島列島への人の移住——千島列島生物多様性プロジェクトの成果から——」澤登寛聡・小口雅史（編）『アイヌ文化の成立と変容——交易と交流を中心として——』pp.301-326、東京：法政大学国際日本学研究所。

手塚薫・池田貴夫
2001 「クマ送りの伝統」北海道開拓記念館（編）『知られざる中世の北海道』pp.26-29、札幌：北海道開拓記念館。
2005 「接触・交錯するアイヌと和人のまつり——『北役紀行』記載、文久3（1863）年ハママシケの神社祭礼とクマ送りから——」『北海道開拓記念館研究紀要』33、47-66。

手塚薫・添田雄二
2008 「千島列島への植民と環境復原への試み」『北海道開拓記念館研究紀要』36、57-68。

手塚薫・水島未記
1997 「ロシア・ハバロフスク地方におけるエヴェンキ、ネギダール、オロチの植物利用」『北海道開拓記念館研究紀要』25、97-119。
1998 「平成8年度ロシア共和国ハバロフスク地方学術調査報告」北海道開拓記念館（編）『1997年度北の文化交流史研究事業中間報告』pp.43-50、札幌：北海道開拓記念館。

出利葉浩司
　1995 「狩猟具からみた北海道アイヌおよび北東アジア諸民族の小型毛皮獣狩猟活動の意味」北海道開拓記念館（編）『北の歴史・文化交流研究事業研究報告』pp.305-332. 北海道開拓記念館。
　2000 「アイヌの罠をめぐって──なぜ罠が使われたのか？──」『アジア遊学』17、19-30。
　2002 「近世末期におけるアイヌの毛皮獣狩猟活動について──毛皮交易の視点から──」佐々木史郎（編）『国立民族学博物館調査報告』34、97-163。

出利葉浩司・手塚薫
　1994 「アイヌの毛皮獣狩猟とその北東アジアにおける歴史的位置」北海道開拓記念館（編）『1993年度北の歴史・文化交流研究事業中間報告』pp.73-81、札幌：北海道開拓記念館。

東京大学史料編纂所（編）
　1984 『大日本近世史料近藤重蔵蝦夷地関係史料1』東京：東京大学史料編纂所。

トゥゴルコフ、B. A.
　1981 『トナカイに乗った狩人たち』斉藤晨二（訳）、東京：刀水書房。
　1995 『オーロラの民』斉藤晨二（訳）、東京：刀水書房。

鳥居龍蔵
　1976a (1903)「千島アイヌ」『鳥居龍蔵全集第7巻』pp.1-98、東京：朝日新聞社。
　1976b (1919)「考古学民族学研究・千島アイヌ」小林知生（訳）『鳥居龍蔵全集第5巻』pp.311-553、東京：朝日新聞社。

中井信彦
　1971 『転換期幕藩制の研究』東京：塙書房。

長澤政之
　2003 「場所請負制下、子モロ場所におけるアイヌの漁場労働」『歴史』101、32-57。

中田　篤
　1998a 「北方地域におけるイヌの役割」北海道立網走北方民族博物館（編）『人、イヌと歩く』第13回特別展図録 pp.5-16、網走：北海道立北方民族博物館。
　1998b 『民具マンスリー』31(4)、17-19。

中村和之
　1992 「『北からの蒙古襲来』小論」『史朋』25、1-9。
　1997 「13～16世紀の環日本海地域とアイヌ」大隅和雄・村井章介（編）『中世後期における東アジアの国際関係』pp.145-178、東京：山川出版社。
　1998 「教科書のなかのアイヌ史像──知里幸恵『アイヌ神謡集』をめぐって──」北海道・東北史研究会（編）『場所請負制とアイヌ──近世蝦夷地史の構築をめざして──』pp.347-389、札幌：北海道出版企画センター。

1999「北の『倭寇的状況』とその拡大」入間田宣夫・小林真人・斉藤利男（編）『北の内海世界──北奥羽・蝦夷ヶ島と地域諸集団──』pp.178-198、東京：山川出版社。
中山利國（編）
　　　1944『西蝦夷地日誌』東京：石原求龍堂。
浪川健治
　　　1992『近世日本と北方社会』東京：三省堂。
　　　1994「毛夷東環記（1）」『弘前大学國史研究』96、34-47。
西村三郎
　　　2003『毛皮と人間の歴史』東京：紀伊国屋書店。
西本豊弘
　　　1978「オホーツク文化の生業──動物遺存体による生業活動の復元──」『物質文化』31、1-12。
　　　1984「オホーツク文化の生業」石附喜三男（編）『北海道の研究2』pp.105-126、大阪：清文堂出版。
　　　1985「北海道の狩猟・漁撈活動の変遷」『国立歴史民族博物館研究報告』6、53-74。
　　　1989「『クマ送り』の起源について」渡辺仁教授古稀記念論文集刊行会（編）『考古学と民族誌──渡辺仁教授古稀記念論文集──』pp.215-226、東京：六興出版。
野村崇・杉浦重信
　　　1995「北限の縄文文化──千島列島における様相──」『季刊考古学』50、62-69。
長谷部一弘
　　　2003「アリュートの皮舟」大塚和義（編）『北太平洋の先住民交易と工芸』pp.158-162、京都：思文閣出版。
長谷部辰連・時任為基
　　　1969（1876）「千島三郡取調書」高倉新一郎（編）『日本庶民生活史料集成　第4巻』pp.271-295、東京：三一書房。
秦　檍麿
　　　1982　佐々木利和・谷澤尚一（研究解説）『蝦夷島奇観』東京：雄峰社。
馬場　修
　　　1979『樺太・千島考古・民族誌1』札幌：北海道出版企画センター。
パフルーシン、C. B.
　　　1971（1928）『スラブ民族の東漸』外務省調査部（訳）、東京：新時代社。
林昇太郎・手塚薫・水島未記
　　　2000『蝦夷の植物画』北海道開拓記念館第126回テーマ展豆本26、札幌：北海道開拓記念館。
林昇太郎・舟山直治・小林孝二・手塚薫

1996 「絵画史料にみる近世中期から明治初期の北海道生活誌」『北海道開拓記念館調査報告』35、19-20。

林　善茂
1967 「アイヌの食料植物採集」『北方文化研究報告』2、157-172。
1969 『アイヌの農耕文化』東京：慶友社。

春成秀爾
1995 「熊祭りの起源」『国立歴史民俗博物館研究報告』60、57-106。

ピウスツキ、B.
1999 「サハリン・アイヌの熊祭」和田完（編著）『サハリン・アイヌの熊祭』pp.3-45, 東京：第一書房。

東村岳史
2002 「戦後におけるアイヌの「熊祭り」——1940年代後半～1960年代後半の新聞記事分析を中心に——」『解放社会学研究』16、110-139。

フィッツヒュー、B.
2002 「北太平洋における海洋狩猟採集民の起源——コディアック島の事例から——」佐々木史郎（編）『先史狩猟採集文化研究の新しい視野』国立民族学博物館調査報告33、49-82。

深澤百合子
1995 「エスノヒストリー（ethnohistory）としてのアイヌ考古学」『北海道考古学』31、271-290。
2004 「アイヌ文化とはなにか」野村崇・宇田川洋（編）『擦文・アイヌ文化』（新北海道の古代3）pp.102-117、札幌：北海道新聞社。

藤井誠二
2008 「擦文文化～アイヌ文化の木製品について」『中世日本列島北部～サハリンにおける民族の形成過程の解明——市場経済圏拡大の観点から——』（H19年度文部科学省特別研究促進研究成果公開事業シンポジウム）pp. 37-46、札幌：北海道大学総合博物館。

藤村久和
1992 「浦河地方の食——浦河タレさんの暮らしと食べもの——」『聞き書アイヌの食事』pp.66-139、東京：農山漁村文化協会。

藤本　強
1982 「続縄文文化概論」加藤晋平・小林達雄・藤本強（編）『縄文文化の研究6 続縄文・南島文化』pp.10-20、東京：雄山閣。

藤本　強（編）
2000 『ロシア極東少数民族の自然集落に関する国際共同研究』（文部省科学研究費補助金国際学術研究・基盤研究(B)(2)研究成果報告書）。

麓　慎一
　　2002『近代日本とアイヌ社会』東京：山川出版社。
ベルクマン、S.
　　1992 (1931)『千島紀行』東京：朝日新聞社。
北海道（編）
　　1969「東蝦夷地各場所様子大概書」『新北海道史第7巻史料1』札幌：新北海道史印刷出版共同企業体。
　　1991 (1936)「休明光記遺稿」『新撰北海道史第5巻史料1』大阪：清文堂出版。
北海道開拓記念館（編）
　　1975『民族調査報告書総集編』（北海道開拓記念館研究報告2）札幌：北海道開拓記念館。
　　1999『蝦夷地のころ』（常設展示解説書3）、札幌：北海道開拓記念館。
北海道教育委員会（編）
　　1989『アイヌのくらしと言葉1』（アイヌ無形民俗文化財シリーズ2）、札幌：北海道教育委員会。
北海道教育庁振興部文化課（編）
　　1975『遠矢第2チャシ跡遺跡調査報告書』札幌：北海道教育委員会。
（財）北海道埋蔵文化財センター（編）
　　1996『三沢川流域の遺跡群18――新千歳空港建設用地内埋蔵文化財発掘調査報告書――』（北埋調報102）札幌：財団法人北海道埋蔵文化財センター。
　　1997『三沢川流域の遺跡群20――新千歳空港建設用地内埋蔵文化財発掘調査報告書――』（北埋調報114）札幌：財団法人北海道埋蔵文化財センター。
　　2000『千歳市ユカンボシC15遺跡（3）――北海道縦断自動車道（千歳―夕張）埋蔵文化財発掘調査報告書――』（北埋調報146）札幌：財団法人北海道埋蔵文化財センター。
　　2001『千歳市ユカンボシC15遺跡（4）――北海道縦断自動車道（千歳―夕張）埋蔵文化財発掘調査報告書――』（北埋調報159）札幌：財団法人北海道埋蔵文化財センター。
　　2002『千歳市ユカンボシC15遺跡（5）――北海道縦断自動車道（千歳―夕張）埋蔵文化財発掘調査報告書――』（北埋調報176）札幌：財団法人北海道埋蔵文化財センター。
　　2003『千歳市ユカンボシC15遺跡（6）――北海道縦断自動車道（千歳―夕張）埋蔵文化財発掘調査報告書――』（北埋調報192）札幌：財団法人北海道埋蔵文化財センター。
ポランニー、K.
　　1980『人間の経済Ⅰ・Ⅱ』玉野井芳郎・栗本慎一郎（訳）、東京：岩波書店。

本田優子
　　2002 「近世北海道におけるアットゥシの産物化と流通」『北海道立アイヌ民族研究センター研究紀要』8、1-40。

澗潟久治
　　1980 　北海道教育庁社会教育部文化課（編）『ウイルタ言語習俗資料』（ウイルタ民俗文化財緊急調査報告書2）、札幌：北海道教育委員会。

マクニール、W. H.
　　1985 『疫病と世界史』佐々木昭夫（訳）、東京：新潮社。

松浦　茂
　　1992 「間宮林蔵の著作から見たアムール川最下流域地方の辺民組織」神田信夫先生古希記念論集編纂委員会（編）『清朝と東アジア』pp.147-167、東京：山川出版。
　　2006 『清朝のアムール政策と少数民族』京都：京都大学学術出版会。

松木明知
　　1973 『北海道の医史』弘前：津軽書房。

松前町史編集室（編）
　　1979 『松前町史 史料編第3巻』函館：松前町。

松前平角・青山園右衛門（他）
　　1791 『蝦夷唐太嶋之記』（北海道大学附属図書館蔵写本）。

三浦正人
　　2003 「縄文・続縄文の木の文化」野村崇・宇田川洋（編）『新北海道の古代2 続縄文・オホーツク文化』pp.70-93、札幌：北海道新聞社。

三上次男
　　1966 『古代東北アジア史研究』東京：吉川弘文館。

南川雅男
　　2001 「炭素・窒素同位体分析により復元した先史日本人の食生態」『国立民族学博物館研究報告』86、333-357。

三野紀雄
　　1994 「先史時代における木材の利用（1）——擦文及びオホーツク文化期の住居や用具類の制作 などに用いられる木材——」『北海道開拓記念館研究年報』22、11-25。
　　1996 「先史時代における木材の利用（2）——北海道の縄文時代及び続縄文時代の住居や用具類 の製作などに用いられる木材——」『北海道開拓記念館研究紀要』24、27-48。
　　2000 「先史時代における木材の利用（3）——石狩低地帯における木材利用の地域的・時代的な差異について——」『北海道開拓記念館研究紀要』28、1-25。

2001「先史時代における木材の利用（4）——クリ材について——」『北海道開拓記念館研究紀要』29、37-50。

簑島栄紀
　　　2001『古代国家と北方社会』東京：吉川弘文館。

山内　昶
　　　1992『経済人類学の対位法』東京：世界書院。

山浦　清
　　　1998「マレクの系統に関する一序説」『貝塚』52-53、7-21。

山田悟郎
　　　2000「アイヌ文化期の農耕について」北海道開拓記念館（編）『北の文化交流史研究事業研究報告』pp.99-118、札幌：北海道開拓記念館。

山田悟郎・手塚薫
　　　1992「得撫島アリュートカ湾岸に分布する植物と湿原堆積物の花粉分析結果について」北海道開拓記念館（編）『1991年度北の歴史・文化交流研究事業中間報告』pp.61-78、札幌：北海道開拓記念館。

山田伸一
　　　2001「開拓使による狩猟規制とアイヌ民族——毒矢猟の禁止を中心に——」『北海道開拓記念館研究紀要』29、207-228。
　　　2004「千歳川のサケ漁規制とアイヌ民族」『北海道開拓記念館研究紀要』32、119-142。

山本祐弘
　　　1970『樺太アイヌ』東京：相模書房。

由良　勇
　　　1995『北海道の丸木舟』旭川：マルヨシ印刷。

吉田金一
　　　1974『近代露清関係史』東京：近藤出版社。

米田　穣
　　　2006「炭素・窒素同位体比から見たオホーツク文化の食生態」『骨から探るオホーツク人の生活とルーツ——形質人類学・遺伝学による研究——』pp.51-57、札幌：北海道大学総合博物館。

李　桂芹
　　　1992「明清両代の東北辺境に対する管轄および貢と賞賜・婚姻制度」北海道開拓記念館（編）『1991年度北の歴史・文化交流研究事業中間報告』pp.37-49、札幌：北海道開拓記念館。

渡辺　仁
　　　1964「アイヌの生態と本邦先史学の問題」『人類学雑誌』72（1）、9-23。

1972 「アイヌ文化の成立――民族・歴史・考古諸学の合流点――」『考古学雑誌』58 (3)、47-64。
1974 「アイヌ文化の源流――特にオホツク文化との関係について――」『考古学雑誌』60 (1)、72-82。
1984 「竪穴住居の廃用と燃料経済」『北方文化研究』16、1-41。

渡部　裕
1992 「アイヌの海獣狩猟」『北海道立北方民族博物館研究紀要』1、53-76。
1994 「北東アジアにおける海獣狩猟 (1) ――海獣狩猟の技術――」『北海道立北方民族博物館研究紀要』3、61-82。

和田一雄・伊藤徹魯
1999 『鰭脚類――アシカ・アザラシの自然史――』東京：東京大学出版会。

【中国文献】
凌　純聲
1990 『松花江下游的游的赫哲族』上海：上海文藝出版社。

〔欧文〕
Arutiunov, S. A.
    1988a　Koryak and Itelmen: Dwellers of the Smoking Coast. In W. W. Fitzhugh and A. Crowell (eds.) *Crossroads of Continents*, pp. 31-35. Washington D. C.: The Smithsonian Institution Press.
    1988b　Chukchi: Warriors and Traders of Chukotka. In W. W. Fitzhugh and A. Crowell (eds.) *Crossroads of Continents*, pp. 39-42. Washington D. C.: The Smithsonian Institution Press.

Bankroft, H. H.
    1886　*History of the Pacific States of North America* 28 Alaska 1730-1885. San Francisco: A. L. Bancroft & Company, Publishers.

Barnard, A.
    2000　*History and Theory in Anthropology.* Cambridge: Cambridge University Press.

Bellwood, P.
    2005　First Farmers: The Origins of Agricultural Societies. Malden: Blackwell.

Berkh, V. N.
    1974　*A Chronological History of the Discovery of the Aleutian Islands or the Exploits of Russian Merchants.* D. Krenov (tr.) and R. A. Pierce (ed.) Kingston: The Limestone Press.

Binford, L. R.
    1980　Willow Smoke and Dog's Tails: Hunter-Gatherer Settlement Systems and

Archaeological Site Formation. American Antiquity 45, 4-20.

Binnema, T.
2001 *Common and Contested Ground*. Norman: University of Oklahoma Press.

Bishop, C. A.
1981 Northeastern Indian Concepts of Conservation and the Fur trade: A Critique of Carvin Martin's Thesis. In S.III, Krech (ed.) *Indians, Animals, and the Fur Trade*, pp. 39-58. Athens: the University of Georgia Press.

Blackburn, R. H.
1982 In the Land of Milk and Honey: Okiek Adaptations to their Forests and Neighbours. In E. Leacock and R. B. Lee (eds.) *Politics and History in Band Societies*, pp. 283-305. Cambridge: Cambridge University Press. Brace, C. L. A. R. Nelson, N. Seguchi, H. Oe, L., Sering, P. Qifeng,

L. Yongyi, and D. Tumen
2001 Old World Sources of the First New World Human Inhabitants: A Comparative Craniofacial View. *Proceedings of the National Academy of Science* 98(17), 10017-10022.

Burch, E. J.
1988 *The Eskimos*. Norman: University of Oklahoma Press.
1998 *The Inupiaq Eskimo Nations of Northwest Alaska*. Fairbanks: University of Alaska Press.

Bychkov, O. V.
1994 Russian Hunters in Eastern Siberia in the Seventeenth Century : Lifestyle and Economy. *Arctic Anthropology* 31(1), 72-85.

Cashdan, E.
1989 Hunters and Gatherers: Economic Behavior in Bands. In S. Plattner (ed.) *Economic Anthropology*, pp. 21-48. Stanford: Stanford University Press.

Cochrane, J. D.
1970 (1825) Narrative of a Pedestrian Journey through Russia and Siberian Tartary. Third Edition Vol. 2. New York: Arno Press and New York Times.

Crowell, A. L.
1997 *Archaeological and the Capitalist World System*: A Study from Russian America. New York: Plenum Press.

Deriha K.
1994 Ethnological Collections Research on the Ainu & Neighboring Peoples of Northeastern Asia. *Arctic Studies Center Newsletter* 3, 14-15.

Diamond, J.

2000 Adaptive Failure: Easter's End. In S. James and D. W. McCurdy (eds.) *Conformity and Conflict*, pp. 118-127. Needham Heights: Allyn and Bacon.
2005 *Collapse*. New York: Viking.

Fedorova, S. G.
1973 *The Russian Population in Alaska and California from the Late Eighteenth Century to 1867*. R. A. Pierce and A. S. Donnelly (eds.) Kingston: The Limestone Press.

Fitzhugh, B., B. O. Shubin, K. Tezuka, Y. Ishizuka, and C. A. S. Mandryk
2002 Archaeology in the Kuril Islands: Advances in the Study of Human Paleobiogeography and Northwest Pacific Prehistory. *Arctic Anthropology* 39(1-2), 69-94.

Fitzhugh, W. and S. Kaplan
1982 *Inua: Spirit World of the Bering Sea Eskimo*. Washington, D.C.: Smithsonian Institution Press.

Forsyth, J.
1992 *A History of the Peoples of Siberia*. Cambridge: Cambridge University Press.

Gibson, J. R.
1976 *Imperial Russia in Frontier America*. Oxford University Press: New York.
1992 *Otter Skins, Boston Ships, and China Goods*. Montreal: McGill-Queen's University Press.

Glyndwr, W.
1983 The Hudson's Bay Company and the Fur Trade: 1670-1870. *The Beaver* 31 (2), 4-86.

Hall, T. D.
2000 Frontiers, Ethnogenesis, and World-Systems: Rethinking the Theories. In Hall, T. D. (ed.) *A World-Systems Reader*, pp. 237-270. Lanham: Rowman & Littlefield Publishers.

Hallowell, A. I.
1926 Bear Ceremonialism in the Northern Hemisphere. *American Anthropologist* 28(1), 1-175.

Haynes, G.
2002 *The Early Settlement of North America*, Cambridge: Cambridge University Press.

Headland, T. N. and L. A. Reid
1989 Hunter-gatherers and Their Neighbors from Prehistory to the Present. *Current Anthropology* 30(1), 43-66.

Hitchcock, R. K., K. Ikeya, M. Biesele, and R. B. Lee
   2006   Introduction: Updating the San, Image and Reality of an African People in the Twenty First Century. R. K Hitchcock, K. Ikeya, M. Biesele, and R. B. Lee (eds.) *Updating the San, Image and Reality of an African People in the Twenty First Century.* Senri Ethnological Studies 70, pp. 1-42.

Hoffman, C. L.
   1984   Punan Foragers in the Trading Networks of Southeast Asia. In Schrire C. (ed.) *Past and Present in Hunter Gatherer Studies*, pp.123-149. Orlando: Academic Press.

Hudson, M. J.
   2004   The Perverse Realities of Change: World System Incorporation and the Okhotsk Culture of Hokkaido. *Journal of Anthropological Archaeology* 23, 290-308.

Iwasaki-Goodman, M and M. Nomoto
   2001   Revitalizing the Relationship between Ainu and Salmon: Salmon Rituals in the Present. In D. G. Anderson and K. Ikeya (eds.) *Senri Ethnological Studies* 59, 27-46.

Jochelson, W.
   1975 (1908)   *The Koryak.* The Jusup North Pacific Expedition: Memoir of the American Museum of Natural History, 6. New York: AMS Press.

Kiple, K. F.
   1993   Disease Ecologies of the Caribbean. In K. F. Kiple (ed.) *The Cambridge World History of Human Disease*, pp. 497-504. Cambridge: Cambridge University Press.

Kratz, C. A.
   1986   Ethnic Interactions, Economic Diversification, and Language Use: a Report on Research with Kaplelach and Kipchornwonek Okiek. *Sprache und Geschichte in Africa* 7(2), 189-226.

Krech, S. III
   1981   Throwing Bad Medicine: Sorcery, Disease, and the Fur Trade among the Kuchin and Other Northern Athapaskans. In Krech, S. III (ed.) *Indians, Animals, and the Fur Trade*, pp. 73-108. Athens: the University of Georgia Press.

Lantis, M.
   1970   The Ethnography. In Lantis, M (ed.) *Ethnohistory in Southwestern Alaska & the Southern Yukon*, pp. 171-276. The University Press of Kentucky.

Lee, R. B.
   1968   What Hunters Do for a Living, or, How to Make out on Scarce Resources. R. B. Lee and I. DeVore (eds.) *Man The Hunter*, New York: Aldine De Gruyter.
Леньков, В. Д., Г. Л. Силантьев, and А. К. Станюкович
   1986   Лагерь Второй Камчатской Экспедиции на Острове Беринга (По Материалам Археологических Исследов) *Проблемы Археологических Исследований на Дальнем Востоке СССР*, pp.79-99. Владивосток : Наук .
Levin, M. G. and L. P. Potapov
   1964   *The People of Siberia*. Chicago and London: The University of Chicago Press.
Lieberman, D. E.
   1993   The Rise and Fall of Seasonal Mobility among Hunter-Gatherers. *Current Anthropology* 34(5), 599-631.
MacArthur, R. H. and E. O. Wilson
   1967   *The Theory of Island Biogeography*. Princeton: Princeton University Press.
Martin, C.
   1978   *Keepers of the Game: Indian-Animal Relationships and the Fur Trade*. Berkeley: University of California Press.
Martin, P. S.
   1973   The Discovery of America. *Science* 179, 969-974.
Masuda, R., T. Amano and H. Ono
   2001   Ancient DNA Analysis of Brown Bear (*Ursus arctoc*) Remains from the Archeological Site of Rebun Island, Hokkaido, Japan. *Zoological Science* 18. 741-751.
Мазин, А. И.
   1992   *Быти Хозяйстово Эвенков - Орочонов*. Новосиирск : Наука .
Murdock, G. P.
   1967   *Ethnographic Atlas*. New Haven: HRAF Press.
Nanayama, F, K. Satake, R. Furukawa, K. Shimokawa, B. F. Atwater, K. Shigeno and S. Yamaki
   2003   Unusually Large Earthquakes Inferred from Tsunami Deposits along the Kuril Trench. *Nature* 424(6949), 660-663.
Newman, P. C.
   1987   Canada's Fur-Trading Empire. *National Geographic*. 172 (2), 192-229.
Ohnuki-Tierney, E.
   1984   *The Ainu of the Northwest Coast of Southern Sakhalin*. Long Grove: Waveland Press.

Peterson, J. T.
   1978   Hunter-Gatherer / Farmer Exchange. American Anthropologist. 80, 335-351.

Pierce, R. A.
   1990   Russian America and China In B. S. Smith and R. J. Barnett (eds.) *Russian America: the Forgotten Frontier*, pp. 73-80. Tacoma: Washington State Historical Society.

Ray, A. J.
   1978   History and Archaeology of the Northern Fur Trade. *American Antiquity* 43(1), 26-34.
   1996   The Northern Interior, 1600 to Modern Times. In B. G. Trigger and W. E. Washburn (eds.) *The Cambridge History of the Native Peoples of the Americas.* Vol. 1 Part. 2, pp. 259-327.

Robert, W. C. H. (ed.)
   1975   *Voyage to Cathay, Tartary and the Gold-and Silver-Rich Islands East of Japan, 1643*: The Journal of Cornelis Jansz. Coen Relating to the Voyage of Marten Gerritsz. Fries to the North and East of Japan. Amsterdam: Philo Press. St. Petersburg.

Rowlands, M, M. Larsen, and K. Kristiansen (eds.)
   1987   Centre and Periphery in the Ancient World. Cambridge: Cambridge University Press.

Schrenck, L. V.
   1881   *Die Volker des Amur-Landes* 3. St. Petersburg: Xaiserlichen Akademie der Wissenschaften.

Shubin, V. O.
   1990   Russian Settlements in the Kurile Islands in the Eighteenth and Nineteenth Centuries. In R.Pierce (ed.) Russia in North America: *Proceedings of the Second International Conference on Russian America*, pp.425-450. Kingston: The Limestone Press.

Шубин, В.О., О.А.Шубина
   1986   К Истории Освоения Русскими Острова Уруп. (По Материалам Археологических Исследований) *Проблемы Археологических Исследований на Дальнем Востоке СССР*, pp.100-109. Владивосток : Наук.

Смоляк, А.В.
   1984   *Традиционное Хозяйство и Материальная Культура*. Народов Нижнего Амура и Сахалина. Москва : Наука.

Solway, J. S. and R. B. Lee
  1990   Foragers, Genuine or Spurious?: Situating the Kalahari San in History. *Current Anthropology.* 31(2), 109-146.
Spielmann, K. A. and J. F. Eder
  1994   Hunter and Farmers: Then and Now. *Annual Review of Anthropology* 23, 303-323.
Stiles, D.
  1992   The Hunter-Gatherers'Revisionist'Debate. *Anthropology Today* 8 (2), 13-17.
Takahashi, H. and M. Ohara (eds.)
  2004   Biodiversity and Biogeography of the Kuril Islands and Sakhalin. Vol.1. Sapporo: The Hokkaido University Museum.
  2006   Biodiversity and Biogeography of the Kuril Islands and Sakhalin. Vol.2 Sapporo: The Hokkaido University Museum.
Таксами, Ч. М.
  1967   *Нивхи.* Ленинград: Наука.
Tezuka, K.
  1998   Long-distance Trade Networks and Shipping in the Ezo Region. *Arctic Anthropology* 35 (1), 350-360.
Tezuka, K and B. Fitzhugh
  2004   New Evidence for Expansion of the Jomon Culture and the Ainu into the Kuril Islands: from IKIP 2000 Anthropological Research in the Kuril Islands. In H. Takahashi and Ohara M. (eds.) *Biodiversity and Biogeography of the Kuril Islands and Sakhalin* Vol.1, pp.85-95. Sapporo: The Hokkaido University Museum.
Trigger, B. G. and W. R. Swagerty
  1996   Entertaining Strangers: North America in the Sixteenth Century. In B. G. Trigger and W. E. Washburn (eds.) *The Cambridge History of the Native Peoples of the Americas* 1(1), 325-398.
Tikhmenev, P. A.
  1978   *A History of the Russian-American Company.* R. A. Pierce and A. S. Donnelly (trans. and eds.) Seattle: University of Washington Press.
  1979   *A History of the Russian-American Company.* Vol.2. D. Krenov (trans.), R. A. Pierce and Alton S. Donnelly (eds.) Kingston: The Limestone Press.
Watanabe, H.
  1968   Subsistence and Ecology of Northern Food Gatherers with Special Reference to the Ainu. In R. B. Lee and I. DeVore (eds.) *Man The Hunter.* pp.69-77. New

York: Aldine De Gruyter.
1972 The Ainu Ecosystem: Environment and Group Structure. Tokyo: University of Tokyo Press.

White, R.
1991 *The Middle Ground: Indians, Empires, and Republics in the Great Lake Region.* Cambridge: Cambridge University Press.

Wilmsen, E. N.
1989 Land Filled with Flies. Chicago: University of Chicago Press.

Wolf, E. R.
1982 Europe and the People without History. Berkeley: University of California Press.

Woodburn, J.
1988 African Hunter-Gatherer Social Organization: Is It Best Understood as a Product of Encapsulation? In T. Ingold, D. Riches, and J. Woodburn (eds.)
Hunters and Gatherers: History, Evolution, and Social Change. pp. 31-64. Oxford: Berg Publishers Ltd.

Yesner, D. R.
1980 Maritime Hunter-gatherers: Ecology and Prehistory. *Current Anthropology* 21, 727-750.

Zolotarev, A. M.
1937 The Bear Festival of Olcha. *American Anthropologist* 39, 113-130.

Зыков, Ф.М.
1989 *Традиционные Орудия Труда Якутов* . Новосибирск : Наука.

あ と が き

　資本主義的世界経済システムが、それに参与した各地の先住民社会を含む各国各地域の社会・経済のあり方を強く規定するという、世界システム論の手際のよさにひそかに共鳴していた私にとって、辺境の先住民社会がグローバル経済に組み込まれるのに先立って、先住民相互の交易ネットワークシステムが活性化する現象を、大学院在籍中にカナダ・ラブラドール地方の物質文化の研究を通して確認できたことは収穫であった。
　この地域では、毛皮交易の開始が文献上で確認される以前から、毛皮獣の集中的な捕獲がはじまっている。先住民文化が巨大な経済に受動的に統合される構図よりも、個人的にはむしろ既存の社会経済システムを総動員して対処する、現地の人びとの反応に関心をもつようになった。文献史料に依拠するよりも以前の段階の、食糧生産社会と狩猟採集社会の直接的・普遍的関係を推し量ることが可能であるという点において、考古学研究は文献史料に対して確かなアドヴァンテージを有している。もちろん双方のアプローチの組み合わせが必須であることはいうまでもない。その後、北海道で研究者生活を送るようになってからも、接触期前後の北方の狩猟採集文化の内部に類似した現象を捜し求め、その問題への関心を失うことはなかった。本書が現段階でのささやかな回答になっていればさいわいである
　北海道の石狩低地帯という物資流入の最前線に位置し、外部社会とのホットな接点になるような地域の分析では、はからずも南方の「中心」との関係が主になってしまった感はいなめない。境界領域の北方狩猟採集文化が、必ずしも単一の中心と接点をもっているわけではなく、たとえばサハリンを介して大陸と、千島を介してカムチャツカ以北と複合的に対応しており、また時代によってその境界が移動することは十分想定できるものの、現状の物質文化の証拠か

らは、南との長期・安定的な関係ばかりが強調される結果となってしまった。

そもそも北方狩猟採集文化と本州文化の相互交流を基軸に、アイヌと和人という2つの集団が厳格な同一性を堅持し、他集団と截然と分かつことのできる境界線で区分されるような文化集団を維持してきたと考えることが、はたして妥当であろうか。少なくても中・近世の蝦夷地では、アイヌと和人の内部でも、それぞれ複数のカテゴリーに区分される人びとが織りなすアイデンティティと他者生成の場面の痕跡を追認することができる。同化・包摂の過程で、圧倒的な勢いで流入する多数者側の生活様式や制度のもとで、先住民文化が吸収したり、自文化要素と融合させてあらたに生み出した異種混交的な文化のあり様を、強制的な受容や純粋で固有な価値の喪失といった言葉で片づけることは適切ではない。むしろ、先住民文化に所属するひとりひとりが、異なる生業や異なる文化間のコンタクトゾーンにおいて、それぞれの判断や方法で、自己のアイデンティティを保持しながら自主的にあらたな自己創造の実践を果たした側面にこそ光をあてるべきではないか。

これまでの歴史研究は、中心や本体部分を研究の主要対象にしてきたといっても過言ではないだろう。大学在学中から長きにわたりご指導をいただいている菊池徹夫先生には北方の視点から、あるいは非農耕民的伝統の視点から、列島の歴史全体を見直すことの重要性をご教示いただいた。また、考古学研究室における長年のおつきあいのなかで、近藤二郎さん、高橋龍三郎さんをはじめ諸先輩がたからは多くの教えを賜り、それらが本書の執筆に追い風となった。末筆ながら心から感謝申しあげたい。

2011年1月

手塚　薫

ものが語る歴史シリーズ㉓

アイヌの民族考古学
みんぞくこうこがく

■著者略歴■

手塚　薫（てづか　かおる）
1961年、北海道生まれ。
早稲田大学大学院文学研究科博士後期課程史学専攻退学、博士（文学）。北海道開拓記念館学芸員を経て、現在、北海学園大学人文学部准教授。
主な著作論文
「千島列島への移住と適応―島嶼生物地理学という視点―」榎森進・小口雅史・澤登寛聡編『アイヌ文化の成立と変容―交易と交流を中心として―上』（岩田書院、2008年）、「アラスカ・コディアック島の先住民による商業サケ漁」岸上伸啓編『海洋資源の流通と管理の人類学』（明石書店、2008年）。

2011年2月20日発行

著　者　手　塚　　　薫
発行者　山　脇　洋　亮
組　版　㈱富士デザイン
印　刷　モリモト印刷㈱
製　本　協栄製本㈱

発行所　東京都千代田区飯田橋4-4-8
（〒102-0072）東京中央ビル　　㈱同成社
TEL 03-3239-1467　振替 00140-0-20618

ⒸTezuka Kaoru 2011. Printed in Japan
ISBN978-4-88621-547-5　C3321

本書関連の既刊書

ものが語る歴史⑦
オホーツクの考古学
前田潮著　　　　　　　　　　　　A5判・234頁・5250円

オホーツク海をめぐる地域に展開した、いくつかの古代文化の様相をめぐり、筆者は自らの調査の結果をふまえつつ、日露の研究者の幾多の文献を渉猟し、自身の研究に新たな展望をひらく。

【目次】
序章　海獣狩猟文化としてのオホーツク文化／第1章　オホーツク文化の文化的位置（オホーツク文化黎明期の宗谷海峡／北方民族の竪穴居住の廃止と狩猟採集民社会の崩壊）／第2章　銛頭からみた海獣狩猟技術の確立過程（オホーツク文化の銛頭の再検討／擦文文化の銛頭について／恵山文化の銛頭について／オホーツク文化の銛頭の出自）／第3章　大陸文化の影響（牙製婦人像について／鹿角製帯留について）／第4章　鈴谷期の歴史的位置（鈴谷期の遺跡立地／ウスチ・アインスコエ遺跡の竪穴群／鈴谷期の竪穴住居／鈴谷期の銛頭／鈴谷期の年代的位置と文化的帰属について）／終章　オホーツク文化の形成過程について

ものが語る歴史⑨
クマとフクロウのイオマンテ
—アイヌの民族考古学—
宇田川洋編　　　　　　　　　　　A5判・248頁・5040円

イオマンテとは、クマの魂（霊的存在）を天上界に送り返す、アイヌに伝わる代表的な儀礼。筆者らは北海道東部に残されたイオマンテの場所を考古学的に調査し、発掘調査と古老への聴き取り調査を通して、送られたものや動物、「送り」儀礼の内容を明らかにする。

【目次】
1　虹別シュワンという地名とその場所／2　1939年のイオマンテ／3　遺跡としてのシュワン／4　発掘調査を通して／5　送られたもの／6　送られた動物／7　ヒグマの"送り"儀礼—起源をめぐる研究の現状と課題—／8　シマフクロウの送り儀礼／9　ハシバミ孝太郎エカシのこと／10　聴き取り調査で得られた民族学的情報(1)／11　聴き取り調査で得られた民族学的情報(2)／12　聴き取り調査で得られた民族学的情報(3)／13　シマフクロウの生態／14　名流「西別川」の今・昔

本書関連の既刊書

ものが語る歴史⑬
アイヌのクマ送りの世界
木村英明・本田優子編　　A5判・242頁・3990円

アイヌのアイデンティティの核をなし、儀礼のなかで最高位に位置づけられる「クマ送り儀礼」。民族誌と考古学の両面からクマ送りの実際や起源を検証し、その今日的意味を探る。

【目次】
Ⅰ　クマ送りの民族誌（北方諸民族におけるクマ送り儀礼／口承文芸・文献資料にみられる送り儀礼／クマ送り儀礼の継承と課題／いくつかのコメントと質疑応答）／Ⅱ　考古学から探るクマ送り（考古学から探るクマ送りの起源／なぜクマ送りなのか／クマを追う人びと／ヒグマの遺伝子の多様性とクマ送り／いくつかの問題点について：質疑応答）／Ⅲ　クマ送り研究の現状と課題（クマ送り研究の現状と課題／さらに問題点を探って）／付論・アオシマナイ遺跡（貝塚・チャシ）と「エゾシカ送り」

トビニタイ文化からのアイヌ文化史
大西秀之著　　A5判・258頁・5250円

トビニタイ文化という歴史事象を、北海道に生起した異系統集団の接触・融合の一類型として人類史のなかに位置づけるとともに、それがアイヌ文化に果たした歴史的意義を緻密な理論によって追究する、斬新な試み。

【目次】
第1章　トビニタイ文化の研究意義（問題の所在と本書の射程／研究史の回顧と課題の把握／新たな研究視座）／第2章　トビニタイ文化の主体者（トビニタイ土器に伴う「擦文式土器」の製作者／トビニタイ土器製作集団と擦文文化集団の集団間関係／トビニタイ文化の住居址構造と居住者）／第3章　トビニタイ文化なる現象の追究（集落遺跡の立地パターン／遺物組成にみるトゥールキット／トビニタイ文化なる現象）／第4章　歴史的事象としてのトビニタイ文化（トビニタイ文化の成立の背景／列島史への位置づけ／アイヌ文化にとっての歴史的意義）

本書関連の既刊書

市民の考古学⑦

日本列島の三つの文化 北の文化・中の文化・南の文化

藤本　強著　　　　　　　　　　　　四六判・194頁・1890円

一般に日本文化とされる「中の文化」に対し、北海道を中心とする「北の文化」と南島の「南の文化」、隣接するボカシの地域の文化を概観し、列島文化の多様性を探る。

【目次】
1　日本列島の三つの文化（日本文化の多様性／「北の文化」、「中の文化」、「南の文化」、ボカシの地域／日本列島の自然と森／ほか）／2　「北の文化」の成立（北海道の自然／「北の文化」以前／「北の文化」のはじまり／ほか）／3　「北の文化」の展開（「北の文化」の展開／オホーツク文化／網走市、モヨロ貝塚／オホーツク文化の住居／オホーツク文化のムラ／ほか）／4　「南の文化」の成立と展開（「南の文化」／南島の自然と地域圏／「南の文化」成立の前夜／種子島、広田遺跡／ほか）／5　ボカシの地域（ボカシの地域／ボカシの地域の自然／南のボカシの地域／ほか）／6　グスクとチャシ（グスクとチャシ／グスクとチャシのもつ意味／ほか）

北方狩猟・漁撈民の考古学

山浦　清著　　　　　　　　　　　　B5判・344頁・13650円

環極北地域、環オホーツク海地域、さらには日本列島で海獣狩猟と漁撈に生きた人びとの文化を、とくに回転式銛頭および雌形銛頭に焦点を当てて論究。著者の長年にわたる研究の集大成であり、関係者には必見の論集！

【目次】
序章　民族誌にみる銛の構造と機能／第Ⅰ部　日本列島をめぐる視点から（日本列島雌形銛頭の系譜問題と韓半島／中国東北地区における回転式銛頭と日本列島／ほか）／第Ⅱ部　環オホーツク海地域という視点から（北サハリン・ハンツーザ貝塚出土遺物について／ノグリキおよびサドフニキⅡ遺跡出土遺物について／ほか）／第Ⅲ部　環極北地域という視点から（アラスカにおける漁撈文化の展開／ベーリング海峡周辺地域への鉄器の流入／ほか）